CHOISISSEZ TOUT

www.editions-jclattes.fr

Nathalie Loiseau

CHOISISSEZ TOUT

ISBN : 978-2-7096-4484-6

Maquette de couverture : Atelier Didier Thimonier

Première édition septembre 2014.

« Je choisis tout. »
Sainte Thérèse de Lisieux

Sommaire

Avant-propos

Je ne m'appelle pas Sheryl Sandberg. Je ne gagne pas une fortune comme numéro deux de Facebook, je ne quitte pas mon bureau à 17 heures pour passer plus de temps avec mes enfants.

Je ne suis pas Marissa Mayer. Je ne suis pas devenue P-DG de Yahoo! en annonçant que j'étais enceinte, je n'ai pas pris quinze jours de congé maternité en trouvant facile d'avoir des enfants.

Je ne crois pas, comme Hanna Rosin, que le temps des hommes est terminé et que vient inexorablement le temps des femmes.

Je ne me retrouve pas dans ces super-héroïnes de papier glacé, glaçantes d'assurance et qui transforment en tour de force l'idée simple d'avoir à la fois une vie professionnelle et une vie privée. Et je doute que beaucoup se reconnaissent dans ces femmes extrêmement riches, extrêmement apprêtées, extrêmement diplômées et…extrêmement américaines.

Pourtant, j'éprouve un vrai malaise à les voir attaquées, critiquées, livrées en pâture aux sarcasmes de tous ceux – parfois toutes celles – qui continuent à ne pas les trouver à leur place, simplement parce que cette place est en haut, qu'elles dirigent, s'expriment et veulent « tout avoir », *have it all*, à savoir une carrière et une famille, selon cette drôle de formule que je n'ai jamais entendue appliquée à aucun homme.

Soudain je me souviens de l'ironie avec laquelle on répétait dans ma famille qu'enfant, je « voulais tout ». Pauvre naïve : naïve d'en avoir envie, naïve de croire que c'était possible et naïve de le dire.

Naïve, je le suis restée et le revendique : *have it all*, vivre pleinement sa vie, ne pas renoncer avant d'avoir essayé, je voudrais que cela soit possible pour toutes les femmes. J'ai beaucoup reçu, beaucoup combattu et beaucoup obtenu. J'ai aussi connu dans de nombreux pays d'innombrables destins de femmes qui m'ont fait réfléchir. Mes premières sœurs, je les ai trouvées hors de France, hors d'Europe et j'ai vu dans leurs vies des reflets de la mienne. Aujourd'hui je voudrais partager ce que j'ai vu et vécu, donner envie à d'autres femmes d'oser, de rêver et de changer le monde.

C'est pour cela que j'ai écrit ce livre.

1.

Tiens-toi bien

Ma layette était bleue. Mon frère l'avait choisie. Dans sa tête d'enfant, il avait des projets pour moi. Et c'est ce qui m'a amenée où je suis.

Nous sommes en 1964, au siècle dernier. Pas de loi Neuwirth, pas de loi Veil. Des millions d'enfants ne pourront jamais dire jusqu'à quel point ils ont été désirés. Nous sommes la queue de comète du baby-boom. J'y pense : pour faire un bon baby-boom, il a fallu la fin d'une guerre atroce, trente glorieuses années de croissance et de foi dans l'avenir, une belle politique nataliste inventée dans les années 1930 lorsque les couples n'étaient pas très sûrs de vouloir des enfants. Mais ce baby-boom a aussi profité de l'absence de moyens de contraception facilement accessibles comme de l'interdiction de l'avortement. Et d'un recul du travail des femmes. Oui, un recul. Les femmes étaient plus nombreuses à travailler au début du XXe siècle que dans les années 1960. Dans les champs, dans les usines, comme artisans, commerçantes, employées de maison, demoiselles des postes… Ce n'est que depuis la fin des années 1980 que la proportion de femmes actives a dépassé celle de la Belle Époque. L'âge d'or de la France d'après-guerre et d'avant les crises, celui que beaucoup de Français ont en référence et dont on entretient la nostalgie, celui en tout cas de notre splendide baby-boom, est aussi le temps des femmes au foyer et des enfants plus ou moins désirés. Je suis arrivée à la fin de cette période-là. Une mère au foyer, un frère, une layette bleue. Tout un programme ? Justement pas.

J'appartiens à une génération et à un milieu où l'enfant est banal. Ce n'est pas encore vraiment « une personne », car si Dolto a commencé ses travaux depuis longtemps, ils sont encore considérés avec réticence. L'enfant n'est pas un roi, encore moins un tyran, il fait simplement partie du paysage. Il n'est pas au premier plan. Les adultes, les parents, ont leur vie, qu'ils partagent peu avec leurs enfants. C'est flagrant pour les pères : ils travaillent, font vivre la famille, voyagent, rentrent tard, fatigués. On ne doit pas les déranger. Mon père n'a jamais vraiment su dans quelle classe nous étions, ni mon frère, ni moi. Il lui est même arrivé d'hésiter sur nos prénoms, en tout cas sur nos âges, en nous présentant à ses amis.

Ce qui surprend davantage, c'est que, pour les mères au foyer de cette époque, l'enfant est certes une charge qu'elles assument essentiellement seules, quasiment sans partage avec le père, qu'on élève, qu'on éduque, mais avec qui on garde ses distances. L'enfant doit attendre plusieurs années avant de prendre ses repas avec les adultes. Il n'accède à la grande table qu'à condition de bien s'y tenir et de s'y montrer discret. Les loisirs de ses parents ne sont pas les siens et on ne les partage que parcimonieusement avec lui. Ainsi, mon frère et moi avons été emmenés respirer le « bon air » de la Bretagne et de la Côte basque toute notre enfance, mais nous ne sommes jamais montés sur le voilier de mon père. Au propre comme au figuré, par rapport à nos parents, nous restions à quai.

Ce que je décris ne se situe ni dans le haut Moyen Âge, ni dans les montagnes d'Afghanistan. Ce n'est loin de nous ni dans l'espace, ni dans le temps. Et qu'on ne se méprenne pas : je ne parle pas d'un bagne, mais d'un ailleurs : un monde d'adultes peu ouvert aux enfants mais aussi, en miroir, un monde d'enfants où les adultes pénétraient finalement assez peu. Parents et enfants vivaient sous le même toit mais chacun chez soi. Dans cette séparation, certains verront la source d'une frustration affective, d'un manque. Pour ma part, j'y ai trouvé des espaces de liberté : dîner à la cuisine, gratouiller le sable ou compter les brins d'herbe pendant que ses parents naviguent, c'est certainement passer à côté de beaucoup de choses, partager bien peu avec les auteurs de ses jours en attendant le moment où l'on sera jugé digne de les rejoindre, mais c'est aussi exercer son droit à l'enfance, à vivre comme on est, à rêvasser, à laisser le temps s'écouler, sans que les adultes manifestent d'attentes particulières vis-à-vis de l'enfant qu'on est encore. Pas d'attente, cela veut dire à la fois pas d'attention et pas de pression. Cela offre de vrais moments d'enfance, à l'écart et à l'abri du regard et donc du jugement des adultes.

Ce que j'ai vécu, beaucoup d'autres enfants de ma génération l'ont connu et bien peu ont trouvé à s'en plaindre. Je me souviens de mon amie Paulette Brisepierre, une maîtresse femme, longtemps doyenne du Sénat et aujourd'hui disparue, qui avait poussé la logique à l'extrême. Deux fois mariée, deux fois veuve, Paulette eut onze enfants sous le soleil de Marrakech au temps du protectorat. Son premier mari, riche propriétaire terrien, et elle y occupèrent non pas une mais deux maisons extraordinaires, à l'ombre de la palmeraie. La première, où Paulette recevait sans relâche, offrait un mélange séduisant d'Art déco et de style mauresque. La deuxième fut destinée à accueillir les nombreux enfants du couple, qui y demeuraient à l'année et n'étaient autorisés à pénétrer chez leurs parents que dans des occasions très spéciales et prévues de longue date : fêtes, anniversaires, bulletins de notes. Le reste du temps, les enfants vivaient entre eux, entourés de domestiques pendant que les parents menaient grand train.

La première fois que Paulette me décrivit sa « vie de famille », je restai stupéfaite. Avoir tant d'enfants pour les voir si peu, bigre ! Se pouvait-il qu'il y ait derrière la femme menue et rieuse qui se tenait devant moi un monstre froid capable d'enfanter mais inapte à être mère ? Il y avait pourtant dans le ton de son récit une joie, une malice qui semblaient bien étrangères à un monstre froid. J'interrogeai plus tard l'un des fils de Paulette. Il me raconta une enfance magique, au cœur d'un paradis protégé du regard des adultes, où toutes les petites bêtises étaient permises et où il s'était bien amusé.

Paulette Brisepierre aussi sut s'amuser, jusqu'au bout. Elle ne cessa de recevoir à Marrakech les amis de ses enfants devenus grands, parmi lesquels Élisabeth Vallières, qui deviendra Élisabeth Guigou, puis de ses petits-enfants. Elle conduisit sa Porsche cabriolet ou son coupé Mercedes jusque dans la cour d'honneur du Sénat. En effet, devenue veuve, Paulette Brisepierre releva le défi de maintenir l'entreprise de son mari, puis de survivre à la marocanisation des biens et de se faire élire au Sénat, où elle défendit avec une énergie infatigable les Français de l'Étranger jusqu'à ses quatre-vingt-onze ans, avant de choisir de ne pas se représenter. Elle mourut quatre ans plus tard.

Paulette était une femme libre, étonnamment moderne dans sa vie et dans son style, qui choisit de concilier une maternité hors du commun avec une vie sociale, professionnelle et politique très en avance sur son temps. Elle faisait mon admiration par sa joie de vivre inébranlable, sa féminité jamais prise en défaut, son énergie et son obstination. Présidente du groupe d'amitié France-Maroc au Sénat, je l'ai vue, à quatre-vingts ans passés, sillonner le Sahara en plein ramadan et conseiller Françoise de Panafieu, également du voyage et durement éprouvée par la chaleur et les kilomètres avalés sans prendre un repas dans l'attente de l'heure de la rupture du jeûne : « Si tu es fatiguée, surtout, ne te couche pas, ne t'endors pas, tu es cuite si tu t'endors. Moi, je m'allonge par terre, les pieds au mur. Je me relaxe, je me détends et si jamais je m'endors, mes pieds tombent du mur et je me réveille. Essaie, c'est souverain. » Le conseil était prodigué à une Françoise de Panafieu au visage chiffonné par la fatigue par une octogénaire au brushing et au maquillage impeccables, perchée en plein Sahara sur des talons aiguilles.

Paulette avait conduit sa vie et tracé son chemin en dehors des conventions. Elle avait choisi la maternité – et quelle maternité – sans rien céder de sa vie de femme.

Tous les enfants de ma génération n'ont pas connu une éducation aussi radicalement éloignée de la vie de leurs parents que celle que Paulette Brisepierre prodigua à sa nombreuse couvée et que le mode de vie des grandes familles marocaines avait sans doute influencée. Je retrouve en effet dans ses choix l'écho des souvenirs d'enfance de l'un de mes très chers amis de Fès, élevé dans ces maisons mystérieuses de la médina par une « dada », une nounou africaine qui ne le quittait pas, couchait dans sa chambre, l'endormait au son de récits merveilleux et le rassurait de ses terreurs nocturnes. Aimée, respectée, protectrice du foyer et ange gardien des enfants, la dada peuple les souvenirs d'enfance de mon ami Fouad au moins autant, si ce n'est davantage que ses propres parents.

Mais nous sommes là bien loin de la France des années 1960.

Chez nous, pas de dada, pas de maison séparée entre adultes et enfants, mais tout de même, deux mondes bien délimités. Surtout, dans cette vie familiale, nous n'étions pas au centre. Mais y avait-il un centre ? Sans doute la famille était-elle une notion plus extensive et moins nucléaire qu'aujourd'hui. Séjournaient sous le même toit et se côtoyaient sans cesse plusieurs générations capables de cohabiter d'autant mieux qu'elles gardaient chacune son identité et ses habitudes. Ma grand-mère habita ainsi avec nous jusqu'à ce que la maladie l'éloigne. Plusieurs de mes cousins vinrent étudier à Paris et logèrent à la maison quelques semaines, parfois quelques années. Notre femme de ménage eut une fille, qu'elle amenait pendant ses heures de travail et que je contemplais avec délices. Il y avait sans arrêt des allées et venues, des nouvelles tristes ou joyeuses pour les uns et pour les autres. Nous étions au milieu de ce va-et-vient, certainement pas au centre.

Depuis, j'ai vécu en Afrique et j'y ai observé, plus nettement encore, comment la notion de famille pouvait se décliner sous de multiples formes. Celle du noyau père + mère + enfants n'en était qu'une parmi d'autres. J'y ai vu des fils et des filles baptisés par leurs oncles, confiés à des tantes ou des cousines plus fortunées ou qui n'avaient pas eu d'enfants. J'y ai rencontré des fratries qui n'en étaient pas vraiment, du moins au sens strict. J'ai connu des enfants de pères polygames, pour qui l'attachement à leur mère biologique se mêlait à beaucoup d'autres liens affectifs et familiaux. J'ai observé, je n'ai pas jugé, seulement compris que ce qu'aujourd'hui, en Europe, nous appelions la famille n'était un modèle ni universel, ni intemporel. Et quand j'entends crier sous mes fenêtres qu'un enfant, c'est « un papa + une maman », je pense à tout ce que j'ai vu en Afrique et cela me fait sourire.

Bien sûr, je n'oublie pas ce que mon ami Mamadou Diouf m'a dit de sa détestation du poids de la famille africaine, de son horreur pour son rôle dans les pesanteurs que subissent ces sociétés. Je n'oublie pas le drame qu'ont vécu certaines femmes africaines que j'ai connues, si intelligentes, si vives et qui, s'imaginant entrées dans la modernité et mariées par amour à un homme qu'elles croyaient durablement monogame, apprenaient un jour sans ménagement l'arrivée imposée d'une « petite sœur », cette deuxième épouse signe de prestige et garante de la domination de l'homme.

Mais je garde aussi le souvenir du vent de liberté qui soufflait sur l'enfance en Afrique où j'ai vécu. J'ai vu les petits Sénégalais jouer dehors dans la poussière, à portée de voix de ceux qui, parmi les adultes ou les plus grands des enfants, avaient pour quelques heures la charge de veiller sur eux. J'ai vu mes petits garçons courir avec leurs camarades dans le sable de Gorée. Je les ai retrouvés accrochés dans le dos d'une grande sœur de rencontre quand ils étaient fatigués, perchés dans le giron de mon amie Bigueye la griotte quand ils voulaient entendre une belle histoire, dans les odeurs de tchouraye de sa maison au bord de l'eau. Ils étaient libres, ils étaient confiants, ils passaient d'un bras à un autre sans effroi, à tel point que, revenus en France, ils suivaient dans la rue ou dans le métro le premier Africain qui leur adressait un sourire.

De retour en France, j'observe avec surprise le tsunami que déclenche l'arrivée d'un enfant dans la vie des couples que je côtoie. Ultra-désiré, ultra-investi, arrivé parfois après beaucoup de difficultés, l'enfant paraît et...envahit tout : l'appartement, de sa multitude de jouets d'éveil, des tapis aux couleurs criardes aux hochets abominablement polyphoniques, les conversations, les pages Facebook... Il est roi malgré lui dès la première minute de sa vie. Sa photo surgit sur le smartphone de dizaines d'amis ou de simples connaissances de ses parents moins d'une heure après sa naissance, ce qui donne l'impression troublante d'observer toujours le même nourrisson, rouge, frippé, emmailloté et coiffé d'un bonnet de ski, les yeux résolument clos. Et rien, absolument rien, n'est plus pareil : pas un apéritif sans bébé phone, pas un week-end sans déménagement de trois mètres cubes de matériel de puériculture, pas une évolution (premières dents, premiers pas, premiers mots) qui ne soit guettée, étalonnée, rapportée, commentée, avec un mélange de découverte naïve, de fierté et d'anxiété : mon enfant est-il bien conforme et original, normal et exceptionnel ? Que montre-t-il de ce que je suis, puisque nous sommes lui et moi forcément fusionnels, qu'il est mon œuvre, qu'à travers lui je me réalise ?

C'est aux États-Unis que j'ai vu le phénomène prendre le plus d'ampleur : plus d'une fois, j'ai eu le sentiment que, dans les maisons où je me rendais, les parents habitaient chez leurs enfants, tant ceux-ci s'étaient vu attribuer une place et un rôle de premier plan. Slalomant entre les jouets, on découvrait que le salon était le lieu de vie naturel des petits, où les adultes devaient tenter de préserver un espace. Combien de conversations couvertes par le dessin animé du bambin? Combien d'échanges avec un petit à peine doté du don d'articuler correctement pour lui faire dire qu'il accepte d'aller se coucher, qu'il veut bien mettre son pyjama mais seulement celui avec un dinosaure dessus? Combien de sujets d'adultes éludés parce que les enfants sont finalement restés dans la pièce et pourraient tout entendre? Dans cette mise en scène maintes fois répétée, j'ai trouvé beaucoup d'application et d'anxiété chez les parents, beaucoup d'agitation et de lassitude chez les enfants, peu de spontanéité et rarement d'allégresse chez aucun des protagonistes. Les parents jouaient à être de bons parents, les enfants ressentaient l'intrusion des adultes dans leur monde avec autant de gêne que d'ennui, mais leur monde prenait malheureusement toute la place. Il n'y avait pas de bonne solution.

La même scène en version française n'est pas mal non plus. Elle prend une saveur particulière lorsqu'elle se teinte de parisianisme et que, centre du monde, l'enfant se voit aussi confier le statut d'objet *fashion*. Du prénom vintage/décalé à la tenue hype en passant par les goûts musicaux et le vocabulaire branché inculqués au biberon, les petits Parisiens portent sur leurs frêles épaules l'injonction parentale de figurer au rang d'ornements flatteurs de leurs géniteurs et doivent dès leur tendre enfance éviter toute faute de goût. Écrasante responsabilité pour l'enfant, transformé en icône de mode, volé de son enfance et projeté dans un monde étrange où l'adulte jouera à la Wii avec son fils mais attendra de lui qu'il aime le heavy metal et monte un groupe de rock dès neuf ans. Et pourquoi pas...si ce n'est le regard souvent flottant et rarement joyeux des enfants, petits singes savants disciplinés mais un peu las au service de l'ego anxieux de leurs parents. Enfants-rois peut-être, mais d'un royaume qui n'est pas vraiment le leur et dont on a dessiné les contours à leur place.

Aujourd'hui, le phénomène de l'enfant-roi n'est plus seulement occidental : les «petits empereurs» chinois supportent à leur manière le poids des attentes démesurées de leurs parents pendant que la détresse des hîkkomoris, ces enfants reclus, témoigne avec rage de l'insupportable pression que subissent les adolescents japonais.

Depuis qu'il est au centre de la vie de ses parents, l'enfant n'a plus guère de vie à lui. Tant d'attention, tant d'attentes, tant d'anxiété, qu'a-t-il fait pour mériter ça ?

J'étais loin de tout cela. D'autant plus loin que j'étais une fille et que l'attention, les attentes, c'est sur mon frère qu'elles convergeaient. Ah, l'éducation du petit garçon au milieu des années 1960, quelle aventure c'était déjà ! Cours de français, cours d'anglais, cours de maths, mon frère refaisait le programme après la sortie des classes plusieurs soirs par semaine, grâce à des répétiteurs qui étaient souvent les mêmes professeurs qu'il avait eus dans la journée. La Belle, la Sainte école publique, laïque et républicaine s'offrait quelques extras en cours particuliers pour ceux de ses élèves qui le pouvaient. Les braves murs noirs du lycée Carnot pouvaient bien accueillir des fournées de classes de trente-cinq marmots puisque ceux qui ne tutoyaient pas les premières places et dont les parents pouvaient faire face suivaient les professeurs chez eux le soir pour réentendre le cours sans gêneurs.

Mon frère était de ceux-là. Il en a passé, des fins d'après-midi à ressasser les cours, refaire les exercices, préparer les devoirs, en un mot se per-fec-tio-nner. Le reste du temps, judo, piano. Séjours linguistiques l'été, ski l'hiver chez des amis de nos parents. Un sérieux emploi du temps. Et moi ? Moi, rien. Ou plutôt si : puisque j'étais là, j'allais partout où mon frère allait. On me posait dans un coin et j'attendais. Épatant. J'ai appris la poésie, le théâtre, l'anglais en écoutant mon frère se les faire enfoncer dans le crâne. Et comme on n'attendait rien de moi, ça rentrait tout seul. Aujourd'hui encore, je peux jouer La Flèche dans *L'Avare* sans l'avoir jamais lu. Mais entendu, ça oui. « La peste soit de l'avarice et des avaricieux. » Et tout le reste. Pour l'anglais, idem. Les maths, itou. J'ai appris à lire à quatre ans pour faire comme lui. On me disait : « Tais-toi, ton frère lit. » Je me suis tue et j'ai lu.

Pour le piano, ce fut un peu différent. Et très injuste. Le professeur de piano de mon frère s'est aperçue que, posée dans mon coin, la musique me plaisait. Elle m'a mise au piano et j'ai commencé à jouer six ans plus jeune que mon frère. On en a déduit que j'étais plus douée. Là est l'injustice. Mon frère a une véritable passion pour la musique. Simplement il a commencé trop tard. Grâce à lui, j'ai débuté beaucoup plus tôt et ai pu aller beaucoup plus loin. Au prix, c'est vrai, d'heures de gammes dans les odeurs de choux de Bruxelles que cuisinait ma professeur de piano. Au prix de la trace de ses ongles enfoncés dans mes poignets jusqu'au sang, tant elle était obsédée par la « tenue de mains ». Pour elle, bien jouer du piano, c'était d'abord se tenir bien. Pas étonnant car le piano, c'était une occupation de fille. Parce que tout de même, je ne faisais pas tout comme mon frère. Le judo, ça lui était réservé. Le ski aussi. Et le vélo. Tous les sports en fait. Il y avait un principe de base : le sport, ce n'était pas pour moi. Fille et fluette, pas de sport. Et en plus, je ne me tenais pas droite.

Au bout de plusieurs années j'ai gagné un droit inattendu, inespéré : celui de faire de la danse classique. Le nirvana. Encore que, ce sport de petite fille, auquel elles rêvent et que leurs mères chérissent, c'est une drôle de chose. On y souffre infiniment, pieds en sang dans les pointes, crampes dans les mollets, torticolis, grands écarts. On s'y contemple sans complaisance, on s'y compare, on chute, on travaille à la barre, le bâton de la professeur incrusté dans le dos. « Tiens-toi droite. » Les professeurs sont, un peu trop souvent, des danseuses déçues, celles dont le rêve s'est arrêté avant d'atteindre les étoiles. La mienne ? Madame Mime dans *Merlin*. Une silhouette de crapaud, des cheveux teints. Elle avait commencé à enseigner la danse en 1923. Nous étions en 1974. J'étais trop raide, je le savais. Mais cela ne lui importait guère, je me tenais droite. L'une de mes amies avait un talent fou, elle rêvait d'une vraie carrière. Notre professeur ne l'encourageait pas parce qu'elle la trouvait trop laide. C'est donc cela, un sport de fille ? Je vois de temps à autre une petite fille aujourd'hui, elle aime la danse à la folie. Si elle ne dansait pas, je suis sûre qu'elle n'arriverait pas à vivre. Je l'admire et je tremble pour elle. Elle est tout entière tendue vers la danse, c'est toute sa vie, son univers. Elle parle peu, elle s'exprime quand elle danse. Elle souffre énormément, rêve énormément, travaille énormément. Pourvu qu'elle rejoigne son rêve, pourvu aussi qu'elle s'épanouisse ailleurs. Lorsque je la vois, à onze ans, on dirait une nonne. C'est cela, un sport de fille ? La recherche de la perfection, l'hyper-contrôle de soi, un rapport au corps proche du domptage, des canons physiques impérieux ?

Bien sûr, pour redresser mon dos, il y aurait eu mieux. La piscine par exemple. J'y suis allée. Un peu. Avec mon frère. Grâce à mon frère. Mais puisque j'y allais grâce à lui, pas question de se compliquer la vie : accès par le vestiaire des hommes, maillot masculin, douche au milieu des nageurs velus. C'était incommode et ça ne pouvait pas durer éternellement. Mais c'était toujours ça de pris.

C'est que je n'étais donc pas une fille pour tout. J'étais aussi l'ombre de mon frère : on n'avait pas de temps à perdre, on ferait pareil pour l'un et pour l'autre. Sur le plan esthétique, ça a pu donner des résultats curieux : nous allions chez le même coiffeur, Monsieur André, coiffeur pour hommes, pas très habitué à embellir des fillettes. Par chance, c'était les années 1970 et il arrivait que les garçons se laissent un peu pousser les cheveux, je n'étais donc pas complètement rasée. Sans cette mode bénie, j'aurais eu l'air d'un GI puisque l'idée, par ailleurs, était que plus on coupait court, plus les cheveux se renforçaient pour plus tard. On me redressait le dos (on s'occuperait bientôt des dents), on allait bien dresser mes cheveux.

Je récupérais aussi les anciens pantalons de mon frère, ses anciens cabans et ses invraisemblables pulls en mohair qui faisaient se gratter tout le jour. À propos de laine, j'ai même eu des maillots de bain tricotés. Une fois mouillés, l'effet était franchement saisissant. Mais je crois bien que je m'en fichais. Et autour de moi, à l'école, ce qui était magique, c'est que tout le monde s'en fichait aussi. Là, je sens bien que je date. Être une *fashion victim*, pour une enfant, ça n'existait pas encore. Désormais une petite fille de quatre ans pleure parce qu'elle n'a pas d'amie si elle ne porte pas les bonnes marques de vêtements. J'entends mon fils de six ans parler de ses Converse et de ses Puma et je m'aperçois que chez nous aussi, ça dérape. Je sais qu'aux États-Unis, une fillette sur cinq de moins de douze ans se maquille régulièrement.

Moi, je pouvais arborer un vieux pantalon, un chandail en mohair jaune canari et un caban de garçon avec une coupe de cheveux à la Ronnie Bird (les photos de classe l'attestent) : en matière de mode, j'étais un dommage collatéral, pas une pestiférée. Les autres ne valaient guère mieux. Avec le recul, c'était hideux (si j'ajoute que certains ne se lavaient pas énormément, le tableau sera complet). Mais c'était indifférent. On ne connaissait pas les marques de vêtements à la mode, d'ailleurs on ne connaissait pas la mode. On allait s'habiller dans les magasins du quartier. On parlait de vêtements unisex. Et on n'en connaissait pas le prix.

Bien sûr, il y avait des occasions de faire la fille, de mettre des robes à smocks et des souliers vernis ou de se déguiser en princesse grâce à une tenue sublime taillée dans un rideau. Mais pas souvent. Et, toujours l'ombre de mon frère, j'avais aussi récupéré son déguisement de Lagardère et celui de d'Artagnan. Et je jouais aux petits soldats avec lui, allongée des heures sur le sol de la chambre que nous partagions. J'exécutais les manœuvres, je me faisais avoir, battre à plates coutures, six ans de moins, forcément. Je lisais Tanguy et Laverdure, le club des Cinq et les Compagnons de la Croix-Rousse, très peu d'histoires de filles. J'avais tout de même une héroïne, un modèle, l'icône absolue : Fantômette, qui comprenait tout, bravait le danger, sans peur et sans reproche, un chevalier en justaucorps et loup noir, une petite fille libre qui n'attendait pas qu'un prince charmant vienne la tirer d'un long sommeil ou qu'une fée la sorte du malheur en transformant sa citrouille en carrosse.

Les contes de fées, je n'en ai pas abusé et ce fut ma chance. Maintenant je comprends ce qu'ils font voir du monde aux petites filles : les femmes de Barbe Bleue sont punies de leur curiosité, Blanche Neige fait le ménage des sept nains et paye pour sa beauté, la petite sirène doit souffrir pour devenir une femme… Quel bric-à-brac et quels destins ! Et surtout, toutes ces belles qui attendent, qui guettent à longueur de contes, endormies, enfermées, qu'on vienne les délivrer du mauvais sort. Passives, résignées, sans autre espoir que de rencontrer le Prince

Charmant. Pendant ce temps, les petits garçons lisent des récits de chevalerie où il faut conquérir le monde et vaincre le mal, des histoires de pirates où le trésor se gagne par la force ou par la ruse… Ainsi j'ai eu de la chance d'avoir un frère, de lire un peu *Les Petites filles modèles* et beaucoup *Ivanhoé*.

En fait, déjà, j'avais tout : les petits soldats et la corde à sauter, Buck Dany et Caroline (Martine aussi, oui, mais même petite fille, je la trouvais pénible, « Martine petite Maman », Martine jamais décoiffée, jamais délurée, un éteignoir), les robes à volants et les blousons de garçons. Ce qui était agréable, c'était de pouvoir passer de l'un à l'autre, de ne pas être enfermée. Pas trop étiquetée. D'être un enfant avant d'être une fille ou un garçon.

C'était il y a plusieurs décennies. Cette liberté-là aurait pu progresser. Ce n'est pas ce qui s'est passé. Les jeux d'enfants sont plus différenciés entre les sexes que jamais. L'univers des jouets de filles est systématiquement rose, d'un rose souvent hideux qui n'a d'autre fonction que de dire : « réservé aux filles ». L'esthétique Barbie, ce monde où tout sonne faux, du tour de poitrine de la poupée aux accessoires ultra-kitsch dont on l'affuble, gagne tout le reste de l'univers dédié aux petites filles. Il y a désormais des Lego pour filles, aux couleurs différenciées, aux personnages hyper-sexués, aux univers prédéterminés. On part du présupposé que les fillettes vont vouloir assembler sans grande difficulté des personnages faits pour elles, dans des univers faits pour elles. C'est laid, d'une facilité bien supérieure aux Lego des garçons et surtout cela signale que les Lego, les autres, ceux qui ressemblent à la vraie vie, du train à l'hôpital, des pompiers au zoo, de l'aéroport au poste de police, les « vrais », cela ne serait pas pour les filles, ce serait réservé aux garçons. J'ai recherché des publicités pour Lego dans les années 1980. On y voit des fillettes à tresses en train de construire une ville aux côtés de petits garçons bien peignés. Pas d'apartheid sur les Lego. Pas encore.

Évidemment, si j'ai joué aux petits soldats avec mon frère, mes garçons n'ont guère touché à ma maison de poupées. Le mélange ne s'est fait que dans un sens. Et il y avait déjà des aspirateurs et des dînettes dans les jouets des petites filles, là où ce type d'ustensiles ne figure toujours pas dans la panoplie des petits garçons. Mais maintenant, la séparation est encore plus marquée. Les rayons pour filles et les rayons pour garçons sont bien séparés. Le garçon construit et se construit, la fille est une femme en miniature : elle apprend à se maquiller, à créer des bijoux, à être une princesse. Elles aiment ça ? Peut-être. Surtout si on les complimente. Surtout si on les encourage. Mais qui dit qu'elles n'aiment pas autre chose ? Surtout si on les encourage, surtout si on les complimente ? J'ai adoré me maquiller et m'habiller en « dame », les pieds tordus dans les escarpins de ma grand-mère. C'était drôle, c'était troublant et c'était vraiment bien parce que c'était en douce : il fallait faire vite, foncer dans les placards pendant un moment d'absence, sauter dans les vêtements, aligner les colliers, barbouiller le rouge à lèvres mais ne pas se faire prendre, parce que tout ça n'était pas permis. Pénétrer par effraction dans un autre monde, celui des adultes, celui des femmes. Ça ne faisait pas de moi une femme en réduction. Ça ne m'obligeait pas à voir ma mère habillée comme moi ni à partager ses affaires. Un temps pour tout, chacune chez soi.

Faut-il vraiment que tout soit rose dans l'univers des petites filles ? Vous avez vu une rentrée des classes ? Vous n'avez pas eu une indigestion de robes roses, de chaussures roses, de cartables roses ? Vous avez vu ces posters faits pour les chambres d'enfants où les lettres de l'alphabet n'ont pas la même couleur selon que l'enfant est un garçon ou une fille ? Une simple idée marketing ? Sans doute. Pas de quoi fouetter un chat ? Pas sûr. Pourquoi séparer, de distinguer de façon outrancière, inutile ? Au bout de ces logiques, il y en a d'autres, communautaristes, intégristes. Prenons garde de glisser vers elles sans nous en rendre compte.

La France en est loin ? Bien sûr. Ailleurs, cela peut avoir d'autres conséquences d'être une petite fille. Comme de ne pas aller à l'école, de travailler aux champs, ou à l'usine, ou comme domestique. J'ai vu de grands bourgeois marocains qui se disaient de gauche faire préparer le thé sans ciller à deux heures du matin par des servantes de huit ans qui dormaient par terre. J'ai vu des écoles vides dans la campagne du Maroc, faute d'élèves, parce qu'il valait mieux aller aux champs. J'ai aussi vu ce que l'intégrisme puritain de la société américaine pouvait faire des rapports entre petits garçons et petites filles. Un souvenir : un cours de natation mixte pour enfants dans la banlieue de Washington. Les petites filles sont en deux pièces, les petits garçons en boxers larges, la pudeur est ainsi parfaitement respectée. Ils ont cinq ans. Un petit garçon s'affole au milieu du grand bain, il n'a pas de brassards. Il a peur de couler. Il s'accroche à la première chose qui lui tombe sous la main, la petite fille qui nage devant lui ou plutôt le haut de son maillot, qui glisse et découvre une absence de poitrine assez prévisible. Les parents de la petite fille menacent de porter plainte pour attouchements et le club d'exclure le petit garçon, qui ne s'en sort qu'avec l'engagement pris par ses parents qu'il suivra une psychothérapie.

La France en est loin ? Tant mieux. Mais de socquettes roses en jouets réservés aux filles, quel message adresse-t-on à ces dernières ? Les catalogues de Noël proposent toujours des établis pour les garçons et des aspirateurs pour les filles. Là au moins, je ne suis pas dépaysée. J'ai appris le repassage en m'entraînant sur les chemises de mon père et celles de mon frère. Nous avions surnommé mon père « Mais où avez-vous encore rangé la cuisine ? ». Et mon frère « j'allais le faire », pour s'être illustré toute son enfance par une surdité sélective remarquable chaque fois qu'il était question d'apporter de l'aide à des tâches ménagères.

Devenu homme, il cuisine et s'occupe de ses enfants. Pour ma part, la chance a volé à mon secours assez tôt, comme toujours : j'étais gauchère. On a voulu me redresser, comme pour le reste : dos droit, dents droites, poignets droits, main droite. J'ai ainsi écrit avec la main droite, dans la douleur, comme un cochon, pendant des années, mais j'y suis arrivée. Cependant les gauchères sont gauches quand on veut leur enseigner la couture, le crochet, la broderie ou le tricot avec la main droite. Je n'ai jamais rien compris à ce qu'on me montrait. On a laissé tomber et j'ai pu retourner à mon livre préféré : Bayard, Fleur de Chevalerie. Collection Spirale. « Il n'est besoin de pitié pour moi car je meurs en homme de bien. Mais j'ai pitié pour vous car vous servez contre votre prince et contre votre patrie. » Irrésistible.

Pendant que le tricot de ma grand-mère cliquetait, je rêvais de conquérir le monde.

2.

Longtemps, j'ai été bonne élève

Les filles sont bonnes élèves. C'est statistique. Un fait, une donnée. Elles réussissent mieux à l'école que les garçons. Toutes les études le montrent. Et à quoi ça leur sert ? À pas grand-chose. Ça aussi, on le sait, on le répète, on le ressasse, tout le temps, tous les ans. Alors ? J'ai ma petite idée.

Moi aussi, j'ai été bonne élève. Très bonne, même. Première de classe. Et précoce avec cela. La panoplie complète. Savoir lire à quatre ans, c'est pratique quand on s'ennuie à la maison, mais c'est aussi le meilleur moyen de s'ennuyer énormément à l'école.

Étape 1 : j'ai sauté ma dernière année de maternelle. Aujourd'hui, ce ne serait pas si simple, il faudrait passer toutes les étapes, acquérir toutes les compétences telles qu'elles sont décrites dans les circulaires de l'Éducation Nationale, dans l'ordre. Si l'on en manque une, on est cuit. Pas question de lire sans écrire, d'écrire sans être adroit, d'entrer au primaire sans être parfaitement socialisé. Socialisée, je l'étais :

j'avais eu le temps de plonger la petite fille modèle de ma classe de maternelle dans une bassine de teinture rouge pour qu'elle arrête de nous faire admirer ses bottines blanches. J'avais récolté une énorme bosse. Nous étions devenues d'excellentes amies.

Étape 2 : l'arrivée au CP. Je n'ai rien compris. Il y avait des dessins au tableau, très bien faits. Une poupée bouclée avec un ruban bleu, un ballon. À côté, il y avait écrit poupée, ballon. Il fallait sans cesse regarder l'image et répéter : poupée, ballon. Je me demandais ce qu'on attendait de moi et ce que je faisais là. Alors j'attendais l'heure de la sortie. Et en attendant, je dormais. La tête dans mes bras posés sur la table, je dormais d'un bon sommeil. Dans mes rêves, la vie était beaucoup plus compréhensible et les règles du jeu beaucoup plus claires que «poupée, ballon». Verdict au bout de trois jours : «Elle est idiote. Il faut la renvoyer en maternelle.» Pourquoi pas, j'allais retrouver les bottines blanches, devenues définitivement rouges. Je n'étais pas contre. Mais la directrice de l'école s'en mêla, me convoqua. Une enfant idiote, il fallait qu'elle voie ça de près. Il y avait sûrement des instructions de l'académie pour bien traiter les enfants idiotes. Dans son bureau, il y avait des livres, beaucoup. J'en attrapai un, le lus pendant que ma mère parlait à la directrice. Elle me demanda de le lire tout haut. Je m'exécutai. Ce n'était pas prévu. Direction, la dixième, tout de suite.

Je suis arrivée dans une classe où tout était trop grand, trop haut : les chaises, les tables, les portemanteaux, les élèves, la maîtresse. Cette dernière n'était manifestement pas ravie de devoir s'occuper d'une « petite » : « Si tu ne comprends rien, surtout, dis-le, on te renvoie en CP. » Quoi, pour dormir ? Ah non ! Cette idée-là ne me plaisait pas du tout. Je n'étais pas sûre d'être à ma place et encore moins d'être la bienvenue mais il allait falloir tenir le coup et ne pas regarder en arrière. Il allait falloir se débrouiller. Au fond, quelle chance j'ai eue ! À cinq ans, j'entamais mon premier *fast track*, ma première « promotion accélérée » et en plus je savais dès le premier jour que cela ne plaisait pas à tout le monde. Depuis, toute ma vie n'a été faite que de cela : arriver très jeune à des responsabilités que certains me contesteraient par principe (« Pas un homme », « pas assez vieille », « pas classique donc inclassable », en un mot « dérangeante »), les saisir et faire en sorte de convaincre. Pour cela, il y a plusieurs méthodes, mais à cinq ans, il a bien fallu improviser.

J'étais au fond de la classe, je ne voyais rien, les autres avaient une tête de plus que moi. Mais j'étais résolue à ne surtout pas me plaindre, à cacher du mieux possible que je ne comprenais pas grand-chose. Sinon, c'était le retour à la case départ, à la classe dortoir. Surtout, ne pas se faire remarquer, se débrouiller avec les voisins lorsqu'il fallait se servir des ciseaux (à cinq ans, on n'est pas très à l'aise avec des ciseaux) ou accrocher son cartable à cet inaccessible portemanteau, passer i-na-per-çue. Cela marcha quelques jours pendant lesquels la maîtresse m'oublia. Jusqu'au coup de tonnerre : « Mais elle écrit avec la main gauche ! Alors là, c'est le pompon. » Je ne savais pas où étaient la droite et la gauche, mais il y avait l'air d'y avoir un gros problème. Ou plus exactement, j'étais un gros problème. Les gauchers, c'était interdit. On allait donc me faire passer ça.

Gauchère contrariée, je m'appliquai à ne pas être contrariante. Je sentais bien qu'aux yeux de la maîtresse, une enfant précoce et gauchère, c'était une double infirmité. Grâce à elle, aucun risque d'attraper la grosse tête. Infirme, j'allais tout faire pour me faire accepter. Écouter, apprendre, ne pas déranger, accepter sans broncher de réapprendre à écrire. Cela, les profs adoraient. Évidemment, j'écrivais affreusement mal et je dessinais atrocement. Régulièrement, je récoltais le même commentaire : comment une élève aussi sage pouvait-elle rendre un travail aussi sale ? Il n'a jamais effleuré l'esprit de personne qu'on me faisait écrire avec la mauvaise main. Il m'a fallu une dizaine d'années pour m'habituer. Depuis, j'ai une écriture exemplaire. Je ne sais pas si le système a eu raison de moi ou si j'ai dominé le système. Au fond, peu importe : c'est évidemment idiot de corriger des gauchers, mais je ne garde pas le souvenir d'un traumatisme, seulement d'une bonne grosse difficulté à surmonter et, dans mon cas, ça m'a sans doute forcée à être bonne élève et évité de virer au cancre trop vite.

Car mon vrai problème était ailleurs : j'apprenais vite, très vite, trop vite, sans aucun effort. Un poème entendu une fois : hop, appris. Une table de multiplication lue en classe : hop, retenue. Aucun sens de l'effort, aucun apprentissage du labeur, hormis l'apprivoisement de l'écriture. Et une préoccupation principale : me faire accepter, faire oublier ma double infirmité, enfant précoce et ancienne gauchère.

Heureusement, auprès des professeurs, ce n'était pas trop difficile. L'école française sait admirablement montrer ce qu'elle attend de ses élèves : ne pas parler, ne pas questionner, se conformer à la consigne. Comme on m'avait fait comprendre d'emblée que j'étais un ovni, j'avais développé des capacités d'observation et d'adaptation hors pair. Déterminée à me faire oublier, j'y arrivais plutôt bien et cela plaisait. Je suis donc devenue la bonne élève type : pas de bruit, pas de contestation, pas de difficultés. Comme je n'étais pas tout à fait sûre de correspondre à ce qu'on attendait de moi, je prenais très peu la parole et on me disait timide. C'était encore mieux comme cela.

J'étais une excellente élève en travaillant très peu, en ne participant quasiment jamais et en ne faisant aucun bruit. Aux yeux de l'Éducation Nationale, cela faisait de moi l'écolière idéale. Et il ne fait aucun doute que l'élève idéal, à ce tarif-là, c'est plus souvent une fille qu'un garçon. Rester sans bouger sur ma chaise me demandait moins d'efforts qu'aux garçons qui m'entouraient. Je rêvais, je pensais à autre chose mais ça ne se voyait pas. Ne pas parler ni se faire remarquer, c'était déjà inscrit dans mon éducation et je savais que cela tournait à mon avantage, alors que mes petits camarades étaient visiblement moins à leur aise.

C'était il y a quarante ans, cela pourrait se passer aujourd'hui. J'entends chaque année les professeurs de mes enfants se lamenter qu'il y a « trop » de garçons dans les classes, qu'ils sont décidément « plus remuants », « moins attentifs », « moins sérieux » que les filles. Les petites filles modèles sont l'idéal de l'Éducation Nationale. Est-ce une bonne nouvelle pour les filles, la promesse d´un monde où elles seraient valorisées, encouragées, poussées vers l'avenir avec confiance et munies de toutes les armes nécessaires ? J'ai peur que non.

Ce qu'on obtient des petites filles, ce qu'on apprécie d'elles, ce qu'on valorise, c'est la sagesse, le conformisme, l'obéissance, la discrétion, voire la passivité. Ce qu'elles en retirent, c'est une certaine tranquillité et de bonnes notes, mais rien de plus. Je m'explique : c'est vrai, enfant, je n'ai jamais été collée. J'ai eu des tableaux d'honneur à ne plus savoir où les mettre. Mais les appréciations des professeurs n'étaient pas pour autant des encouragements. Le sacro-saint « peut mieux faire » lorsqu'il n'est assorti d'aucun conseil, d'aucun soutien, cela aide peu. Et mes bons résultats, je ne savais pas du tout où ça me mènerait. Ce que je ferais plus tard, ça n'intéressait personne. Ce n'était pas un sujet. Pas pour une fille.

Mon vrai sujet à moi n'avait rien à voir avec l'avenir, puisque personne ne m'en parlait, mais bien plus avec le quotidien : être aimée des autres élèves. Avoir deux ans de moins, c'est un peu compliqué au départ : on est moins grand, on court moins vite, on n'est pas forcément dans le coup. On est la petite et ce n'est pas un compliment. Mais j'avais des atouts, au moins auprès des garçons : grâce à mon frère, je possédais un vocabulaire ordurier plutôt riche et des blagues idiotes en avance sur mes camarades. Toujours grâce à lui, je me débrouillais aux billes et aux petits soldats, ce qui compensait des performances au foot assez peu honorables. Et je lisais Tanguy et Laverdure plutôt que des lectures de filles. De là est venu mon salut ou plutôt de ceux parmi les garçons de la classe qui se sentaient une vocation de chevaliers servants. Fille et petite, ils pouvaient voler à mon secours en cas de détresse : accrocher mon cartable ou décrocher mon manteau de ces satanés portemanteaux toujours trop hauts, me protéger dans la cour lorsque les bagarres prenaient un sale tour (je conçois que la violence en milieu scolaire ait augmenté ces dernières années mais je ne voudrais pas qu'on idéalise le passé et qu'on fasse mine d'oublier que depuis très longtemps on s'écharpe en cour de récréation pendant que les surveillants regardent ailleurs) et que je n'avais pas le format idéal pour répliquer. Parmi mes chevaliers servants de l'époque, l'un est devenu magistrat, confirmant sa détestation précoce de la domination du fort sur le faible. L'autre a tourné au voyou, dans le droit fil de son talent juvénile pour le coup de poing bien placé. Encadrée par de pareils anges gardiens, rien ne pouvait m'atteindre.

Avec les autres garçons ce n'était du coup pas très compliqué. Trouver sa place au milieu d'eux, cela n'exigeait rien de plus que d'être prête à prendre un ballon en pleine tête et un croche-pied en plein élan. Avec un peu d'endurance, on y arrivait très bien. D'ailleurs, tous mes correspondants, ceux qui venaient m'apporter mes devoirs si j'étais malade (rougeole, rubéole, roséole, varicelle, on attrapait tout et on partageait généreusement autour de soi) furent des garçons. Ils habitaient près de chez moi, faisaient un crochet par la maison et en profitaient pour essayer les petites voitures de mon frère dans le couloir. Le week-end, nous bavardions d'un appartement à l'autre grâce à des pots de yaourt transformés en téléphone ou en faisant du morse avec des miroirs de part et d'autre de la rue. Facebook, en à peine plus rustique, en quelque sorte. Et nous couronnions nos genoux dans la rue avec ces improbables patins à roulettes en métal accrochés à nos chaussures de cuir (les baskets avaient encore très mauvaise presse) par des lanières assez peu fiables. Bref, il y avait de l'action.

J'intéressais nettement moins les filles *a priori* : avec mes centimètres en moins et mes bons résultats scolaires, je devais représenter pour elles la vision d'horreur d'une petite sœur qui aurait rejoint leur classe et y aurait eu de meilleures notes. Pas très engageant de prime abord. Trouver le bon angle avec elles fut assez compliqué. C'est à une corde à sauter que je dois mon salut : dès son achat providentiel et les premiers essais dans la cour de l'immeuble, ce fut la révélation : je sautillais, je m'envolais, je faisais tourner la corde avec un bruit de chambrière, j'avais du potentiel. À partir de là, je m'entraînai tous les jours et partout : dans le couloir de l'appartement (pauvres voisins), au parc (en chemin pour y aller, sur le gravier des sentiers, au retour), dans les cimetières au grand dam des gardiens, sur un pied, en croisant les bras devant, derrière… quand j'arrivai à l'école avec ma corde, j'étais fin prête. Je n'avais jusqu'alors jamais autant travaillé un sujet. Le résultat fut à la hauteur de mes espérances : intronisation immédiate dans le club très fermé des championnes de l'école, matchs, défis, figures imposées, figures libres, j'avais gagné mon entrée chez les filles. Je me souviens de chacune de mes cordes à sauter et du magasin où il fallait d'urgence en racheter une si la précédente avait lâché. Les cordes neuves pendaient du store d'une droguerie opportunément située sur le chemin de l'école, curieusement accrochées à côté des martinets dont il fallait bien admettre qu'on les achetait encore : chaque matin en levant la tête, je rêvais devant les nouvelles cordes et frissonnais en passant sous les chats à neuf queues, méditant sur la cruauté du monde des adultes. J'oubliais un peu vite que ma corde à sauter, fièrement accrochée à mon cartable afin que nul n'ignore la nature de mes prouesses, me servait de temps à autre d'arme de dissuasion, voire d'intimidation puisque quitte à savoir la manier, j'en maîtrisais assez bien la ressemblance déjà relevée avec une chambrière.

En deux mots, l'école communale, laïque et mixte des années 1970, c'était l'extrême sagesse pendant les cours et la loi du plus fort dans la cour. On n'ouvrait guère la bouche devant le professeur, qui choisissait de ne donner la parole qu'à quelques-uns. Rarement quelques-unes. Les filles ne demandaient pas à parler d'ailleurs. À quoi bon ? Leurs chances d'être interrogées étaient faibles et il y avait plus à perdre qu'à gagner : une mauvaise réponse, c'était les moqueries du maître et des élèves garanties. À l'inverse, aucun risque à se taire : du moment qu'on avait écouté le cours et qu'on pouvait le restituer fidèlement lors d'interrogations toujours écrites, on était assurées de résultats au moins passables, voire de mentions flatteuses sur les bulletins scolaires, sans s'être jamais exposées. D'exposés, d'ailleurs, il n'y en avait pas, ni de travail collectif.

Comme cela paraît loin…et pourtant pas tant que ça.

À quel âge présente-t-on son premier exposé dans une école française ? Dix ans, onze ans ? Aux États-Unis où nous avons vécu en famille pendant cinq ans, j'ai la réponse : quatre ans. La première fois qu'un de mes enfants m'a annoncé qu'il allait faire un exposé sur la France en classe, j'ai eu un moment de doute. Comment, déjà, lui, si petit, pourquoi lui ? La réponse était simple : chaque élève devait présenter ses origines et il était français. Si les autres pouvaient y arriver, aucune raison de douter de ses capacités. Puisqu'il n'y avait pas de raison de douter, que tout le monde pensait qu'il pourrait y arriver, il n'a pas douté et il y est arrivé. À quatre ans. La même année, son frère jumeau a appris et joué une pièce de théâtre. Le rôle était long, le vocabulaire recherché. Nous avons une cassette de la pièce. Ce n'est que récemment que nous nous sommes rendu compte qu'il avait appris le texte sans savoir lire. Sur le moment, comme personne ne doutait et que tout le monde pensait qu'il allait y arriver, il n'a pas douté et y est arrivé.

Dans la foulée, toujours aux États-Unis, nos enfants ont appris à nager, aussi bien dans l'eau des piscines que dans la confiance en eux-mêmes. Je me souviens de l'un d'entre eux revenant de son premier cours de natation : « Le maître m'a dit : *Good job* ! Bon, il l'a aussi dit à une fille qui a bu la tasse trois fois. Je ne suis peut-être pas si bon que ça, mais j'y retourne la semaine prochaine ! » Idem pour le violon. Oui, deux de nos enfants ont eu envie d'apprendre le violon. En principe, pour les parents, c'est une nouvelle atroce. Dans notre cas, pas vraiment. Ils ont d'abord eu envie d'apprendre parce que les musiciens de l'orchestre du Kennedy Center de Washington permettaient aux enfants d'essayer leurs instruments après les concerts du dimanche matin. D'excellents instrumentistes plaisantaient avec les petits en leur montrant comment manier l'archet et caresser les cordes, avec une décontraction et une patience sans limite. Ensuite, leur professeur au conservatoire du quartier les a fait jouer tout de suite, sans parler de solfège ni d'aucune théorie, et ils ont joué…du rock et de la country. Ils étaient ravis, cela pouvait se jouer sur quatre notes, c'était joyeux et, mine de rien, pour pouvoir bien jouer et jouer à plusieurs, il fallait tenir le rythme et donc commencer à compter. Le solfège sans le savoir, comme la prose de Monsieur Jourdain.

« *Yes we can* » a répété Barack Obama et c'est ce qui l'a fait élire. C'est en effet plus porteur que « Peut mieux faire ».

Notre retour en France nous a confirmé que nous avions traversé plus qu'un océan. On m'expliqua rapidement que mes enfants étaient « très bavards ». Je n'ai pas compris tout de suite que le reproche qui leur était fait était de lever trop souvent la main pour poser une question au professeur ou faire partager leur savoir. « Oui, bien sûr, ils s'intéressent, ça, on ne peut pas dire, mais imaginez, Madame, si tout le monde faisait comme eux ! » La première appréciation récoltée par un de mes enfants en fin de trimestre fut lapidaire, en dépit de bonnes notes : « très apprécié de ses camarades ». Le professeur, lui, demandait grâce. Si les enfants se mettaient à participer vraiment, où allait-on !

Quant au violon, ils ont continué, grâce à une prof géniale, taïwanaise, chaleureuse, drôle et exigeante en même temps. Ils l'adorent et jouent autant pour leur plaisir à eux que pour lui faire plaisir à elle. Ils jouent en ce moment un concerto pour deux violons de Bach. Ils ont eu une chance formidable, celle d'échapper au conservatoire. Soyons honnêtes : si l'objectif est de former les grands professionnels de la musique de demain, les grands concertistes qui feront de leur passion un métier, qui ne peuvent pas vivre sans musique, alors, le conservatoire, c'est sûrement très bien. Mais qu'est-ce qui se passe avec tous les autres ? Pour eux, la musique s'apprend dans la souffrance et le sacrifice. Cela commence dès l'inscription : j'ai eu la faiblesse de vouloir inscrire notre petit dernier à des séances d'éveil musical au conservatoire de l'arrondissement, à cinq ans. Les inscriptions se déroulaient sur un seul jour et ouvraient officiellement à 10 heures. On m'a toutefois avertie, avec des roseurs de joues de fierté mal contenue, qu'il fallait arriver tôt, très tôt. Je me renseignais autour de moi : oui, c'était un fait, il fallait que je me prépare à y être très, très tôt. J'arrivai donc à 6 h 45, sous une pluie battante, pas peu fière de ma détermination : pour une fois, la *working mom* allait montrer de quoi elle était capable pour s'occuper des loisirs de ses petits. Et je découvrais près de deux cents personnes déjà là depuis… 4 heures du matin, dûment équipées : sacs de couchage, pliants, parapluies, thermos de café. Une distribution de viande en Union soviétique. Un peu plus de trois heures plus tard, les portes du conservatoire s'ouvraient et j'apprenais, après une nouvelle heure d'attente, que les cours étaient complets. Jurant mais un peu tard qu'on ne m'y prendrait plus, enrhumée autant qu'enragée, je demandais à la prof de mes aînés si elle pouvait assurer l'éveil musical du dernier, qui depuis joue du violon ET du piano. Je suis devenue une vraie Parisienne et vous ne saurez jamais le nom et les coordonnées de cette prof, car je sais maintenant à quel point elle est exceptionnelle. Surtout depuis que les parents dont les enfants sont au conservatoire me supplient de les aider à les en sortir sans abandonner la musique. Rabroués, surchargés, découragés, dégoûtés, ils, et d'abord elles, car la musique, c'est bien connu, c'est surtout pour les filles, se détestent et détestent l'instrument qu'ils et elles ont choisi. Pas tous ? Non. Mais combien prennent tout simplement du plaisir à jouer et à s'évader en musique, à ressentir et exprimer des émotions pour lesquelles les notes en disent plus long que les mots ? Combien parviennent à faire de la musique un simple compagnon de vie, des bons et des mauvais jours, sans forcément prétendre à la virtuosité mais en croyant à leur chance de progresser et de s'immerger toujours davantage dans cet univers extraordinairement gratifiant ? Pourquoi les écoles allemandes axent-elles toutes la pédagogie sur l'enseignement de la musique et pourquoi, en France, jouer d'un instrument est-il classé au rang des activités sacrificielles, exigeantes et socialement marquées plutôt que parmi les clés de l'épanouissement du plus grand nombre ? Et pourquoi est-ce plutôt destiné aux filles ?

Loisirs de filles, loisirs de garçons. La distinction a sans doute toujours existé. En tout cas elle est ancienne. La fille au piano, le garçon au judo. Caricatural ? Évidemment. Depuis longtemps, certaines filles s'en sont affranchies. Je connais une charmante vieille dame qui fut dès son plus jeune âge championne de ski dans l'Espagne franquiste, hyper-catholique et conservatrice des années 1940. Elle a si bien vécu sa passion qu'avec ses frères, elle a fondé l'une des plus belles stations de sports d'hiver des Pyrénées, tout en mettant au monde et en élevant sept enfants. Une maîtresse femme, que la plupart des photos représentent sur deux planches, sourire radieux aux lèvres. Exceptionnelle, bien sûr, dans tous les sens du terme.

Mon enfance était encore assez pleine d'idées reçues sur ce que faisait un garçon et ce que pouvait faire une fille pour se distraire. La liste était plus longue pour les uns que pour les autres et, pour ma part, si je n'ai appris ni le ski ni le vélo, j'ai fait de la danse et du piano. Heureusement, les cours de récréation compensaient un peu et l'on apprenait à se battre mais aussi à se fondre les uns avec les autres. Cela ne paraissait inconcevable à personne d'être ensemble, filles et garçons mélangés et parfois même amis. Dans mon cas, c'était même beaucoup plus simple, puisque j'avais déjà l'habitude des amis de mon frère, de leurs jeux et de ce qu'il fallait faire pour s'imposer : j'avais survécu à l'enfermement dans un placard à balais, dans un coffre à linge, j'avais mordu, cogné pour me faire accepter, puis respecter, le plus dur était donc fait et avec de beaucoup plus vieux que moi. Ce n'était pas ceux de ma classe d'âge qui risquaient de m'impressionner. De la même manière, pour toutes celles qui avaient un grand frère, c'était plus ou moins écrit : une partie de leur entourage serait masculin, très tôt, sans que cela pose question. Est-ce que cela a eu un rôle dans notre façon de voir la vie ? Bien sûr : ni inconnus, ni ennemis, les jeunes garçons avaient pour nous une familiarité, une évidence, qui nous permettait sans doute de nous sentir leurs égales, d'ouvrir nos horizons. Si nos camarades avaient un avenir dont nous entendions souvent parler, c'était bien le diable que nous n'en ayons pas un nous-mêmes, même si cette conversation-là tardait à venir. Et à tout prendre, notre avenir à nous devait-il être si différent de celui de nos camarades de jeu ?

Qu'on en juge par l'une de mes rares amies filles de l'époque. Enfant sage mais déterminée, elle est devenue la première femme rabbin de France à force de conviction et de ténacité. Munies l'une et l'autre d'un grand frère, plongées à l'école communale au milieu d'une marée de garçons, il nous a fallu apprendre à nous faire entendre et à ouvrir nos imaginations sur des perspectives assez improbables. Pauline a repoussé les limites bien davantage que je ne l'ai fait, de sa voix douce et de son front têtu sous lequel elle avait patiemment forgé ses certitudes. Je n'en ai pas parlé avec elle et j'aimerais beaucoup le faire. Mais mon sentiment est qu'elle a tracé son chemin au cœur d'un monde éminemment masculin, celui des rabbins de France sans détester quiconque, en empruntant d'abord les chemins de traverse (Londres, Jérusalem) pour mieux revenir imposer sa conviction, paisiblement, fermement. La domination masculine, elle l'avait connue à l'école mais, dès l'école, elle s'en était débrouillée, plus curieuse de trouver sa place dans le monde des garçons que de rester à part.

J'aimerais croire qu'aujourd'hui c'est tout aussi facile, voire davantage, pour une petite fille de se forger ses propres rêves et de ne pas être canalisée dans des rêves « de fille ». Ça l'est évidemment en France et en Europe mille fois plus que dans la plupart des pays du Sud, tout simplement parce que les filles vont à l'école. Qui n'a jamais vu les bâtiments vides des écoles de campagne du Maroc, parce qu'on n'y envoie pas les filles, ne sait pas que le désespoir des fillettes est à trois heures d'avion de Paris. Fillettes aux puits, fillettes aux champs, fillettes dans les ateliers de tapis, où leurs doigts fins font merveille, dans les fabriques d'huile d'argan, pour concasser les cosses pendant des heures, fillettes déjà parquées dans une vie sans horizon. Fillettes d'Inde, mariées d'avance, du Pakistan, visées comme Malala par les talibans pour les punir d'avoir eu l'audace d'aller à l'école. Il faudrait plus qu'un paragraphe ou un chapitre pour rappeler tous ces enfants qui, aujourd'hui encore, n'ont en mains aucun pan de leur destin, simplement parce qu'elles sont nées filles. Fillettes excisées, mutilées dans leur corps, dans leur silhouette et dans leur rêve, à qui l'on inculque dès la naissance qu'elles ont peu à attendre et beaucoup à se faire pardonner d'être nées femmes.

Pendant ce temps, en France, pas de souci à se faire, n'est-ce pas ? Ce n'est pas si sûr. J'entends souvent des femmes charmantes me dire que, TOUT DE MÊME, il n'y a pas à se plaindre d'être nées femmes en France. Bien sûr, c'est toujours mieux qu'à Kaboul. Belle satisfaction. Cela me fait à peu près le même effet que lorsqu'enfant, on m'intimait l'ordre de finir mon assiette et de ne pas gâcher, « quand on pense qu'au Biafra les enfants meurent de faim ». L'équation est la même, c'est : « Il y a plus malheureux que toi ailleurs, alors accepte ton sort et ne remets rien en cause. » Il n'est pas très facile à distance d'améliorer le sort des enfants du Biafra ou des fillettes d'Afghanistan. Croyez-moi, après vingt-cinq ans passés dans la diplomatie à plaider pour le droit d'ingérence, la responsabilité de protéger et l'universalité de certaines valeurs, j'ai pu mesurer ce qu'il fallait d'acharnement mais aussi d'humilité pour faire en sorte de contribuer, ne serait-ce qu'à peine, à ce que nos prochains de l'autre bout du monde vivent un tout petit peu moins mal et un tout petit peu plus comme nous.

Mais je peine à comprendre pourquoi, sous prétexte que c'est beaucoup plus dur ailleurs, il faudrait renoncer à l'exigence que ce soit mieux ici, que la situation s'améliore, qu'au fil du temps, même les sociétés les plus privilégiées continuent à avancer et, au moins, ne reculent pas. Je ne suis pas sûre d'être tranquille. Mêmes loisirs pour les filles et pour les garçons disions-nous ? Avons-nous tout à fait progressé ? Si j'ai quelques doutes, c'est que j'ai quatre garçons. Des garçons très garçons. Ils adorent le foot, l'aïkido, le judo, le surf. Et ils n'y croisent guère de filles. Ils adorent aussi monter à cheval, comme leur père et leur mère avant eux. Et là, ils sont seuls. Tout seuls. Des filles partout, plein les paddocks. Pas un garçon. Au point que ramenés au statut de minorités visibles, ils sont choyés, chouchoutés, relancés en permanence par leurs moniteurs, par les clubs équestres, pour qu'ils daignent continuer à pratiquer un sport où il n'y a plus un homme. Et il leur faut une certaine indifférence à l'environnement ambiant pour persévérer. Qu'on y songe : passionnés, ils aiment lire des histoires de poneys et regarder des séries d'équitation. Immédiatement, les voilà condamnés à… des histoires de filles. Pas un feuilleton récent, pas une série de romans sur l'équitation où les héros sont des garçons. La littérature équestre est d'ailleurs rangée dans les librairies du côté des romans pour filles.

Comment ça, des romans pour filles ? Qu'est-ce que c'est que ce concept ? Eh bien oui, faites un saut chez une grande marque de distribution de livres, tant qu'il reste encore des libraires et des librairies. Aujourd'hui, on trouve des romans pour filles et des romans pour garçons, classés séparément, présentés différemment. J'ai voulu offrir à une petite fille un livre dont l'héroïne aurait de l'allant. Et là, j'ai été effondrée. À ma gauche, la collection « petits garçons » : comment devenir pompier, astronaute, médecin. À ma droite, la collection petite fille : comment être une princesse, comment être une fée. J'ai fouillé partout, du plus jeune âge aux romans d'ados. Partout, la même séparation. J'ai essayé de retrouver les Caroline de mon enfance, cette petite fille en salopette rouge et baskets qui emmenait ses amis animaux aux quatre coins de la planète. J'ai peiné à la dénicher, plus à la mode. Finalement, j'ai opté pour une valeur sûre et j'ai racheté un épisode de Fantômette,

Brigitte Gresy l'a rappelé récemment dans un livre : le bleu n'est devenu une couleur de garçon que dans les années 1970, là où c'est la poupée Barbie des années 1960 qui a noyé les filles sous le rose. Jusque-là, pas de code couleurs entre garçons et filles. Et, jusqu'aux années 1950, des petits garçons aux cheveux souvent longs et en robe à deux ans sur les photos des albums de famille. Brigitte Gresy rappelle également que, dans les livres pour enfants, il y a deux fois plus d'histoires de héros avec des garçons et que les trois quarts des couvertures représentent un personnage masculin.

Alors on progresse, vraiment ?

Aujourd'hui, si je devais résumer, une petite fille qui va à l'école en France :

— aura un cartable rose, des lunettes roses, une parka rose ; ses parents, son entourage, ses amies sur Facebook se seront considérablement intéressés à son apparence et à ses tenues et lui auront dit en permanence qu'elle était belle ;

— sera bien vue des enseignants parce qu'elle parlera moins que les garçons, sera moins remuante, plus appliquée, plus passive ; récoltera grâce à cela d'excellentes notes dans un système scolaire qui lui aura peu parlé de son avenir ;

— aura des activités de fille, avec des filles, en dépit de la mixité des classes.

Quelque chose me dit qu'elle n'est pas forcément très bien partie, cette petite fille. Qu'être bonne élève, c'est un peu ce qui peut lui arriver de pire.

Ma chance, mon immense chance, c'est que je me suis révoltée, que je n'ai plus eu envie d'être bonne élève. Et ça a tout changé.

3.

Être ou ne pas être sage. Quand la révolte vient aux filles

Partie comme j'étais, je n'avais pas de souci à me faire : j'étais bonne élève sans faire d'efforts et en plus ça n'intéressait personne. D'ailleurs, je ne me faisais aucun souci. Ce qui est assez confortable quand personne n'a pas d'ambition pour vous et qu'on n'en a pas davantage soi-même, c'est qu'on ne subit pas de pression. Aucune.

Avec le recul, ça paraît un peu étrange, mais voilà : j'étais tête de classe et tout le monde s'en moquait. Les professeurs les premiers. La surprise passée (deux ans d'avance, ça les titillait un peu, ils se demandaient si j'allais pouvoir suivre), ils voyaient de bons résultats et n'en demandaient pas davantage. Je n'ai aucun souvenir d'avoir eu la moindre conversation avec un quelconque enseignant avant la classe de terminale sur ce que je ferais comme études supérieures. Ils n'étaient visiblement pas concernés. Le débat faisait rage s'agissant de certains de mes camarades :

fallait-il les présenter au concours général, les orienter vers une prépa ? En ce qui me concerne, la question ne se posait pas. Il faut dire que je ne la posais pas.

Je ne savais pas du tout « ce que je ferais plus tard ». Pas la moindre idée. Je m'étais tournée vers mon entourage. On n'en parlait pas non plus. « Tu n'as qu'à dire que tu veux être secrétaire. Comme ça, ça ne fera pas de jaloux. » Ne pas faire de jaloux, ne pas choquer avec des ambitions extravagantes, paraissait le sujet principal. Je m'exécutai. Chaque début d'année, lorsqu'il fallait remplir la fiche de renseignements demandée par le professeur principal, à la case « métier envisagé », je notais scrupuleusement : secrétaire. Mon entourage avait raison : ça n'a jamais choqué personne. Le plus curieux, c'est que ça ne me choquait pas non plus.

Qu'on me comprenne bien : j'ai un respect profond et une gratitude immense pour les secrétaires (et l'assistant, il y eut tout de même un homme) avec qui j'ai travaillé depuis vingt-huit ans. Je sais que je leur dois d'avoir compris ce qu'on attendait de moi chaque fois que je prenais un nouveau poste, grâce à leurs explications patientes et la détermination qu'elles mettaient à faire en sorte que cela se passe bien. J'ai admiré leur professionnalisme, apprécié leur loyauté, la confiance qu'il était possible de leur accorder sans jamais être déçue. J'en ai connu de toutes sortes, des jeunes, des moins jeunes, des surdiplômées, des formées sur le tas, des timides et des autoritaires, des novices et des maîtresses femmes. Elles tiennent une très grande place dans ma vie et beaucoup sont devenues des amies. Je ne supporte pas qu'on use à leur endroit de l'expression stupide d'« agent d'exécution », comme si elles n'étaient pas là pour penser, qu'elles valaient à peine mieux que l'ordinateur devant lequel elles passent le plus clair de leur journée. Au Quai d'Orsay, j'ai connu des assistantes emblématiques, sans lesquelles un représentant permanent à Bruxelles ou un secrétaire général devenaient bien peu de choses. J'ai vu en cinq minutes cent cinquante personnes, pour la plupart des secrétaires, répondre à l'appel pour seconder le centre de crise et rassurer les familles au moment de la catastrophe de Fukushima. J'en ai vu partir, à quelques semaines de leur retraite, en renfort en Libye pour évacuer les Français qui s'y trouvaient. Lorsque j'ai été décorée de la Légion d'honneur, j'ai invité toutes mes assistantes à partager la joie de cette cérémonie. Parce que je n'aurais rien été sans elles et parce que, trop souvent, la Grande Chancellerie de l'Ordre n'accepte pas qu'elles-mêmes soient décorées, puisqu'elles ne sont « tout de même que des secrétaires ».

J'ai aussi vu beaucoup de femmes, puisque ce sont majoritairement des femmes, qui avaient le potentiel de faire davantage que les tâches de secrétariat qui leur avaient été confiées. Et je sais que pour bon nombre d'entre elles, si leur histoire avait été différente, si elles n'avaient pas eu à gagner leur vie très jeunes, s'il n'y avait pas eu la carrière du mari qui passait d'abord, ou les enfants à élever une fois le mari parti ailleurs, si, si, si… elles auraient aimé faire autre chose, progresser, sortir d'un statut et d'un métier tout de même peu valorisés et pas tout à fait gratifiants.

Peu importe : à l'orée des années 1980, dans un lycée public parisien connu alors pour son excellence, avec des bulletins de notes en or massif, j'allais répétant ma petite chanson à la satisfaction de tous, y compris la mienne : je voulais être secrétaire. Je n'avais donc pas d'ambition et personne n'en avait pour moi. Ou plutôt, pour être juste, il y eut un professeur pour me donner un conseil : j'étais en section scientifique, j'avais de bons résultats, je devais donc faire des études… de biologie. Pourquoi la biologie ? Parce que c'était compatible avec une vie de femme. Pas comme médecin ou ingénieur, des métiers d'hommes. Oui, c'est exactement ce qu'elle m'a dit. Car c'était une femme, une excellente prof et l'une des rares à porter attention à l'avenir de ses élèves. Elle avait donc réfléchi pour moi. Pour une élève brillante, elle avait la martingale : la biologie. L'ennui, c'est que ça ne m'intéressait pas, mais pas du tout. La génétique peut-être, avais-je avancé. Non, non, non, trop austère, et puis ça aussi c'était un milieu d'hommes. Résultat des courses : je refusai la biologie et cela mit fin aux conseils. Pas un mot sur les prépas, que ce soit scientifiques, économiques ou littéraires. J'ai passé le bac sans même savoir ce que c'était. À Paris, dans le XVIIe arrondissement, dans un lycée d'excellence, avec des notes en or et dans un milieu social privilégié. En 1980.

Ça n'a pas forcément changé. Le prix que l'UNESCO remet chaque année à des « femmes savantes » au sens strict, à d'extraordinaires scientifiques des cinq continents qui ont bravé tous les obstacles pour exceller dans leur domaine, est un moment magique, mais un moment trop rare. On en sort pétrie d'admiration pour ces chercheuses éthiopienne, argentine, japonaise, américaine, française aux parcours éblouissants, à la modestie impressionnante et à l'humanité rayonnante. Et aussi un peu découragée. Irina Bokova l'a très bien dit cette année : le parcours des femmes scientifiques, qui ne comptent que pour le quart des chercheurs dans le monde, s'apparente à « une cordée de haute montagne ». Et le nombre de jeunes filles qui s'orientent vers des études scientifiques dans notre pays est en diminution.

Aujourd'hui, on se demande comment attirer plus de filles et plus de diversité vers les grandes écoles. C'est même l'une des missions qui m'est assignée. On s'aperçoit qu'il se passe quelque chose d'étrange : les filles caracolent au lycée et puis plouf : à peine un tiers d'élèves de l'ENA sont des femmes. Les écoles d'ingénieurs viennent d'atteindre le record de 30 % de diplômées et crient au miracle. Encore s'agit-il d'une moyenne. Les chiffres de Polytechnique font peur : l'année 2011 y est présentée comme une année faste avec 18,5 % d'élèves femmes issues du concours. Pourtant, toutes filières confondues, les jeunes filles comptent pour 60 % des diplômés de l'enseignement supérieur. La situation des grandes écoles demeure donc une énigme : le nombre de femmes qui y sont reçues ne reflète en rien le succès scolaire des jeunes filles et leur progression au niveau des études supérieures en général. Pire encore, la féminisation de la plupart des grandes écoles stagne depuis maintenant plusieurs décennies.

Le cas de l'ENA est intéressant. L'école de la haute fonction publique a été créée en 1945 et, dès son origine, elle a été ouverte à la mixité. C'est même l'une des très rares grandes écoles à n'avoir jamais pratiqué de restriction à l'accession des femmes dans ses rangs. La volonté en revient à Michel Debré, convaincu dès le départ que tous les talents étaient requis pour redresser la France après le désastre de l'Occupation et de la Collaboration. Debré était un véritable féministe et le prouva à nouveau lorsque, nommé ministre de la Défense nationale en 1969, il n'eut de cesse d'ouvrir Polytechnique aux jeunes filles, cent soixante-quinze ans après la création de l'école… Il faut dire que pour Michel Debré, l'accès des femmes aux études supérieures avait été très tôt une évidence. On a beaucoup parlé de son père, Robert Debré, fondateur de la pédiatrie moderne. Mais on a un peu passé sous silence le fait que sa mère, Jeanne Debat-Ponsan, fille d'un peintre réputé, avait été l'une des premières femmes internes des hôpitaux de Paris, puis docteur en médecine et chef de clinique. Comme souvent, l'histoire officielle d'une famille célèbre, celle des Debré, est dépeinte en mettant les hommes en valeur et en oubliant le rôle des femmes. Jeanne Dabat-Ponsan n'est jamais mentionnée que comme «femme de» ou «fille de». Pourtant, au vu de l'engagement de Michel Debré en faveur de la mixité des grandes écoles, il ne fait pas de doute que l'exemple de sa mère aura été déterminant.

Ainsi il a fallu une guerre mondiale pour que l'ouverture de la nouvelle École Nationale d'Administration aux jeunes femmes ne soit pas combattue. Autant se rendre à l'évidence : les guerres sont de bonnes affaires pour la cause des femmes et leur place dans la société. Partis au front, les hommes doivent être remplacés. À leur retour, il faut reconstruire le pays et tous les bras, mais aussi pour une fois toutes les têtes comptent. Qu'on en juge : Centrale Paris s'ouvre aux femmes en 1917, Supélec en 1919 et Supaéro en 1924.

Si Michel Debré ouvrit dès l'origine l'ENA aux femmes, c'est donc par souci de reconstruire une France différente de celle qui s'était effondrée et d'attirer vers l'administration d'autres profils que ceux qui avaient servi Vichy. C'est aussi parce que la Résistance avait vu les femmes prendre leur part de danger et participer à la France libre, certes dans des seconds rôles mais en très grand nombre. De Gaulle, pourtant peu acquis à la cause des femmes en politique, ne pouvait l'ignorer, pas davantage que Michel Debré. Au moment où les femmes conquéraient enfin le droit de vote, elles avaient toute leur place à l'ENA.

Il est vrai que, jusque-là, les carrières féminines dans le service public s'étaient surtout limitées à celles des demoiselles des Postes, des dactylographes, des institutrices et, depuis bien plus longtemps encore, des infirmières. Dans ces emplois-là, les femmes semblaient à leur place : elles secondaient les hommes sans se substituer réellement à eux, même si leur recrutement croissant avait fini par inquiéter ceux qui y voyaient l'occasion pour l'État de s'adjoindre les services de fonctionnaires moins bien payées et peu exigeantes. Depuis la Révolution française – elles y avaient pourtant pris une part active – chaque tentative pour recruter davantage de femmes s'était heurtée à de fortes résistances. On sait aujourd'hui ce que les droits de l'homme doivent à la Révolution française et combien elle fut aveugle aux droits des femmes. La seule égalité que les grandes révolutionnaires réussirent à conquérir, d'Olympe de Gouges à Marion Rolland, fut celle du droit à monter sur l'échafaud : assez bonnes pour mourir au nom de leurs idéaux, elles ne l'étaient pas suffisamment pour être élues ni même disposer du droit de vote. On connaît un peu moins l'histoire des femmes engagées parmi les troupes levées pour défendre la Révolution contre les Prussiens et les Autrichiens. Plusieurs centaines d'entre elles répondirent à l'appel et se battirent aussi bien à Valmy qu'à Jemmapes, auprès de Dumouriez que du duc de Chartres. Pourtant, elles furent interdites de champ de bataille par un décret d'avril 1793. Raison invoquée : leur présence troublait les hommes.

Deux siècles plus tard, les concours de l'ENA semblent indiquer qu'il reste du chemin à parcourir : si la parité y a presque été atteinte pour la première fois l'an dernier, il s'agit d'une percée historique puisque jusque-là elle ne l'avait été ni en nombre de candidates, ni en nombre d'admises. Mixte depuis 1945, l'école de l'élite de la fonction publique n'aura compté dans ses rangs qu'à peine un tiers de femmes par promotion depuis une vingtaine d'années.

Lorsque j'ai été nommée à l'ENA, le problème était identifié. J'avais quelques idées sur ses causes, envie de procéder scientifiquement pour en cerner les contours et mission du gouvernement d'essayer d'améliorer ce piètre score.

Un premier travail, réalisé avant mon arrivée, avait déjà permis de prendre la mesure des bizarreries d'un concours où jamais plus de 40 % de femmes ne se portaient candidates et où, chaque année, le nombre des reçues était encore inférieur, en particulier après le passage par les épreuves orales, qui semblaient agir sur les femmes comme un couperet. Cette enquête, restée confidentielle, menée deux ans avant mon arrivée, vouée à couvrir toutes les caractéristiques des concours d'entrée et pas seulement leur féminisation, parut dans la presse au lendemain de ma nomination. D'où vint la fuite et comment expliquer qu'elle survienne à ce moment-là ? Il y avait sans doute matière à s'interroger : la question aurait-elle suscité le même intérêt si une femme, pour la deuxième fois seulement depuis 1945, n'avait pas été nommée à la tête de l'ENA ? N'y avait-il pas chez certains le sentiment que, nommée à un poste encore identifié comme très masculin, donc peut-être nommée « parce que femme », j'allais nécessairement m'occuper d'histoires de bonnes femmes et donc, tiens, m'attaquer à la mixité insuffisante des promotions de l'ENA ? Les journalistes eux-mêmes trouvaient-ils autre chose à me poser que des questions relatives aux femmes, puisque j'en étais une ? S'ensuivit une avalanche d'articles aux titres sans finesse (« Machisme ordinaire à l'ENA ») et de questions appuyées : comment justifier que l'ENA recrute si peu de femmes ? Cela ne mettait-il pas en cause sa représentativité, voire sa légitimité ? Ne fallait-il pas revoir de fond en comble une école aussi en retard dans l'ouverture à la parité ?

Ce bombardement médiatique m'agaça un bref instant : ainsi, aux yeux des faiseurs d'opinion, on ne pouvait comprendre que je sois nommée à ce poste que parce que j'étais une femme. Nous venions d'entrer dans l'ère du grand fantasme, celui en vertu duquel tout était devenu plus facile pour les femmes que pour les hommes. Dès lors, on ne pouvait me trouver de compétence et donc d'ambition que dans le souci de défendre la cause des femmes à l'ENA. En outre, en publiant les extraits d'un rapport interne et en sélectionnant les passages consacrés aux nombre de candidates réussissant les concours de l'école, on faisait de l'ENA la cible des critiques les plus virulentes sur les excès de l'élitisme à la française, exonérant du même coup toutes les autres grandes écoles et en particulier les écoles d'ingénieurs dont le taux de féminisation, pourtant médiocre, parvenait à ne pas faire débat. Je n'avais pas le souvenir que mes éminents collègues de Polytechnique ou de l'École centrale aient eu à répondre à des questions aussi acerbes. Et pas davantage l'excellente directrice générale de l'École spéciale des Travaux publics, très investie sur les questions de diversité et à la tête d'une école dont seulement un quart des diplômés étaient des femmes.

Que la publication de ce rapport se soit apparentée à une peau de banane glissée sur mon chemin dès mon arrivée n'est pas impossible. Pour autant, cela n'avait aucune importance : il s'agissait d'un vrai sujet, on me donnait la parole pour en parler et j'avais justement quelques idées sur la question. Pour comprendre pourquoi les filles manquaient à l'appel des concours de la haute fonction publique, pourtant fondés sur le seul mérite, et avant même que des chercheurs se penchent sur la question et apportent leurs précieuses analyses, j'avais ma grille de lecture et elle était plutôt simple : je n'avais qu'à faire appel à ma propre mémoire.

Je l'ai dit, avoir été une bonne élève ne m'avait pas servi à grand-chose : cela n'avait intéressé personne. Personne ne m'aurait conseillé une carrière d'ingénieur. Fille d'entrepreneur, personne ne me voyait davantage dans une école de commerce. Quant à l'ENA, elle était plutôt mal vue dans ma famille. C'était même la terreur de mon grand-père : surtout, qu'aucun de ses petits-enfants ne «fasse» l'ENA. Personne n'avait cherché à me donner de l'ambition et, pour être parfaitement honnête, je ne l'avais pas cherché davantage.

La double malédiction – précoce et bonne élève – avait demeuré. J'avais toujours deux ans de moins que mes camarades, voire trois en comptant les redoublants dont l'aura n'était pas mince en ces années charnières de l'adolescence. C'est peu de dire qu'une adolescente de quatorze ans aura beaucoup à faire pour se faire entendre de ses camarades de seize ou dix-sept ans. Pour comble de malchance, précoce vraiment en tout, j'avais été une fillette plutôt grande – et même très grande pour mon âge – ce qui tombait fort bien, mais j'avais arrêté de grandir dès douze ans. Il allait donc falloir en faire des tonnes pour faire oublier ma différence d'âge, qu'on ne pouvait plus ne pas voir.

Pour ne rien arranger, je continuais à bien réussir en classe, sans effort. Toujours cette mémoire d'ordinateur, toujours cette facilité à attraper ce que les professeurs attendaient de moi sans y prendre garde. J'avais pourtant rejoint le lycée d'excellence de mon quartier, le lycée Carnot, qui s'ouvrait peu à peu à la mixité. J'avais atterri là par une simple logique de proximité géographique et sans que mes parents conçoivent à ce sujet de projet particulier : mon grand-père, mon père et mon frère y avaient étudié avant moi, je n'avais pas pu y entrer au collège car on n'y accueillait encore que des garçons, j'en franchirais donc les portes en seconde.

Du lycée d'excellence qui s'enorgueillissait d'avoir formé Jacques Chirac mais aussi Pierre Desproges – et plus tard les Daft Punk, mais c'est une autre histoire – je garde d'abord le souvenir d'une fosse aux lions. L'ouverture des gigantesques portes de l'avenue de Villiers à mon entrée en seconde fut un choc qui allait me permettre d'en affronter beaucoup d'autres : j'entends encore le beuglement des deux mille élèves rassemblés sous « la Marquise » du nom plaisant que l'on avait donné à la verrière bâtie par Gustave Eiffel pour nous rassembler tous. Ou plutôt bâtie un siècle plus tôt pour rassembler au maximum huit cents garçons depuis le primaire jusqu'au bac. Quatre-vingts ans plus tard, nous étions trois fois plus nombreux et pour ne rien arranger, depuis trois ans, on y admettait des filles.

Autant dire que nous n'étions encore qu'une poignée et surtout qu'on allait nous montrer où nous avions atterri. D'où l'ampleur des beuglements des premiers jours, les cavalcades dans les escaliers en fer (Eiffel, toujours) et à travers les couloirs noircis d'un lycée qui ne sera finalement restauré qu'après avoir été la victime collatérale d'un attentat terroriste contre le consulat d'Israël voisin, des années après ma sortie. Je n'y ai connu que des murs noirs, des cours noires et cette célèbre Marquise dont on nous répétait à l'envi qu'elle n'était pas faite pour supporter ni nos pas ni nos cris et qu'elle finirait bien par s'effondrer sur nous si nous continuions à y faire autant de bruit.

À Carnot, donc, du haut de mes treize ans et dans ma condition tout à fait déplorable de fille, d'enfant précoce et de bonne élève, il allait falloir en faire, du bruit, pour trouver ma place et me faire entendre. C'est ce à quoi je m'employai, avec ardeur. Pour être respectée, il y avait des passages obligés, je les empruntai donc dûment : les vingt tours de la « cour de chimie », en petite foulée, sous la pluie, infligés par le professeur pour bavardage, il fallait les avoir faits : je les fis. Quand ils passèrent à cinquante tours pour récidive, je commençai à gagner mes galons. Les choses ne se présentaient pas mal : à peine arrivée dans ma classe de seconde où nous n'étions qu'une poignée de filles, toutes nouvelles, j'étais élue déléguée de classe sans avoir candidaté et à ma très grande surprise. J'allais donc pouvoir faire mon trou.

Très clairement, je choisis mon camp. Les bons élèves du premier rang, à peine jaugés, ne m'inspirèrent qu'une envie farouche : celle de ne pas leur ressembler, de ne pas être prise pour l'une des leurs. C'était la mort sociale assurée, tout ce que je voulais éviter. J'allais donc opter pour un autre statut : bonne élève malgré moi, tête de classe du fond de la classe, un modèle assez peu répandu, notamment chez les filles, qui me valut beaucoup de sympathie des cancres et beaucoup de méfiance des professeurs. L'alchimie était difficile à trouver mais tenable : il fallait écouter juste assez pour suivre, travailler juste assez pour ne pas perdre pied, de façon très concentrée, très intense. Et le reste du temps ? Travailler sérieusement mon image, entretenir mes réseaux, tenir mon rang. Cela devait passer par des démonstrations d'insolence bien senties, des exclusions de cours fracassantes, des bavardages en quantité et le développement d'une technique fine consistant à alimenter les copies du plus grand nombre possible de mes camarades grâce à ma science sans me faire pincer.

Je me spécialisai en effet sans en avoir pleinement conscience dans la contestation du système : puisque les cours étaient à ce point ennuyeux, les professeurs à ce point médiocres (pas tous, il est vrai, mais tant d'entre eux) et les évaluations à ce point artificielles, il fallait bousculer l'ordre établi tout en évitant d'en être les victimes. À ce tarif, je m'estimai mieux placée que d'autres pour agir : avec un minimum d'efforts et en dépit de l'agacement croissant que je suscitais chez les enseignants, je restais dans les premiers de classe. Je m'arrogeai donc le droit de m'exprimer, puisque personne ne pourrait m'accuser de contester par dépit. De plus, mes camarades m'avaient élue pour ça, je n'allais pas les décevoir, moi qui ne risquais pas grand-chose à parler en leur nom.

D'où des concours d'insolence, manière comme une autre de travailler son éloquence et sa répartie, dans lesquels je ne voyais pas pourquoi je laisserais les redoublants, ces seigneurs, ces maîtres, concourir seuls, d'autant que, s'ils avaient du répondant et de l'expérience, ils risquaient davantage que moi.

Je compris vite qu'il valait mieux user d'humour que de colère, qu'il fallait, moi, fille, jeune, trouver une voix, ma voix, pour me faire entendre des élèves et des professeurs dans le brouhaha des chahuts sans en venir aux cris, qui risquaient de me faire sombrer dans le ridicule et passer pour une volaille hystérique. Je travaillai le timbre et les intonations de mes interventions pour m'assurer qu'elles portent, appris de mes échecs et progressai assez vite. J'échouai d'abord dans ma tentative pour faire évoluer le programme de français, malgré mon exaspération et celle de mes camarades : nous avions compris que nous verrions Sartre pendant une moitié de l'année, Camus durant l'autre moitié, rien, absolument rien d'autre et nous étions désespérés. Je tentais un argumentaire, évoquais Gide, Montherlant, le professeur tint bon. Je manquais de métier, nous nous disputâmes, j'invoquai Céline pour la faire sortir de ses gonds, ça ne fit pas un pli, le ton monta. Je compris rapidement au ridicule de ses cris que les miens devaient tout autant manquer d'allure et battis en retraite.

J'échouai de même un an plus tard à faire évoluer le programme de philo : après plus d'un trimestre bloqué sur les présocratiques énoncés d'un ton monocorde et appliqué par un débutant sans talent, le désespoir nous gagnait à nouveau. J'essayai en vain et par tous les signaux possibles de faire entendre ma désapprobation et celle de mes camarades. J'ignore en fait ce qu'il advint du programme, puisque je fus très rapidement et formellement dispensée d'assister aux cours de philosophie. J'ai oublié les arguments que j'avais publiquement utilisés mais ils conduisirent l'enseignant, assez fin stratège somme toute, à me proposer dans l'instant une exclusion immédiate d'un genre novateur puisqu'elle serait pour moi sans conséquence néfaste : l'exclusion par consentement mutuel. Je m'engageais à ne plus assister à aucun de ses cours pour l'année entière, ce qui mettait fin à une expérience aussi pénible pour l'enseignant que pour moi. De son côté, le professeur promettait de ne jamais signaler mon absence aux responsables du lycée et à m'accorder chaque trimestre la moyenne, à la condition expresse que je n'approche plus jamais de sa salle de classe. Il conclut en me prédisant un spectaculaire échec au bac. Mais il tint parole et jamais ne fut connue ma totale disparition de ses cours. Naturellement, je me sentis obligée de travailler la philo par moi-même de manière à lui donner tort. Et je revins l'année suivante brandir sous son nez ma «collante» et mon 16 en philo. Je parvins toutefois à refréner mon envie d'informer ses nouveaux élèves de nos anciens arrangements et de leurs conséquences. J'avais vaincu, cela suffisait. En faire plus aurait confiné au mauvais goût.

Voilà pour l'insolence. Il y eut sa voisine, l'audace, et ce fut plus difficile. Notamment lorsqu'il s'agit d'expliquer au professeur de physique qu'il devait cesser de régner par la terreur. Je m'étais promis de le faire, il me fallut deux ans pour oser. La première année, impossible. J'avais bien trop peur. Je tentai de sauver l'honneur en bavardages incessants et en murmures réprobateurs, et inaugurai le cycle des tours de cours de chimie sous la pluie. Je ne me sentais pas capable de faire plus. Mais lorsque je retrouvai le même professeur en terminale, avec les mêmes hurlements, les mêmes insultes (communiste, il nous traitait de fils de bourgeois, parfois de fils de p., répétait que les enfants de Seine-Saint Denis, on ne disait pas encore 9-3, étaient plus futés que nous et que nous n'étions que des jean-foutre), en dépit d'un talent certain, je savais que c'était la dernière année où je le verrais et que peu d'élèves pourraient s'essayer à lui répondre. Non pas qu'il m'eût à la bonne, pas du tout, mais pour les cancres, ça aurait été suicidaire d'essayer.

Je revois encore cette convocation au tableau présentée à l'avance et comme à l'ordinaire comme une humiliation. Ma certitude, malgré ses ricanements pendant que je montais l'estrade, que je saurais répondre à ses questions mais aussi, enfin, à ses insultes. J'avais tout de même la boule au ventre, inquiète de parvenir à parler sans bredouiller, sans crier, sans être ridicule, sans perdre mon sang-froid. Et puis ce moment de grâce, ce temps suspendu, ce grand calme qui m'envahit lorsqu'après avoir répondu aux questions, déjoué les pièges, démonté les sarcasmes j'enchaînai, lentement, sans plus aucun trac, avec l'audace des anciennes timides mais aussi la jouissance de m'exprimer enfin, un peu pour moi, beaucoup pour les autres : « Vous voyez, je savais. Vous auriez préféré que je ne sache pas. Pour pouvoir crier, pour m'insulter, pour nous insulter. Eh bien je savais et je vous emmerde. » S'ensuivit un grand silence, puis un commentaire étrange : « Vous êtes quand même très mal habillée. » C'était vrai, particulièrement ce jour-là. Et c'était tout ce qu'il lui restait à me reprocher. Grâce à lui, ce jour-là, j'appris plusieurs choses que je souhaite à toutes les filles d'apprendre comme moi : qu'il y a en chacun de nous cette possibilité d'aller au-delà de l'appréhension, au-delà du trac et d'y trouver une énergie nouvelle, une sérénité plutôt plaisante ; qu'agir donne infiniment plus de satisfaction que de subir. Et que, devenue femme, on ne m'écouterait jamais vraiment sans jeter un coup d'œil à mon allure. Quand on dit qu'on n'apprend rien en classe… D'un coup me revint à la mémoire le reproche amusé d'une grand-mère légèrement grandiloquente, lorsque j'étais petite : « insolente plus que riche ! ». Certes, et ce n'était pas désagréable.

Dans mon rapport un peu ambigu avec le système scolaire, il y avait donc l'insolence et l'audace, puisque je pouvais mieux que d'autres me les permettre. Il y eut parfois des transgressions plus radicales, encouragées par mes camarades qui avaient vite compris, en tout cas avant moi, que fille, jeune et bonne élève, on continuerait longtemps à me donner le bon dieu sans confession. Cela pouvait présenter de sérieux avantages. Ainsi, j'ai déjà dit que le lycée Carnot des années 1970 se distinguait par sa noirceur et sa crasse. On devinera sans que je les détaille quels étaient les lieux les plus repoussants du lycée et dans quel état innommable nous les trouvions chaque jour. Réclamations, pétitions, requêtes auprès du proviseur pour que des lieux marqués de décennies d'immondices soient enfin remis en état et rénovés n'avaient servi à rien. Il fallait frapper fort. Aussi naquit dans le cerveau de quelques-uns, dont j'étais, l'idée de mettre à profit les expériences de chimie de notre redoutable professeur, dont les talents pédagogiques restaient incontestables et de vérifier en grand plutôt qu'en laboratoire les propriétés explosives de certains mélanges dont il nous avait entretenus pendant son cours. L'entreprise était complexe, puisqu'il fallait dérober les composés nécessaires, les tubes et les pipettes, trouver le cours idoine pendant lequel préparer le mélange, s'absenter, finaliser l'expérience et faire exploser les cabinets du lycée, puisque tel était l'objectif final, sans se faire prendre ni se faire mal.

À ce jeu, ma participation fut aussi utile que symbolique. Je ne revendique pas la phase finale de la pose de la bombe ni la mise à feu, dont je n'aurais sans doute pas été capable. Mais j'assume une complicité active et à peine cachée qui ne mérite d'être mentionnée que pour ce qu'elle dit de l'image des filles dans un lycée pourtant mixte. Tout en effet me désignait comme ayant pris une part active à ce qui s'apparentait à une dégradation volontaire et sérieuse de bien public : pourtant, à aucun moment et malgré l'évidence je ne fus ouvertement soupçonnée. Une fille, jeune, bonne élève, même insolente, ne pouvait pas avoir fait ÇA. Le lycée entreprit, contraint et forcé, les travaux de réfection dont nous avions d'abord poliment suggéré la nécessité avant de passer à une action plus directe. Je venais de faire un apprentissage supplémentaire : on n'attendait vraiment rien de moi dans ce système : rien de bien, ni rien de mal. C'était assez plaisant bien sûr de ne subir ni pression à réussir, ni soupçon de mal faire. C'était un peu troublant aussi que s'ouvre soudain le champ de tout ce que je pouvais entreprendre sans jamais être inquiétée « parce qu'une jeune fille ne pouvait pas faire ÇA ». Par chance, j'explorai ce vaste espace avec curiosité et un certain goût de la provocation des années durant sans jamais traverser le miroir de façon irréversible ou me mettre trop gravement en danger. De la chance, il en a fallu, car à force d'être insoupçonnables, combien de filles peuvent faire à peu près n'importe quoi pendant qu'on se méfie des garçons et qu'on les a à l'œil ? J'en ai connu plus d'une, dès le lycée, qui s'en sont sorties moins bien que moi. Tout était parti de la chimie et de ses infinis possibles. Infinis, vraiment.

À ce tarif, ma popularité allait croissant. Restait toutefois une pierre à l'édifice : si les cours étaient sans intérêt et les enseignants médiocres, il y avait peu de raisons d'accorder la moindre valeur aux notations. Je savais moi-même le peu d'efforts qu'il me fallait mobiliser pour figurer en tête de classe. Je ne voyais pas dans ce cas pourquoi mes autres camarades devraient en fournir davantage ni pourquoi ils seraient plus ou moins durement sanctionnés par une échelle de notation à laquelle j'accordais si peu de prix.

J'entrepris alors de faire bénéficier de mes facilités le plus grand nombre de mes camarades. Je commençai bien sûr par mes amis proches, heureuse de leur faire plaisir, d'autant plus facilement qu'assise au fond de la classe, leur souffler les bonnes réponses ou partager ma copie relevait du jeu d'enfant. Mais très vite je ne pus me satisfaire de ces premiers essais : trop faciles, ils manquaient de panache. Réservés à mes proches, ils revenaient à acheter leur amitié par une « aide aux devoirs » qui ne me mettait pas très à l'aise. Pour tester la réalité de leurs sentiments amicaux, j'aurais pu cesser de les aider. Mais alors quel ennui ! Je préférai passer à l'échelle industrielle : à chaque interrogation, j'aidai le plus grand nombre d'élèves sur la partie la plus longue possible du devoir à rendre. De proche en proche, j'étendis mon emprise sur mes camarades, par ondes successives : j'en aidai deux, puis quatre, puis plus de dix à la fois, parfois davantage, sur une réponse, puis deux, puis des devoirs entiers. Mon empire s'arrêtait au premier rang, là où les bons élèves ne demandaient rien à personne et désapprouvaient sourdement mon action sans toutefois oser la dénoncer au grand jour : ils se seraient mis à dos trop de bénéficiaires et, qui sait, peut-être voulaient-ils éviter de tarir la source d'une assistance qui pourrait un jour leur être utile.

Mon entreprise marcha formidablement. J'avais plusieurs atouts : je travaillais très vite et pouvais mettre à profit le temps qui me restait pour diffuser ma production autour de moi. Ancienne gauchère contrariée, j'avais acquis à force de volonté une écriture exemplaire qui faisait merveille : mes copies se lisaient à deux rangs de distance et je pouvais griffonner en vitesse des coups de pouce express qui atteignaient l'autre bout de la classe, passant de main en main sous les tables.

Le nombre de mes clients ne cessa d'augmenter. Du côté des professeurs, j'étais une fois encore insoupçonnable et très vraisemblablement invisible, puisque j'étais une fille. Ça ne les rendait pas très estimables d'être à ce point faciles à berner. Je ne suis pas sûre que je m'en estimais davantage, puisque tout reposait sur le fait que mes exploits passaient aussi inaperçus que moi. Une jeune fille ne pouvait pas faire ÇA.

Un seul professeur perça l'entreprise à jour, avec intelligence. J'avais résolu un peu trop vite un problème mathématique et diffusé la solution largement, soucieuse de battre ce jour-là mon record. À ce devoir, vingt-cinq copies comportaient le même raisonnement que la mienne mais aussi, hélas, la même faute. Très calmement, au moment du corrigé, le professeur annonça que vingt-cinq élèves avaient décroché la même note, ce qui relevait à n'en pas douter d'une bizarrerie statistique, mais qu'en ce qui me concernait et sans qu'il soit nécessaire d'épiloguer davantage, j'avais zéro. Enfin. Pour la première fois, je respectai un professeur. Pour autant, on ne peut pas dire que j'avais créé les conditions d'un dialogue confiant avec le corps enseignant au sujet de mon avenir. Souffleuse, ça n'était un métier qu'au théâtre. Et de métier, il n'était décidément toujours pas question.

Ma mention Très bien au bac arriva donc plutôt comme un embarras. Mais qu'allait-on faire de moi ? Je n'en avais pas la moindre idée. Je savais seulement que je ne savais rien : là-dessus, pas de doute, j'avais si peu travaillé que je ne risquais pas de me bercer d'illusions. À mes propres yeux, j'étais totalement nulle. Étrange système capable de produire des têtes de classe convaincues de leur nullité. Lorsque « peut mieux faire » tient lieu de mantra, répété trimestre après trimestre, peu d'élèves en sortent convaincus qu'ils valent quelque chose, garçons et filles confondus. Quand, pour couronner le tout, personne, jamais, ne vient introduire un début de conversation sur ce qu'on pourrait faire de sa vie, on arrive à ce drôle de résultat où l'on sort du lycée avec les honneurs mais sans horizon. Et cela, c'est surtout vrai pour les filles.

Heureusement, mon frère vint à la rescousse. Une mention Très bien, il lui semblait tout de même qu'il faudrait en faire quelque chose. Et comme je me trouvais nulle, il en déduisit aimablement que j'aspirais à approfondir ma culture générale. Sans presque me demander mon avis, il m'inscrivit au concours de Sciences Po. Sciences Po malgré elle ou sans le savoir, c'était un peu du Molière. Et en effet cela resta du registre de la comédie : je passai l'été à l'étranger, en Allemagne puis en Inde avec mes parents, sans me préoccuper un seul instant de réviser un concours dont je ne savais rien. À nouveau, pas d'ambition et donc pas de pression. Si l'on doit reconnaître quelque chose, c'est que j'arrivai au concours parfaitement détendue. À peine un peu de décalage horaire et une question, sincère, posée à celui des candidats qui arrivait en même temps que moi et qui avait une bonne tête : « Quelles étaient les épreuves et combien de temps duraient-elles ? » J'avais sans le savoir ciblé un malheureux qui avait révisé tout l'été dans une prépa privée. Je lus dans son regard un mélange d'incrédulité et de commisération : avec mes questions, j'étais à peu près l'idiote du village. Quand je fus reçue, je le retrouvai : l'incrédulité n'avait pas disparu. Il me demanda longtemps si j'avais inventé mon voyage en Inde et mes questions idiotes pour déstabiliser les autres candidats. Qu'on puisse être à ce point à côté de la plaque, ça le dépassait.

Évidemment, faire Sciences Po sans ambition, c'était assez original. Toujours aussi confortable, toujours pas de pression : mais je commençais à me rendre compte que c'était tout de même inhabituel. J'avais l'impression d'être entrée par inadvertance sur un circuit de formule 1 sans avoir ni mon permis, ni vraiment envie de participer à la course. Et pourtant, cette fois, on était prêt à miser sur moi. Quand je vins remplir mon dossier d'entrée en première année, on m'attendait. Mon arrivée provoqua même une certaine agitation. Pensez : entrée à Sciences Po à seize ans à peine, j'allais devenir la plus jeune énarque de France, cela méritait quelques égards. En tout cas c'est ce qu'on m'annonça en m'accueillant. Bien entendu, on ne me demanda pas si j'étais d'accord, ça allait de soi. Moi-même, je n'étais pas très sûre de ce que j'en pensais. J'étais convaincue que j'aurais un milliard de choses à apprendre avant de pouvoir aspirer à quoi que ce soit. Et puis, personne ne m'avait jamais dit : « Tu seras énarque, ma fille ! » Ni quoi que ce soit d'approchant. Enfin, l'ENA, n'était-ce pas la compétition, le chacun pour soi, la ruée vers la réussite, l'œil rivé sur l'objectif, sans perdre son temps, en restant parfaitement et exclusivement efficace ? Moi qui étais venue pour me cultiver, ça me paraissait très, très loin.

Au fil des années passées à Sciences Po, ça ne s'est pas arrangé. La rue Saint-Guillaume, quand on ne s'y était pas vraiment préparé, c'était tout de même assez particulier. Certes, il y eut des professeurs extraordinaires, de ceux qui vous ouvrent au monde et à sa compréhension comme on ouvre une fenêtre. Pourtant je me sentais en décalage. Du fait de mon âge d'abord. Seize ans en 1981, l'alternance, l'arrivée de François Mitterrand au pouvoir m'ont cueillie alors que je ne votais pas encore. Nos professeurs, Jean-Pierre Azéma, que j'admirais, Jean-Noël Jeanneney, bien d'autres en avaient les larmes aux yeux. La France vivait une page d'Histoire, c'était trop important, trop beau, plus possible de se concentrer, de faire cours, tous au Panthéon ! Quand je hasardai que pour ma part je n'avais pas voté parce que je n'en avais pas encore le droit et que j'étais venue pour m'instruire, cela jeta un froid. Et puis, en même temps, exactement en parallèle, il y avait rue Saint-Guillaume un conformisme bourgeois à tomber de l'armoire. C'était l'époque où, à droite de la Péniche, ce lieu mythique et inconfortable, rigide et ouvert aux courants d'air où se donnaient tous les rendez-vous, dans le hall d'entrée de l'école, subsistait un vestiaire, orné de dames d'âge mûr qui officiaient toute la journée pour suspendre les manteaux des étudiants et des professeurs. Un vestiaire, comme à l'Opéra. On déposait ses affaires encombrantes et on prenait un ticket avant d'assister à la représentation, pardon, aux cours. Si l'on était vraiment pressé et que la queue était trop longue, il y avait une partie du vestiaire en accès libre, sans préposée pour vous assister. Mais il était vivement conseillé – on vous passait le tuyau très vite, dès votre arrivée à l'école – de « marquer son imperméable pour pouvoir le reconnaître ». En clair, il y avait une telle proportion de Burberrys dans le vestiaire que certains étaient obligés d'y coudre une étiquette à leur nom. Comme dans les colonies de vacances. Dans le même lieu, au même moment, on suspendait son imperméable de marque dans un vestiaire d'un autre temps et on entrait solennellement en miterrandie.

C'était distrayant, cinq minutes. Si en plus on avait l'ambition un peu folle (la seule en ce qui me concerne) de se distraire en même temps qu'on se cultivait, c'était assez compliqué. On était diablement sérieux à Sciences Po. Des jeunes gens de dix-huit ans péroraient avec le même aplomb que s'ils s'étaient trouvés dans les couloirs d'un cabinet ministériel, où ils s'imaginaient déjà. La fac de droit d'Assas, assez proche et où j'avais « tenu » deux jours avant de décider de ne pas y remettre les pieds, faisait figure de lieu de débauche : on y bizutait bien un peu, on croyait y contester l'ordre établi avec des relents vite nauséabonds, Jalons régnait en maître des distractions en organisant la manif contre le froid au métro Glacière. Quelques années plus tard, ses principaux animateurs conseilleraient Charles Pasqua ou conduiraient la Manif pour Tous, ce qui donne une idée de leur esprit révolutionnaire.

Toujours naïve, je continuais à penser que la vie étudiante, ce n'était pas forcément ça, les Burberrys de Sciences Po, les lodens d'Assas, ces jeunes vieux avant l'âge, parfois déjà chauves, sérieux comme des papes et ennuyeux comme la pluie. Pour eux le monde semblait s'arrêter aux frontières du VIIe et du VIe arrondissement. Au-delà on n'en parlait pas, ça n'existait pas. Or j'avais de drôles de gènes qui ne prédisposaient pas vraiment à borner mon horizon à deux arrondissements de Paris : des grands-parents un temps exilés en Australie, un père parti à l'aventure en Amérique latine des années durant, un goût pour les voyages, l'envie de prendre le large… La Péniche n'emmenait pas assez loin. Ce fut Langues'O et le mandarin, en parallèle à Sciences Po. En parallèle et comme un pas de côté, un moyen de prendre du champ, du recul et surtout d'éviter les chemins tout tracés. Ceux qui me faisaient si peur.

Aujourd'hui, quand j'essaie de comprendre pourquoi les femmes candidatent si peu à l'ENA, je repense à ce que j'avais en tête en entrant à Sciences Po. Il se pourrait bien qu'il y ait quelques similitudes. Combien de bonnes élèves saventelles ce qu'elles veulent en commençant leurs études supérieures ? Combien ont un projet professionnel, même imprécis, en tête ? Combien envisagent les études comme un moyen et non une fin en soi ? J'en vois sans arrêt, des studieuses, des sérieuses, qui gravissent patiemment, régulièrement, les échelons du savoir en veillant à n'en escamoter aucun, plus occupées à parcourir proprement le chemin qu'à regarder vers le sommet. Elles font après le bac ce qu'elles ont fait avant : elles apprennent, elles écoutent, elles s'appliquent. Et elles ne savent toujours pas très bien à quoi cela va servir. Quand vient l'heure de choisir, pour celles qui regardent vers les concours, celui de l'ENA les dissuade : programme trop lourd, trop de candidats, trop d'aléas. Avant de se lancer, elles dressent la liste de tout ce qu'elles ne savent pas et sont nombreuses à se décourager. Pourquoi les garçons n'ont-ils pas les mêmes préventions ? Peut-être hésitent-ils eux aussi, mais sans doute y a-t-il autour d'eux davantage de proches prêts à les convaincre de persévérer, de tenter le coup : qui sait, d'autres y sont bien arrivés avant eux et ceux-là sont assez nombreux, pour qu'il ne soit pas si difficile de s'identifier à eux. Et d'ailleurs, pour un concours, c'est bien connu, pas la peine de tout savoir, il faut travailler utile, s'organiser, préparer à plusieurs, ruser, camoufler ses impasses, passer entre les gouttes, miser sur ses points forts, bluffer un peu si nécessaire. À ce jeu-là, c'est un fait et sans doute une question d'éducation, les garçons sont plus enclins à jouer que les filles.

En réalité, les qualités qui sont attendues du candidat à un concours n'ont rien à voir avec les performances scolaires, quand elles n'en sont pas l'opposé : de l'audace, de l'originalité, une forte motivation. Il ne s'agit plus de tout savoir, ce n'est pas possible, ni de n'avoir que des bonnes réponses, ce n'est plus le sujet, mais d'être plus convaincant que les autres. Être plutôt qu'avoir ou savoir. Et être plus que les autres. Or qu'est-ce que privilégie le système scolaire, qui réussit si bien aux filles des années durant ? L'accumulation de connaissances, la conformité à une norme et l'obéissance à une discipline qui encourage à la discrétion, pour ne pas dire la transparence. Les bonnes élèves sont des enfants sages et des jeunes filles invisibles. Qu'elles aient, ou plus probablement qu'elles n'aient pas, développé un projet d'avenir personnel, il est à peu près certain qu'elles n'auront pas eu l'occasion d'en parler avec grand monde. Pour affiner sa motivation et apprendre à l'exprimer, ce n'est pas précisément le contexte le plus favorable.

Ainsi, peu enclines par elles-mêmes à tenter le concours, par un mélange d'autocensure et de peur de ne pas être au niveau, les femmes le réussissent systématiquement moins bien que les hommes. Elles y sont moins à l'aise, moins préparées à l'évidence et tout particulièrement moins à leur avantage à l'oral. Elles subissent le piège d'avoir été bonnes élèves et d'avoir progressé dans un système de valeurs, celui de l'enseignement secondaire, qu'on ne retrouve à peu près nulle part dans la vie professionnelle. Le piège du bon élève n'est pas seulement une affaire de filles. Certains hommes y sont également confrontés et cela peut nous interroger sur l'existence d'une éventuelle coupure entre le monde scolaire et le monde réel. Ceux qui croient trop aveuglément au premier ou qui y réussissent trop bien risquent fort de perdre pied dans le deuxième. Et ce sont surtout des filles. Piégées d'avoir été bonnes élèves.

L'explication ne s'arrête pas là et il y a bien d'autres pistes qui permettent de comprendre le relatif insuccès des filles dans les grandes écoles, lorsqu'elles osent même s'y présenter. On s'est beaucoup interrogé sur la composition des jurys de concours, en s'appuyant sur une conviction instinctive mais sans doute fondée : si l'on a tendance à mieux comprendre et à apprécier davantage ses semblables, un jury masculin risque fort de sélectionner davantage d'hommes que de femmes. La projection en vertu de laquelle le candidat qu'on auditionne ressemblerait à s'y méprendre à ce qu'on était au même âge n'a sans doute rien de scientifique mais on ressent confusément qu'elle doit jouer dans l'inconscient des jurys. Sous cette condition, l'introduction de la mixité, voire d'une quasi-parité dans les jurys, paraît une mesure d'équité bienvenue pour permettre aux candidates autant qu'aux candidats de défendre leurs chances à l'oral. Depuis quelques années, l'ENA veille ainsi à une représentation équilibrée au sein de ses jurys et à une présidence alternée entre hommes et femmes.

Au vu de la lenteur enregistrée dans la progression de la parité à l'ENA, force est de constater que cette approche ne suffit pas. La diversité des réactions à ce phénomène (des jurys plus mixtes mais pas davantage de candidates reçues en moyenne) est au moins aussi intéressante à analyser que le phénomène lui-même. Pour un certain nombre de très hauts fonctionnaires (faut-il préciser que ce sont des hommes ou cela va-t-il de soi?), il ne peut y avoir que deux explications, d'ailleurs complémentaires : les filles sont structurellement moins faites pour réussir les concours que les garçons, puisque même face à des jurys davantage mixtes, elles ne réussissent pas mieux que par le passé. Et les femmes ne sont pas nécessairement les meilleures avocates de la parité puisqu'une fois nommées membres de jurys, elles ne distinguent pas plus de candidates que leurs collègues masculins. Il y aurait ainsi une fatalité au score poussif des femmes dans les concours. On aurait tout essayé et, décidément, ça ne marcherait pas. Vraiment?

Non, bien sûr. Comparons tout d'abord les différentes années en toute bonne foi. Certes, lorsque des femmes ont présidé le jury du concours d'entrée à l'ENA, il est arrivé que peu de candidates soient reçues. On est donc fondé à penser que la présence d'une femme à la tête du jury n'est pas une garantie qui jouerait systématiquement en faveur des candidates. Certes. Et heureusement. Mais les meilleurs crus en matière de parité ont toujours été atteints quand une femme présidait le jury, les plus mauvais lorsqu'il s'agissait d'un homme. La mixité des jurys représente ainsi un progrès mais ne constitue qu'une condition nécessaire et non suffisante à l'avancée de la parité dans le recrutement. Alors? Quoi d'autre? Comment aller au-delà? Et d'abord pourquoi? Comment cela, pourquoi? La réponse n'est-elle pas évidente? La parité n'est-elle pas une fin en soi, qui n'aurait nul besoin qu'on la justifie? Eh bien justement, ceux et celles qui l'ont cru, qui le croient encore, sûrs de penser dans la bonne direction et la conscience tranquille, devraient se demander pourquoi les progrès sont si lents et ne négliger aucune piste. Or il suffit de tendre l'oreille. Non, la parité ne va pas de soi. En tout cas pas si on ne l'explique pas. Au moment où j'écris ce chapitre, le fils d'une de mes amies (pour être plus précise, j'ai d'abord été une amie de sa grand-mère, mais je ne suis pas encore tout à fait prête à admettre qu'il puisse y avoir deux générations d'écart entre un futur élève et moi) prépare le concours d'entrée. Ce qui nous condamne à ne pas nous voir de tout l'été et pas même nous parler. Mais je sais qu'il peste en pensant que c'est bien sa chance, de préparer le concours au moment où une directrice s'est mis en tête d'assurer une plus grande réussite des femmes à l'ENA. S'il échoue, nul doute que ce sera ma faute. Je lui souhaite bien évidemment de réussir, même s'il est encore bien jeune. Quoi qu'il en soit, lorsque les résultats seront connus, je lui dirai ce qu'il a besoin d'entendre : que la parité n'est rien d'autre que la fin d'une discrimination positive, effectivement critiquable et qu'il faut combattre, celle qui joue en faveur des hommes depuis des décennies sans que rien le justifie. Que recruter deux tiers de garçons lorsque les filles comptent pour plus de la moitié des diplômées en master et qu'elles y excellent, cela veut dire que l'école n'est pas assurée de sélectionner les meilleurs élèves, c'est-à-dire pour beaucoup les meilleures. Et qu'à perpétuer une écrasante majorité d'hommes dans ses promotions, l'ENA n'assure pas la diversité de talents ni l'excellence de la sélection qui correspondent à sa mission. En recherchant la parité, aucun des bons candidats à l'ENA n'est donc lésé. C'est en ayant échoué depuis des décennies à l'atteindre ou même à s'en approcher que l'école doit admettre qu'elle a laissé filer des talents. Et cela, pas plus un directeur qu'une directrice de l'ENA ne peut s'en satisfaire.

Oui, mais comment faire ? Si l'on a vu que la mixité des jurys était une condition nécessaire mais non suffisante, comment aller au-delà ? Je crois profondément que, pour l'ENA comme pour les autres grandes écoles, il faut impérativement sortir de l'ambiguïté dans laquelle nous sommes et dans laquelle nous maintenons tout un chacun, des candidats aux membres du jury : non, nous n'avons pas les mêmes attentes que le système scolaire ou même que l'enseignement supérieur en général. Oui, la vérification des connaissances n'est qu'une partie, et une seule, du processus de sélection que nous entreprenons. Et oui, de fait, c'est de recrutement dont nous nous occupons. Or les critères du recrutement auquel nous procédons ne me paraissent clairs pour personne. Certes, un premier tri est assuré par les épreuves écrites en ce qui concerne la vérification des connaissances. Sur la pertinence de ce premier tri, il y a sans doute du travail à faire, mais pas de raison de penser qu'il favorise davantage une catégorie de candidats par rapport à une autre *a priori*. Au moins est-il anonyme. C'est bien la série d'épreuves orales sur laquelle il faut se concentrer. Si elles tiennent lieu d'entretiens de recrutement, autant que ce soit clair pour chacun, candidats comme membres du jury. Et autant en professionnaliser le déroulement : recruter, c'est un métier, pas un passe-temps. Cela relève d'un domaine, celui des ressources humaines, qui n'est en aucun cas une science exacte mais qui possède ses pratiques, ses savoir-faire et qui veille attentivement à se prémunir autant que possible de l'aléatoire comme de l'arbitraire. J'ai eu la chance de travailler dans ce domaine, d'en apprécier aussi bien la complexité que l'importance et de savoir qu'à défaut de certitudes, il s'agit d'un secteur dans lequel l'éthique, la vigilance et l'expérience doivent accompagner chacune des décisions autant que le respect scrupuleux de la règle juridique.

Aussi, Messieurs et Mesdames les membres du jury, soyez, soyons humbles : chaque année, les grandes écoles vous confient des responsabilités pour lesquelles vous n'êtes probablement pas entièrement préparés. Qu'à cela ne tienne ! Le savoir, c'est avoir déjà résolu une bonne partie du problème. Tous les jurys successifs de l'ENA ont d'ailleurs réclamé d'être davantage formés aux tâches qui leur étaient confiées et se sont étonnés de ne pas disposer de consignes plus précises. Aux grandes écoles de répondre à ces attentes, en développant la formation des jurys et en pensant à y inclure, lorsque c'est pertinent, des professionnels du recrutement. Ainsi, si l'on objective les critères qui méritent d'être utilisés pour distinguer un candidat d'un autre pourra-t-on espérer éviter aux jurys d'avoir, inconsciemment, des attentes différentes en fonction des candidats, qu'ils soient filles ou garçons notamment. La lutte contre les discriminations passe d'abord par des évidences, qu'il convient de rappeler : demander à une femme comment elle envisage de concilier sa future carrière et une vie de famille n'a de sens que si l'on interroge aussi les hommes. L'enfer est parfois pavé de bonnes intentions et j'ai ainsi le souvenir du jury d'un concours qui, face à une candidate visiblement mal à l'aise, l'avait interrogée sur son patronyme, ayant reconnu une origine étrangère qu'il connaissait particulièrement bien. Il avait cru détendre son interlocutrice en la faisant parler de son pays d'origine. De son côté, la candidate y avait vu un risque de discrimination et n'avait abandonné son projet de recours contentieux qu'après avoir constaté qu'elle avait réussi le concours.

Ces cas-là sont les plus flagrants et pourtant ils continuent à se poser régulièrement. Au-delà, la différence d'attentes d'un jury face à un candidat ou une candidate en raison de biais inconscients ressort régulièrement et a été scientifiquement documentée. Je l'ai personnellement expérimentée au moment où je m'y attendais le moins : en candidatant à la direction de l'ENA. Le président de la République avait en effet souhaité qu'un comité de sélection auditionne les candidats à ce poste, bien qu'il conservât en dernier ressort l'absolue liberté de désigner qui bon lui semblait. Dès lors, je me préparai à exposer le plus clairement possible mon parcours et ma vision de l'école. Un très vieil ami décida de son propre chef de me faire répéter mon audition dans l'arrière-salle d'un restaurant parisien. Et là, quelle ne fut pas ma surprise d'entendre cet ami fidèle, soutien de toujours et féministe convaincu, me conseiller de ne pas avoir l'air trop sûre de moi. Tout dans sa réflexion m'a stupéfaite : qu'il puisse ignorer, lui qui me connaissait depuis si longtemps, à quel point je doutais sans cesse et quel effort il me fallait pour essayer de me mettre en valeur ; qu'il puisse penser que décrire mon projet en ayant quelques idées et en m'efforçant de les faire partager puisse participer d'un excès d'assurance ; et enfin qu'il reconnaisse, lorsque je lui posais la question, qu'il n'aurait certainement pas donné ce conseil à un homme.

Sidérée, je n'en étais pas moins reconnaissante : qu'un ami qui avait toujours été vis-à-vis de moi la bienveillance même ressente mon argumentaire comme débordant d'un trop-plein de confiance en soi devait m'alerter : le comité qui m'auditionnerait pourrait me faire le même reproche. Il fallait donc que je me tienne à carreau. Le résultat ne se fit pas attendre : pendant mon audition, c'est exactement le contraire qui me fut reproché : on me demanda si j'espérais avoir de l'autorité sur mes futurs élèves avec une allure aussi juvénile. Étrange question, d'autant plus qu'elle m'était posée par… une femme. Mais révélatrice, tout de même, des attentes et des images que l'on projette sur un poste et sur un candidat lorsqu'on est un peu trop livré à soi-même pour y réfléchir. À l'évidence, pour la personne qui m'interrogeait, diriger l'ENA supposait des cheveux soit blancs, soit rares et une austérité affichée qui relèverait davantage du directeur d'un pensionnat à l'ancienne que du responsable d'une école d'application. Depuis que j'ai pris mes fonctions, j'ai pourtant pu constater que mes camarades qui conduisent les autres établissements du réseau des écoles de service public sont tous des hommes (oui, des hommes) charmants, affables et que leur rapport à l'exercice de l'autorité est très probablement comparable au mien. Mais je suis à peu près certaine que la question ne leur a jamais été posée avant qu'ils soient nommés à leur poste. Et j'ai aussi entendu une autre femme, venue m'interviewer pour une recherche en sociologie sur les femmes dirigeantes, manifester sa surprise que la directrice de l'ENA puisse… parler avec douceur !

Ces projections inconscientes, ces attentes différenciées, nous les avons donc tous, quel que soit notre degré de bienveillance à l'égard de la personne que nous interrogeons. C'est vrai pour les concours, c'est vrai plus tard, pour les recrutements, pour les promotions, pour les nominations. J'ai ainsi siégé au conseil de sélection du Quai d'Orsay, instance qui s'efforce de proposer au ministre des candidats pertinents à présenter au président de la République pour remplir les fonctions d'ambassadeurs. Lorsque j'ai rejoint ce cercle d'autant plus fermé qu'il est informel, je n'étais pas la première femme à y siéger, mais j'y étais la seule. Sur un groupe de huit personnes, on n'y avait jamais compté plus d'une femme à la fois. Et, à mon arrivée, cela se sentait : l'ambiance était celle d'un club anglais. Réunions le vendredi à 19 heures autour d'un whisky. On m'annonça la règle en même temps que mon intronisation dans le saint des saints, avec gourmandise. Évidemment, je tombai des nues : comment, une réunion régulière, convoquée sans urgence, se tiendrait un vendredi par mois pendant au moins deux heures et à partir de 19 heures ? Et l'on y boirait du whisky en devisant aimablement du destin de nos camarades et de la question de savoir si nous conseillerions plutôt de les envoyer en Islande ou en Papouasie, en Libye ou au Danemark ? Dernière nommée, plus jeune membre du conseil, seule femme, je pouvais choisir de ne rien dire et d'obtempérer : après tout, j'avais été élevée à ne pas déranger. Mais j'avais aussi pris du champ par rapport à cette bonne éducation en vertu de laquelle je n'aurais probablement fait ni études, ni carrière. Et j'avais appris à lire dans la tête de mes interlocuteurs. Il ne servait pas à grand-chose d'essayer de me conformer : quoi que je fasse, je resterais de toute façon la seule femme, la moins gradée et, clin d'œil à un avenir que je ne connaissais pas encore, la seule à ne pas être issue de l'ENA. Une bizarrerie, donc. À cette aune, autant choisir très vite de m'exprimer dans ce que j'avais de différent, puisque cette différence sautait aux yeux de mes interlocuteurs.

Donc premier essai : fallait-il vraiment terminer la semaine par une réunion par essence si tardive qu'on ne pourrait jamais ni prévoir de dîner avec des amis, ni partir en week-end, ni simplement essayer de voir ses enfants ? Ne pouvait-on pas la programmer à une autre heure en mordant par exemple sur la sacro-sainte heure du déjeuner ? Puisque nous pouvions décider de ces réunions à l'avance, éviter d'accepter un déjeuner de travail et se voir à 14 heures ? Soulagement de certains, acquiescement de tous, on changea l'habitude. Mais vint la critique : 14 heures, ce n'était pas une bonne heure puisqu'on ne pouvait pas y boire un whisky. Oui, justement, sceller le sort de ses contemporains autour d'un café, c'était préférable, non ? Apparemment, pas vraiment.

Il est vrai que ces conseils mirent du temps, des années, à fixer quelques critères objectifs pour privilégier telle ou telle candidature à un poste d'ambassadeur. Tant qu'à travailler dans la subjectivité, le whisky levait les inhibitions quand il s'agissait d'examiner les candidatures. Surtout féminines. Surtout en fin de réunion. C'est ainsi que, longtemps avant mon arrivée, le choix d'une diplomate assez replète pour un poste d'ambassadrice avait fait passer un bon moment au conseil. Avec elle, on allait pouvoir faire de la parité à la tonne. Désopilant, non ?

En remontant l'heure des réunions et en supprimant le whisky, je ne désespérais pas de remonter le niveau des commentaires. Cela marcha, plus ou moins. Je compris vite qu'il fallait surtout prendre la parole, souvent, faire en sorte qu'on n'oublie pas la présence d'une femme dans le cénacle, un peu comme si, il y a un siècle, je m'étais introduite au fumoir après un dîner. Des commentaires sur le physique des femmes, il y en eut encore. Un ou deux rappels précis sur le physique pas nécessairement plus avantageux de leurs concurrents masculins permit de mettre fin à la sélection version concours de beauté. Un conseil, Mesdames, lorsque vous vous retrouvez au cœur d'une discussion de ce type : n'omettez aucun détail désobligeant sur l'apparence ou les défauts physiques de quelques modèles masculins de la réussite professionnelle (les pellicules, l'haleine, les odeurs corporelles ou les dents gâtées se trouvent hélas facilement et font toujours leur effet lorsqu'on les signale) et vous verrez la conversation changer très rapidement de tonalité. Vous aurez même le plaisir de voir quelques voisins de réunion épousseter nerveusement le revers de leur veste, au cas où…

On dira bien sûr que des commentaires pareils sont des cas isolés et certainement anciens. On aura surtout très envie de le croire. Admettons cette difficulté surmontée, ce dont je doute un peu. D'autres surviennent. Pas toujours, pas vraiment lorsqu'il s'agit d'un poste peu convoité. Le jour où il a été décidé d'envoyer une femme ambassadrice au Soudan, dans un pays en proie à la guérilla du Darfour et à celle du Sud-Soudan, sous sanctions internationales, dont le président fait office de proscrit en Occident et où les islamistes avaient droit de cité, personne n'y a trouvé à redire. Elle était parfaitement compétente, c'est un fait, mais surtout elle était candidate et elle avait peu de concurrents. La première femme à occuper un poste d'ambassadeur dans un des pays membres permanents du Conseil de Sécurité, ça a été une autre paire de manches. Elle était parfaitement compétente elle aussi : du pays dont elle espérait l'ambassade, elle parlait la langue et y avait vécu à plusieurs reprises. Elle avait le grade et l'expérience nécessaires. Elle était en outre très sympathique, très bon manager et appréciée de tous. Jusqu'au moment où ce dont elle parlait depuis plusieurs années, le poste dont elle rêvait et pour lequel personne ne l'avait découragée devint d'actualité puisque son titulaire le libérait. Jusqu'au jour où elle s'est officiellement, formellement et ouvertement portée candidate. Là, tout a changé. Pas dans le discours qui lui était tenu : on ne lui disait rien, on lui parlait de tout, sauf de sa candidature. Ou bien on lui redemandait avec insistance quel poste elle ambitionnait. Comprendre : quel AUTRE poste elle serait prête à considérer. Mais elle répondait, très calmement : elle avait un but, toujours le même, elle s'y préparait depuis des années, s'en sentait capable, elle était candidate, point. Avait-on jamais entendu une femme tenir un pareil langage au Quai d'Orsay ? Des hommes ? Oui, des dizaines, depuis toujours. Une femme ? Jamais.

Alors, sans lui dire, dans son dos, on s'interrogeait, doctement, la tête penchée, le front préoccupé : vraiment, avait-elle les ÉPAULES pour ce poste ? Les épaules ? D'où avait-on sorti ce nouveau concept ? Les épaules ? Quand on m'interrogeait, je posai la question : qu'est-ce que c'était, les épaules ? La compétence, le caractère, l'expérience, la motivation, je voyais bien, les épaules, je ne voyais pas. « Mais vraiment, Nathalie, en votre âme et conscience, vous lui trouvez les épaules pour ce poste ? » Je reprenais : compétente, expérimentée, motivée, fiable, je n'en voyais pas de meilleure. On alla chercher d'autres candidats. On les incita à candidater, on leur laissa entendre que leur heure était venue. Compétents, ils l'étaient aussi, mais pas davantage. Expérimentés, ils l'étaient moins, mais c'étaient des hommes. Donc, ils avaient les épaules. Le Conseil des ministres finit par trancher, en faveur de la meilleure candidate, dans des conditions rocambolesques qui ont été racontées minute par minute sur le blog d'un journaliste, tenu informé on ne sait comment. Après des mois de contorsions, une décision logique et cohérente avait été prise, que personne n'a eu à regretter car l'ambassadrice remplit parfaitement sa mission. Elle a les épaules. Elle est devenue féministe. Et elle remarque pour s'en agacer que, depuis, aucune autre femme n'a été nommée à un poste important.

S'étonnera-t-on que toutes celles qui ont eu à connaître ces épisodes insistent, certes sans succès pour le moment, pour que des critères objectifs et transparents soient fixés lorsqu'il s'agit de confier une responsabilité élevée à un cadre, comme au moment de l'oral d'un concours ? Ne doit-on pas simplement se demander de quel type de compétences, voire de personnalités on a le plus besoin pour un poste précis, à un moment précis ?

L'ambassadrice avait les épaules. Je ne crois pas manquer d'autorité, autant que ce concept soit totalement pertinent, dans l'exercice de mes fonctions. Mais ni elle, ni moi ne ressemblions à nos prédécesseurs. Et au vu des Conseils des ministres rocambolesques qui ont abouti à nos nominations, l'une comme l'autre avons de quoi méditer. À ceux qui nous diraient que c'est parce que nous étions des femmes que nous avons été nommées, je répondrais que c'est parce que nous étions des femmes que nous avons failli ne pas l'être.

Lorsqu'il était ministre des Affaires étrangères, Bernard Kouchner s'était à juste titre emporté en apprenant le projet de nomination d'un diplomate sans qualités particulières à un poste d'ambassadeur. « Le jour où vous me proposerez pour un même poste une femme aussi laide, aussi antipathique, sans talent et sans relief que lui, on sera un peu plus près de la parité. »

4.

À quoi servent les hommes ?

Elle est rousse. D'origine irlandaise et rousse. La beauté du diable. Son père était un policier irlandais de Washington. Très catholique, évidemment. Il a eu beaucoup d'enfants et a baptisé la cinquième Maureen. Maureen Dowd. Elle est chroniqueuse au *New York Times* où elle écrit avec un talent fou, un humour corrosif qui n'épargne personne et dont Bill Clinton comme George W. Bush ont fait les frais. Je l'adore, même si nous ne sommes pas toujours d'accord. Elle n'aime guère les Français et leur imagine beaucoup plus de défauts que tous ceux qu'ils ont déjà.

Un jour, Maureen Dowd a écrit un livre intitulé *Are men necessary?* Elle m'a alors demandé de l'aider à traduire le titre pour la version française. Et là, nous avons eu une explication. Non, lui ai-je dit, on ne pouvait pas penser publier un livre avec un titre pareil en France. Non, on ne pouvait pas désespérer du rapport entre les sexes au point de préférer se passer les uns des autres. Et non, la guerre des sexes n'aurait pas lieu. En tout cas, pas en France.

Il y a des choses très justes et d'autres très drôles dans le livre de Maureen Dowd. Quand elle s'en prend à ses compatriotes botoxées, quand elle se demande pourquoi tous les présentateurs de programmes d'information télévisée des États-Unis sont des mâles blancs aux tempes grisonnantes (ah, parlez-moi de Redford et Hoffman dans *Les Hommes du Président* ! À Washington, il semblerait qu'ils aient laissé la place depuis longtemps à leurs grands-pères), on rit franchement. Il y a d'autres considérations que je trouve moins pertinentes, mais à entendre le concert de critiques qu'a déclenché ce livre lors de sa parution aux États-Unis, on se dit qu'elle a dû taper juste pour que ça fasse aussi mal. On ne lui a pas reproché de se demander à quoi servaient les hommes. Ça, pas du tout. On s'en est pris à son physique et ses talons aiguilles, trop glamour pour une féministe. Décidément, lorsqu'on est une femme, on ne peut être ni trop jeune, ni trop laide, ni trop belle, ni sans doute trop âgée. On a osé écrire à son sujet, alors qu'elle s'était vu décerner le prix Pulitzer quelques années plus tôt pour sa couverture de l'affaire Monica Lewinski, qu'elle n'était qu'une « journaliste poids plume, certainement compétente pour parler de mode mais pas de sujets scientifiquement sérieux ». En France, on a pu récemment se demander si les féministes avaient de l'humour (sans doute parce que les blagues misogynes sont, elles, toujours aussi drôles). Aux États-Unis, on n'a pas voulu d'une femme qui parle de la « guerre des sexes » avec drôlerie. Maureen avait pu se moquer de tout et de tous les sujets pendant des décennies sans choquer personne. Mais des rapports entre les hommes et les femmes, la cause était trop sérieuse. Je continuerai donc à adorer Maureen Dowd, pour beaucoup de raisons mais aussi désormais parce que ceux qui la détestent sont assez détestables. Et parmi eux pas mal de femmes.

Notre joyeuse discussion au sujet de son livre, dans un excellent restaurant italien de Georgetown, m'a en tout cas donné l'occasion de réfléchir à cette intéressante question : À quoi servent les hommes ? L'ami commun qui nous avait réunies s'est bien amusé. Et le déjeuner a duré très longtemps.

Pourtant, pour moi, la réponse était simple : sans les hommes, je ne serais jamais arrivée là où j'étais. Maureen a tiqué : des choses comme ça, vraiment, ça ne se disait pas. *Shocking.* Elle avait un peu l'impression d'entendre la Pompadour ou Odette Swann lui vanter les mérites de l'ascension à l'horizontale. Ce n'était pas précisément ce que je voulais dire. Précisément pas. Il a fallu lever le malentendu. Étrange qu'à Washington, parlant avec une femme, il y ait eu automatiquement cette confusion. Alors j'ai précisé : ma chance, ma formidable chance, c'était d'avoir appris qu'on pouvait se parler, se soutenir, se comprendre entre hommes et femmes en dépit, en dehors ou au-delà de l'attirance et du rapport amoureux. Ma chance, c'était mes frères.

Mes frères. Innombrables. Et pas seulement mon frère, unique, et qui fut le premier à voir en moi un peu comme un autre lui-même. C'est délicieux, exceptionnel, magique en quelque sorte, un rapport fraternel avec un autre soi-même. Cela rend joyeux, cela donne de la force, de la confiance. Bien sûr, ça ne dure pas éternellement. Le gros handicap des familles, c'est de croire que des êtres qui ne se sont pas choisis et qui ne se sont parfois ressemblés que tant qu'ils vivaient ensemble continuent toute une vie durant à entretenir un lien comparable à celui de leur enfance. J'ai changé, mon frère aussi. Alors, j'ai choisi d'autres frères pour retrouver auprès d'eux ce que j'avais découvert grâce à lui.

Des frères innombrables. À chaque étape de ma vie, j'ai vu naître des frères. Pas des amis, non, pas seulement, beaucoup plus. Plus que des âmes sœurs. Des cœurs frères. De ceux à qui l'on peut tout confier, tout demander, qui peuvent tout comprendre, qui traversent une période de votre existence collés à vos côtés et qui pour un moment ne semblent vouloir être nulle part ailleurs que là où la vie vous porte.

À vivre dans un monde taillé pour les hommes, en passant d'une famille de garçons à une école de garçons puis à un métier d'homme, j'ai eu cette chance formidable : celle de savoir très tôt que ce monde un peu malcommode n'était au fond pas si différent, que ceux qui l'habitent n'étaient ni des inconnus, ni des étrangers, encore moins des ennemis et que certains pouvaient être des frères.

Ce que j'en raconte, c'est une histoire française. C'est dans un pays comme le mien, où la fraternité tutoie l'égalité au fronton des mairies que l'on peut concevoir que les hommes et les femmes, les garçons et les filles se côtoient et s'épaulent dans une variété de sentiments où tous ont leur place. J'ai vu tant de pays où les rapports entre hommes et femmes ne devaient emprunter que certains chemins, ne connaissaient que quelques cas de figure et ne pouvaient simplement pas sortir des sentiers battus ! Ces pays-là ne sont pas seulement, pas forcément ceux que l'on imagine. Bien sûr, les sociétés traditionnelles se reconnaissent souvent par la distance qu'elles entretiennent entre les hommes et les femmes dès l'enfance. Bien sûr, il est des fillettes qui vivent séparées des hommes dès leur plus jeune âge et des petits garçons qui risqueraient gros à vouloir jouer avec des filles.

Certaines de ces sociétés ont négocié le virage de la modernité sans rien changer au clivage et à la distance qu'elles entretiennent entre les sexes. Le Japon, que j'aime énormément, reste de ce point de vue un mystère pour moi. La différence entre les hommes et les femmes y est cultivée, outrée, caricaturée et pousse les jeunes Japonaises à exagérer leurs allures de lolitas là où leurs congénères, qu'on n'ose pas appeler leurs compagnons, gardent leurs distances. La place des uns et celle des autres est tellement surdéterminée qu'on n'imagine pas facilement un dialogue confiant, détendu et sans réserve entre eux. Dans cette répartition des rôles où chacun reste à sa place, le travail des femmes n'est pas particulièrement encouragé ni d'ailleurs facilité. Il faut qu'aujourd'hui le Japon assiste à la diminution programmée de sa population et à l'irrésistible ascension de la Chine pour que commence à poindre l'idée que, pour augmenter la population active, on pourrait songer à laisser les femmes travailler. Les économistes l'ont calculé : un meilleur accès des femmes au marché du travail japonais pourrait apporter au pays jusqu'à 14 points de croissance. Le Premier ministre en a fait l'un des axes de ses Abenomics[1]. Reste qu'il va falloir faire en sorte qu'hommes et femmes se parlent davantage, avec plus de naturel et que la société nippone évolue.

J'ai été interrogée sur la manière d'encourager le travail des femmes lors d'un récent déplacement au Japon. Le haut responsable qui me questionnait était accablé : le Premier ministre avait donné instruction de recruter plus de femmes dans l'administration. Quelle idée ! Et comment faire ? Alors que j'essayais de lui proposer quelques réponses, il m'interrompit soudain : « Mais vous vous rendez compte ! Il va falloir qu'elles demandent l'autorisation de leurs maris ! » Cette conversation-là, à en croire mon interlocuteur, n'allait pas de soi.

Comme ne va pas forcément de soi le rapport amical entre hommes et femmes de l'autre côté de l'Atlantique. Comment ? Au pays de la révolution hippie, de la libération sexuelle, du féminisme militant ? Eh bien justement, c'est peut-être un peu pour toutes ces raisons que c'est devenu si compliqué. Tant a été fait, dit, écrit, clamé pour libérer les relations sexuelles que tout ou presque tout ce qui s'approche d'un rapport entre un homme et une femme pourrait y être apparenté. Un voisin qui vient vous proposer de dîner ensemble puisqu'il se retrouve comme vous,

1. La politique économique de Shinzo Abe, Premier ministre du Japon.

à l'issue des vacances, célibataire saisonnier, lui sans sa femme et vous sans votre mari ? C'est forcément une proposition. Ça ne peut pas être autre chose. Et quand il s'aperçoit de ce qu'il est en train de dire et de ce qu'on pourrait en déduire, il s'embrouille, bégaie et retire au plus vite sa suggestion, puisqu'elle risquerait de passer pour parfaitement inconvenante. Dommage pour le dîner, mais l'honneur est sauf.

C'est tellement compliqué d'être ensemble, hommes et femmes, que cela peut vite tourner au ridicule. Avez-vous déjà vu un Américain s'essayer à la galanterie ? Vous ouvrir une porte ou vous aider à enfiler votre manteau ? Il a lu qu'en Europe, ce genre de choses se fait et il voudrait ne pas avoir l'air d'un rustre. Mais en même temps, si dans l'exercice et malgré ses efforts, il vous frôle, voire vous touche d'une façon un tant soit peu appuyée, le voilà persuadé de passer pour un malade sexuel. Pour le manteau cela tourne extrêmement vite au contorsionnisme, si votre galant partenaire s'essaie à vous l'ôter sans vous heurter. C'est drôle la première fois, l'embarras extrême dans lequel il réussit à se mettre lui-même. Ensuite, lorsque vous savez qu'à chaque occasion ce sera la même chose, vous retrouvez la vieille phrase que De Gaulle répétait à ses aides de camp au moment du manteau : « Laissez, je m'en occupe. C'est déjà bien assez compliqué tout seul. »

Il faut dire qu'une société qui n'a d'autre contact physique, en dehors des rapports amoureux, que le *Bear Hug* (littéralement l'étreinte de l'ours, ce qui situe tout de suite le niveau de raffinement), sorte d'accolade dont tout l'art est de la rendre aussi démonstrative qu'une effusion véritable tout en veillant soigneusement à ne dispenser aucun vrai baiser et à ne toucher aucune partie du corps vaguement équivoque, une telle société ne prépare pas vraiment à l'intimité fraternelle entre les sexes.

Il faut dire aussi que les féministes américaines veillent et pas toujours dans la nuance. Car si tout peut avoir un sous-entendu sexuel, tout risque aussi de le devenir sans qu'on le sollicite. Harcèlement, te voici, le mot est lâché. Souvent, très souvent et parfois à tort et à travers. Qu'on ne s'y trompe pas : empêcher qu'une femme subisse, dans la rue, dans les transports publics, à son travail et dans sa vie en général des attouchements ou des avances qu'elle n'a pas sollicités, est un combat sérieux qui mérite qu'on le traite sérieusement. Il n'y a pas que dans les bus égyptiens qu'une femme peut se sentir mal à l'aise. J'ai eu à traiter un jour du comportement d'un petit employé de bureau qui s'était laissé aller à claquer vigoureusement le postérieur d'une de ses collègues. Le plus effarant pour moi, ce ne fut pas seulement qu'il s'autorise un geste aussi déplacé. Ce fut sa «justification» : «Je l'ai fait parce que je partais en vacances le soir même. J'étais de bonne humeur.» Pour fêter ça, en quelque sorte. Je me souviens aussi de ce vieux cadre qui croyait humoristique et approprié d'envoyer des extraits de vidéos porno à sa secrétaire. Ou plutôt à ses secrétaires, puisqu'il y en eut plusieurs qui subirent sans rien dire avant qu'une enfin se décide à le signaler. Ou de ce haut fonctionnaire qui décidait des tenues de sa collaboratrice, commentait son décolleté et s'appliquait à recevoir sa femme de ménage nu sous sa douche, porte ouverte. Le point commun de toutes ces histoires, c'est le sentiment d'impunité des auteurs de ces actes de harcèlement, leur incompréhension lorsqu'ils se font prendre et lorsqu'on les sanctionne. Et surtout l'état de grand mépris de soi dans lequel ils mettent leurs victimes.

Cela, c'est ce que j'ai vu, moi-même, ce que j'ai eu à traiter, directement. Il y a bien plus grave, plus sordide encore ailleurs, je le sais. Aucune de ces affaires ne doit faire sourire, car à chaque fois on y trouve une femme, jeune ou vieille, jolie ou non, en état de grande détresse et de grande dépression.

Mais est-ce une raison pour qu'aux États-Unis, un homme ne puisse s'entretenir avec une femme dans son bureau qu'en laissant la porte ouverte ? L'un de mes camarades l'apprit à ses dépens lorsque, recevant à sa demande une universitaire américaine et fermant la porte pour ne pas être gêné par les bruits du couloir, il l'entendit pousser immédiatement un hurlement strident au lieu de lui indiquer posément qu'elle se sentirait plus à l'aise et davantage dans son univers familier avec une porte ouverte.

Je fis moi-même une expérience comparable et à tout prendre assez rocambolesque. J'attendais mon quatrième enfant aux États-Unis et avais choisi pour suivre ma grossesse un excellent médecin qui se trouvait être également un ami. Ma requête l'avait un moment embarrassé. Elle supposait en effet qu'il acquière rapidement une connaissance assez détaillée de mon anatomie. Mais il avait bravement convenu que si quelqu'un pouvait trouver cela embarrassant, c'était moi. Si tel n'était pas le cas, il n'avait pas de raison d'être mal à l'aise lui-même, lui dont les anatomies féminines constituaient tout de même le quotidien. Nous partions sur de bonnes bases.

Pour autant, une petite alerte médicale survint une fin de semaine où je dus l'appeler. Il était à la campagne et m'assura que ce qui m'arrivait était *a priori* sans gravité, qu'il fallait que je reste allongée pendant le week-end et qu'il m'examinerait à son retour. Le dimanche soir, à peine rentré, il tint sa promesse et m'appela pour me proposer de nous retrouver avec mon mari à son cabinet. Avec mon mari ? Mais justement, il était parti, mon mari, avec nos aînés, au spectacle où j'avais prévu de les emmener moi-même jusqu'à ce que ce même médecin me conseille de rester allongée. Il allait rentrer tard. Mais bien sûr, s'il pouvait m'examiner entre-temps, cela mettrait fin à mon inquiétude.

Et là, soudain, embarras maximum : aux États-Unis, un médecin ne pouvait se trouver seul à aucun moment avec une femme dans une salle d'examen médical. Il fallait qu'un témoin soit présent en permanence. Soit une infirmière, soit un membre de ma famille. Une secrétaire médicale pouvait faire l'affaire, à la rigueur, à condition que ce soit une femme. Or, un dimanche soir, en l'absence de mon mari, c'était mal parti. Nous discutâmes un bon quart d'heure au téléphone. Je l'assurai que ma confiance en lui était entière. Je ne soupçonnais pas une seconde qu'il allait me sauter dessus : c'était un médecin intègre, un mari aimant, un ami de notre couple et pour couronner le tout j'avais déjà pris une dizaine de kilos et peinais à imaginer qu'on puisse vouloir m'assaillir. Je n'étais pas de mon côté une fabulatrice ni une chasseuse de primes et je ne l'accuserais d'aucun harcèlement imaginaire. Cette partie de la conversation ne fut pas la plus compliquée. J'étais française et, aux yeux de mon médecin, c'était une garantie, la quasi-certitude que j'étais normale et que je ne confondrais pas un examen médical avec une tentative de séduction. Restaient d'éventuels témoins. Si nous étions vus ? Si on le faisait chanter ? Le gardien de l'immeuble où se situait son cabinet ou d'autres locataires ? D'eux, il ne pouvait répondre. Nous finîmes par rejoindre son cabinet *via* l'entrée arrière de l'immeuble, emprunter l'ascenseur de secours et faire le guet dans le couloir avant de pousser la porte de ses bureaux. Un couple adultère n'aurait pas pris plus de précautions que mon médecin et moi le jour de mon échographie imprévue.

Au même moment, l'une de mes amies attendait à Kaboul son premier enfant et nous comparions nos grossesses. L'épisode de l'échographie clandestine lui plut beaucoup : son médecin afghan l'examinait toujours sans témoin et ça n'avait l'air de ne choquer personne.

C'est sans doute pour cela que, dans mon immense fratrie d'adoption, je n'ai pas de véritable frère américain. Ce rapport au corps, cette pruderie affichée, cet embarras dans les rapports entre les hommes et les femmes, forcément suspects de cacher quelque chose, ça ne facilite pas l'amitié ni sa plus jolie déclinaison, la fraternité.

C'est sans doute pour cela que Maureen Dowd peut se demander à quoi servent les hommes.

Je vais te dire, Maureen. Écoute.

Pour être juste, j'ai un frère américain et il est homosexuel. Comme beaucoup de mes frères, d'ailleurs. Là, au moins, c'est facile, c'est évident et ça ne risque pas d'être mal compris : entre une femme et un homosexuel, la fraternité est une fête. Ça, même aux États-Unis, on doit s'en rendre compte. Pour moi, dans mon histoire française, je l'ai appris aussi. Ma mère me l'avait dit : choisis-toi des amis homosexuels. Tu pourras sortir avec eux et rentrer tranquille. Je ne l'avais pas crue. Depuis quand croit-on les conseils d'une mère ? Pourtant elle avait raison. Je l'ai appris toute seule. Comme d'habitude, j'ai eu de la chance.

J'ai voulu travailler dans la mode. J'ai été servie. C'était après Sciences Po. J'avais dix-neuf ans, l'éternité devant moi et aucune envie de m'enfermer dans un parcours tout tracé. Toujours pas d'ambition mais un désir : celui de voir plus loin, plus large que ce que j'avais connu jusque-là. Les études, Sciences Po, Langues O, c'était très bien mais c'était fini. Je voulais travailler, gagner ma vie, connaître autre chose. Et m'amuser. Sciences Po, ça avait quand même été assez sinistre. Alors la mode, ça me paraissait parfait. Créatif, drôle, léger, parisien, parfait.

En quelques semaines, j'ai appris mille choses, dans le monde de la haute couture : que la couleur vert absinthe, ça n'avait rien à voir avec le vert amande, le vert anis ou le vert d'eau et que j'avais intérêt à m'en souvenir et vite. Qu'en travaillant dans le milieu le plus glamour que Paris puisse offrir, on y pointait matin et soir, de la cousette au directeur artistique et que ce n'était finalement pas si mal puisqu'on enchaînait parfois vingt heures de travail d'affilée. Qu'avenue Montaigne, le diable s'habillait en Prada et que la cruauté était probablement une qualité aussi indispensable que le talent pour y faire carrière. Qu'une industrie entière dédiée à l'embellissement des femmes s'intéressait à peu près à tout, sauf aux femmes elles-mêmes : mannequins fragiles, nourries aux coupe-faim, splendides et vulnérables, créatifs irascibles, parasites vénéneux, ambitieux prêts à tout, naïves bonnes à pas grand-chose (moi, en l'espèce), ça vous constituait très vite un drôle de bestiaire. Plutôt *Livre de la Jungle* que conte de fées. Dans cette jungle-là, tout le monde luttait pour survire et faire sa place. Sans merci.

J'ai compris que je ne resterais pas longtemps : consacrer le restant de mes jours à savoir si un article de *Vogue* devait saluer le vert absinthe, le vert amande ou le vert anis de l'étole en couverture du Spécial Paris Fashion Week, je n'étais pas sûre d'en avoir envie. Éliminer ma voisine de bureau pour qu'elle ne prenne pas ma place non plus : plutôt la lui laisser et trouver ma place ailleurs. J'ai compris qu'après tout, puisque la fatalité avait voulu que je sois bonne élève, la logique imposait que je me mette à avoir un peu plus d'ambition.

Cela faisait beaucoup en quelques semaines. Il y eut des moments magiques, bien sûr, comme cette robe livrée à Marlène Dietrich, dans la pénombre de son appartement, avenue Montaigne : entendre le son de sa voix, sa sublime voix, entrevoir sa silhouette, dans la pénombre calculée de son salon. De la magie pure. Marlène, l'une parmi tant de stars que l'avenue Montaigne voyait passer, belles et tristes pour la plupart. Tristes, elles que le monde entier encensait et que l'avenue Montaigne habillait, poupées désemparées, seules, souvent si seules…

Être femme dans le monde de la mode, ce n'est pas une affaire simple. Femmes prétextes à la création, femmes fantasmées, femmes objets chosifiées pour mettre en valeur le talent du maître, petites mains. Partout règne une hiérarchie aussi intangible qu'implicite : la femme est au service du talent du styliste, du photographe, de l'homme. Aux mannequins, on ne demande que leur corps. Aux couturières, aux brodeuses, que leurs bras. Aux assistantes, que leur ombre : silhouettes invisibles et néanmoins impeccables, dont on exige qu'elles «présentent bien» mais qu'on paye au Smic, qui doivent se débrouiller pour que tout fonctionne sans qu'on les voie jamais ni qu'on leur parle. Le premier jour, j'avais commis l'impair des impairs : entrer dans le studio de l'Artiste sans y être invitée. Une pelote d'épingles lancée au visage plus tard, j'apprenais à passer sans qu'on me voie ni qu'on m'entende. J'arpentais les défilés pour m'assurer que tout allait bien sans que jamais on me remarque. Être partout mais ne gêner nulle part. Transparente. Ni corps, ni cerveau, une ombre.

Au royaume des ombres, juste en dessous des projecteurs, on survit mieux le jour où on déniche quelques compagnons d'invisibilité. J'en trouvai, ce fut épatant pour mettre un peu de couleur et de rire dans cet univers pas si drôle. Gais, ils l'étaient tous et ils étaient tous gays. Le Paris de la mode, c'est eux, leur fantaisie, leur lucidité parfois noire et souvent drôle, leur capacité à jouer à fond la comédie de la mode et à en connaître la vanité… J'ai commencé avec eux un bout de chemin que je n'ai plus jamais arrêté. Minorités extralucides, mes frères homosexuels observent, analysent, décryptent le *mainstream* comme personne. Appelés à se mouvoir dans une société qui ne s'est pas construite pour eux, minoritaires éternels, ils ont compris depuis longtemps comment observer les codes sociaux, en jouer et s'en jouer. Ni cyniques ni dupes, la plupart captent l'air du temps, attentifs à le comprendre pour y naviguer sans complaisance mais sans naïveté. Conscients que la société ne leur est pas souvent favorable, désireux de la faire évoluer mais prêts aussi à en manier les règles et à s'y plier, quand c'est possible de le faire sans se trahir : ni cyniques, ni dupes.

Exactement ce que les femmes peuvent être et devraient être dans une société conçue et conduite par les hommes. Pour faire sa place sans perdre son âme dans un monde construit par d'autres, il y a *a priori* deux options : changer soi-même ou changer le monde. La solution ne viendra ni tout à fait de l'une, ni tout de suite de l'autre de ces possibilités.

Certaines femmes, pour réussir dans un monde d'hommes, en sont devenues elles-mêmes : guerrières de leur vie, de leur carrière, elles parlent comme des hommes, agissent comme des hommes, dirigent comme des hommes. Lorsqu'elles sont en situation d'autorité, elles sur-jouent les chefs, prisonnières de l'image qu'elles se sont construites du pouvoir et de la virilité : autoritaires, cassantes, distantes, seules. Tristes et seules. Sans hommes à leur côté, ni en privé, ni en public. Elles ont bâti leur vie comme des hommes mais sans les hommes, voire contre les hommes. Ils sont pour elles des modèles lointains. Illusion totale : les hommes qu'elles imitent ont rarement réussi seuls : entourés dans leur vie professionnelle comme dans leur vie personnelle, ils n'ont l'énergie d'entreprendre et le courage de persévérer que parce qu'ils savent sur qui s'appuyer. Nos guerrières s'épuisent. Pour la grande traversée, elles naviguent en solitaire quand la plupart des hommes font la course en équipage. Peu de chances pour elles d'arriver à bon port et, lorsqu'elles y parviennent, le prix de leur sacrifice est démesuré : solitude, inquiétude, épuisement. À trop avoir cherché à correspondre à un modèle masculin imaginaire, nos guerrières sont devenues des mutantes : elles ne ressemblent à personne et ne trouvent personne pour les comprendre.

Et puis il y a les femmes qui voudraient bien entrer dans ce monde d'hommes, qui s'étonnent que les femmes n'y aient pas déjà plus de place, mais qui attendent que les règles aient changé avant d'accepter de venir jouer sur le terrain : trop violent, ce monde, trop exigeant, trop codé, pas assez transparent, ni assez éthique, ni assez altruiste, pas digne d'elles. À elles, je voudrais dire de prendre garde : il arrive qu'on ait tort à force d'avoir raison. Ce monde dont elles voient bien les défauts ne changera pas sans elles. Il ne leur fera pas d'emblée une place. Il faudra même qu'elles soient nombreuses, sacrément nombreuses, pour changer les règles comme elles le souhaitent. Mais d'ici là qu'elles veillent à ne pas transformer le plafond de verre en paroi de verre : le monde n'est pas un aquarium qu'on observe de l'extérieur. Si elles veulent y prendre leur place, il leur faudra d'abord plonger dedans et apprendre à nager, peut-être en se pinçant un peu le nez. Mais certainement pas en se tenant au bord de l'eau. Jamais les abstentionnistes n'ont modifié le cours de la vie politique. Le parti des pêcheurs à la ligne n'a jamais donné de bonne leçon à personne en n'allant pas voter. Il a au contraire souvent laissé le champ libre aux plus mauvais des candidats. De la même façon, les femmes qui attendent que les règles du jeu aient changé pour tenter leur chance, que ce soit dans le monde du travail ou plus largement dans celui des responsabilités, attendront longtemps. Car sans elles, beaucoup, beaucoup d'hommes trouveront très confortable de ne rien changer à un système qui les sert si bien. Du moins en apparence.

Car si le système de valeurs reste encore largement dicté par les hommes, il faudrait être aveugle pour ne pas voir combien ils le subissent bien davantage qu'ils n'en profitent. Dans un monde supposément taillé à leur mesure, les hommes n'ont en effet pas le loisir de rester sur le bord de la route, sauf à se heurter à une forte incompréhension. Ils doivent donc se montrer performants, déterminés, responsables et possèdent assez peu le droit à la contestation ou à l'erreur. Si les stéréotypes pèsent sur les femmes en leur déniant toute ambition, que dire alors des hommes, dont on attend une adhésion sans faille au système de valeurs que la société a mis en place et entretient à leur profit supposé ?

Prenons ensemble le train pour Bruxelles, pour Strasbourg ou pour Londres, un matin en semaine. Montons dans un wagon de première classe. Qu'y trouve-t-on ? Une très forte majorité d'hommes entre trente et cinquante ans. Qu'observe-t-on ? Des clones. Costume, lunettes, lap top, smartphone, rien ne les différencie. Rien ne cloche. Jusqu'au parfum qu'ils portent. Des publicités. Ils ressemblent à des pubs. On parle de l'aliénation féminine ? Il y a un moment que nous l'avons en partage. Sont-ils au moins plus libres que nous d'organiser leur vie à leur guise ? Parlons-en, de leur liberté. Carrière, parcours, réussite : tout est codé. Pas le droit de s'opposer, ni de s'attarder, ni de contester. Marche ou crève.

Combien aimeraient se comporter au moins un peu autrement que ce que les codes sociaux leur imposent ? Combien jouent le rôle que la société leur a assigné sans plaisir et avec peine ? Combien de regards las et discrètement désemparés dans notre wagon de première classe ?

J'ai participé à de nombreuses reprises à des séminaires de cadres dirigeants et aujourd'hui j'en organise. Dans ces rencontres à huis clos où il est possible de se parler entre pairs et où les longues heures passées ensemble parviennent à déverrouiller un peu les propos, combien confient leur solitude, leur vulnérabilité, leurs questionnements, leurs doutes ? Derrière la façade de la réussite affichée, combien d'interrogations, de frustrations, d'anxiété accumulées ?

J'ai aussi pratiqué l'art de la conversation en tête à tête avec tout ce que le Quai d'Orsay compte de cadres : ambassadeurs, directeurs, presque tous des hommes, en tout cas jusqu'à présent, lorsque j'étais en charge de leurs carrières. Ce qui m'a frappée, quels que soient les profils, c'est ce besoin de se confier, ce sentiment de solitude, d'inconfort relatif face aux fonctions exercées, aux responsabilités à assumer, aux sacrifices imposés par le poste, même si tous les diplomates adorent leur travail. Je pense souvent à l'expression de l'un d'entre eux et non des moindres, qui se dit régulièrement taraudé par un sentiment d'imposture : il ne serait pas à sa place dans les fonctions qu'on lui a confiées, il ne les mériterait pas. D'ailleurs il en rêve la nuit, c'est plutôt un cauchemar : « Ils vont s'en rendre compte, que je ne fais pas l'affaire, que je ne suis pas au niveau, ils vont s'en apercevoir et tout va s'arrêter. » Le rêve ne dit pas si ce serait un déchirement ou un soulagement.

En revanche, ce que dit ce genre de confidence sur le désarroi des meilleurs de nos cadres (les mauvais, eux, ne doutent pas), les femmes feraient bien de l'entendre. C'est d'ailleurs sans doute parce que je suis une femme que certains m'ont prise comme confidente au moins autant que comme DRH.

Non, tous les hommes ne sont pas vautrés dans un confort professionnel d'où ils voudraient exclure les femmes. Je ne crois pas vraiment à la théorie du « grand complot masculin », encore moins « masculiniste ». Il y a bien quelques cacochymes bientôt dépassés et quelques imbéciles un peu plus jeunes pour croire que leur salut viendra de leur résistance à l'arrivée des femmes. Mais je veux croire que la guerre des sexes n'aura pas lieu simplement parce qu'elle n'a pas lieu d'être.

Du moins en France, du moins maintenant. Qu'il ait fallu aux féministes d'hier du cran et de l'aplomb pour faire sauter les premiers verrous et ouvrir la voie à une société plus mixte, qu'il en faille aujourd'hui pour poursuivre le chemin, ne pas retourner en arrière et veiller au sort des femmes, cela ne fait aucun doute. Mais la cause féministe progresse-t-elle par le combat ou par le dialogue ? Je n'ai pas cru voir que les suffragettes aient eu en France la même destinée ni le même succès qu'en Angleterre, où à peine quinze ans – mais aussi une terrible guerre mondiale tout de même – s'étaient écoulés entre la création de leur mouvement et leur accès au droit de vote. Je n'ai pas la conviction que l'action des Femen corresponde aujourd'hui à ce que la société française peut entendre ni aux intérêts de la cause des femmes. J'avoue ne pas comprendre qu'on lutte contre la marchandisation des corps en exhibant le sien. Je confesse ne rien entendre à un slogan : « mon corps est ma seule arme », qui me prive de mon cerveau, postule que nous sommes en guerre et plaide un « sextrémisme » dont la signification saute moins aux yeux que les poitrines dénudées de ses militantes. J'assume que ce gang d'Ukrainiennes est pour moi un peu trop proche du casting d'un calendrier pour camionneurs. Messages creux sur formes rondes : la pub nous a habituées à ça depuis des décennies. On vend n'importe quoi avec un corps de femme. Je ne peux pas dire que cela m'enchante d'en faire un média féministe, surtout si le message est celui d'une guerre virulente, intolérante, contre tous ceux qui ne plairaient pas à la secte Femen. Que les féministes s'interrogent sur le regard que tous les extrémistes religieux, quelle que soit leur religion, portent sur les femmes, on ne peut qu'y souscrire. Qu'il devienne incontournable d'agresser tous les croyants, fussent-ils les plus modérés et les plus progressistes, au nom d'un féminisme guerrier, j'avoue que je ne suis pas. Et que les Femen restent avant tout de belles Ukrainiennes réfugiées en France m'incite à me réjouir que mon pays soit celui de la liberté des exilés mais aussi à croire que tout ça, tout ce fatras idéologico-marketing, ne nous ressemble pas tellement et ne nous rend guère service. Qu'on songe un instant aux récentes déclarations de l'inspirateur des Femen, Victor Sviyatski, les traitant de « femmes faibles », assumant de les rudoyer pour leur inculquer la « force de caractère » qui leur manque, d'avoir choisi « les plus jolies parce qu'elles font la une des magazines » et qu'on présente comme le « cerveau » de celles dont le corps est leur arme… Franchement, qu'elles aillent se rhabiller !

Faire la guerre aux hommes, c'est croire que rien ne nous rassemble. Qu'il doit y avoir un vainqueur et un vaincu. Qu'il faut prendre, de force, quelque chose au « camp adverse » pour avoir « sa part du gâteau ». C'est idiot. Parce que les femmes et leur épanouissement ne menacent les intérêts de personne. Parce qu'il n'y a pas un petit gâteau racorni dont il faudrait diviser les parts de plus en plus petit, jusqu'à ce qu'il n'y ait que des miettes, pour que chacun en ait un morceau. Parce que les femmes n'ont jamais pris le travail des hommes, pas plus que les immigrés ne prennent celui des Français. Le travail n'est pas un stock à se répartir entre quelques-uns en se protégeant de l'arrivée des autres. Une société dynamique génère des besoins, des idées, des innovations qui nécessitent les talents de tous. Ou alors c'est une société sclérosée qui ne fonctionne pour personne.

La liberté et l'égalité ne sont pas davantage les privilèges de quelques-uns qu'ils ne pourraient pas partager avec d'autres. Donner davantage de droits aux femmes n'en enlève aucun aux hommes. De même qu'étendre aux homosexuels les droits des hétérosexuels, en matière de mariage ou de famille, ne dépouille pas les uns au profit des autres. Élargir des droits ne se fait au détriment de personne.

J'y reviens : pour moi, droits des femmes et droits des homosexuels vont souvent de pair. Ce qui leur est dû n'est pas autre chose et pas davantage que ce qui est donné à chacun. Et ce qu'ils apportent n'est pas autre chose qu'un enrichissement pour tous. Ni les uns ni les autres ne sont porteurs de qualités propres : entrer dans cette logique où les femmes auraient par essence des qualités que les hommes n'ont pas est éminemment contestable. Car alors elles auraient aussi des défauts dont les hommes sont dépourvus et l'on voit très bien l'usage qui pourrait être fait de ce type de rhétorique que rien de sérieux ne vient étayer. Dans ma vie professionnelle, j'ai vu des femmes épouvantables et d'autres formidables.

Celles qui avaient atteint un très haut niveau étaient souvent impressionnantes, mais pas toujours et pas davantage que les hommes du même rang.

En revanche, ce que les femmes, comme les homosexuels, peuvent encore apporter tant qu'elles demeurent en minorité, c'est le souffle du changement, l'envie de penser autrement que dans un statu quo qui ne leur est pas très favorable, Ce sont toujours les minorités agissantes qui bousculent les majorités silencieuses. Souvent pour le bien de tous.

Lorsqu'il y a quelques années j'ai eu la chance de présider une association de femmes au Quai d'Orsay, nous nous sommes très vite aperçues que les sujets que nous portions dépassaient souvent les simples questions de parité et de non-discrimination. Nous parlions organisation du travail, nouvelles méthodes, nouvelles performances, meilleure efficacité. Il n'y avait pas de raison que cela ne concerne pas aussi les hommes et qu'ils ne soient pas d'accord, au moins certains d'entre eux. Alors nous leur avons proposé de nous rejoindre, comme amis de l'association. Beaucoup l'ont fait. Bien sûr, lorsqu'il s'est agi de porter nos idées et nos propositions au niveau politique, nous ne les avons guère entendus : ils étaient derrière nous, franchement derrière, pas tout à fait à nos côtés. Pas mécontents tout de même que nous nous exprimions sur des sujets qui les préoccupaient mais sur lesquels ils ne voyaient pas comment prendre la parole.

C'est tout le paradoxe : prisonniers de leurs codes, de leurs inquiétudes, les hommes d'une profession où ils sont en écrasante majorité n'osaient pas prendre la parole de peur de sortir du rang, de faire tache. « Allez-y, nous disaient-ils, exprimez-vous, nous sommes d'accord avec vous mais vous au moins, on ne s'étonnera pas que vous vouliez que ça change. Pour nous, vous comprenez, c'est plus difficile. » Étrange situation où il est somme toute plus facile de porter les revendications d'une minorité que de faire changer une majorité de l'intérieur. Étrange mais forcément stimulante.

Lorsque les femmes demandent davantage d'égalité et une société mieux pensée, il ne s'agit pas d'un combat et il n'y aura pas de perdants. À part les imbéciles, et c'est plutôt une bonne nouvelle.

5.

Là-bas si j'y suis : Destins de femmes d'ailleurs

Les petits enfants n'apprennent pas tout en même temps. Cela, on le sait depuis longtemps, ou du moins on devrait s'en souvenir. Les pédiatres nous l'ont expliqué : au moment où l'on apprend à marcher, on n'est pas disponible pour grand-chose d'autre : occupé à cette grande affaire, on en oublie le reste. Puis on se met à essayer de parler et ça, c'est tellement formidable qu'il ne faudrait tout de même pas nous demander de nous intéresser à autre chose. Pensez donc : remuer les lèvres, agiter la langue et être – enfin – compris, le monde peut bien s'écrouler pendant ce temps-là.

Plus tard, ce n'est pas si différent, mais ça, on le sait moins. Il en faut, du temps, des années, du recul, pour s'apercevoir qu'on n'a compris le monde que morceau par morceau. Le monde et ceux qui l'habitent. Ceux et celles. Les hommes et les femmes. Quand on a grandi en essayant de se faire une place dans un monde d'hommes, il arrive, ce n'est pas si rare, que l'on passe à côté des femmes sans les voir et surtout sans les comprendre. C'est ce qui m'est arrivé.

Les filles, je n'y ai longtemps rien compris. Mais alors vraiment rien. Je n'y pouvais pas grand-chose mais je ne les trouvais pas intéressantes. La coquetterie, les attitudes, les amitiés exclusives, les fâcheries, je ne décodais pas très bien. Je n'en éprouvais pas de fierté, bien au contraire. J'avais une cousine, je la voyais souvent car nos parents s'aimaient bien, mais entre nous, ça n'allait pas du tout. On ne jouait pas de la même façon, on n'aimait pas les mêmes choses, ça tournait au vinaigre à chaque fois et comme elle avait du caractère, ça ne passait pas inaperçu : bouderies, coups de griffes, refus de prendre les repas ensemble. Un délice. Et à l'école, ça n'était pas fameux non plus. Toujours flanquée avec les garçons, les filles trouvaient ça bizarre. La corde à sauter, ça ne suffisait pas. J'avais très peu d'amies et je m'en voulais. Je devais faire quelque chose de travers, mais quoi ?

À l'adolescence, ça ne s'est pas arrangé. Dès que j'arrivais quelque part, il ne me fallait pas longtemps pour dénicher la bande de garçons idéale, celle avec qui s'amuser, discuter à l'infini, sortir et refaire le monde. À cet âge-là, mes bandes d'amis et moi, nous avions mille choses en commun et au moins une : les filles, ça nous paraissait un mystère total. Moi, j'étais la fille pas comme les autres, celle à qui on pouvait tout dire, tout confier, c'était d'un confort inouï.

Ça aurait pu continuer longtemps comme ça puisque je me suis mise à travailler dans un monde d'hommes. Là encore, combien d'amitiés délicieuses, de complicités épatantes. Féministe, moi ? Ça ne risquait pas de m'arriver : le monde tel que je le voyais me convenait tout à fait. Je m'y trouvais parfaitement à mon aise, seule femme parmi tant d'hommes. La reine des abeilles.

Je voudrais savoir combien, parmi les femmes qui ont tracé seules leur chemin dans le monde du travail, ont connu ce trajet-là, au milieu des hommes et loin, très loin des autres femmes. Et je me demande si ce n'est pas pour cela qu'elles ont parfois un peu de mal à comprendre et à aider les autres femmes, toutes celles qui, arrivées au sommet, continuent à affirmer : « Féministe, moi, sûrement pas ! » Je les entends parfois me dire qu'il ne faut pas en faire tout un plat, que ce n'est pas si dur pour les femmes, que les hommes les traitent bien. Dans leur regard, c'est assez simple, tout est affaire de volonté. Les femmes qui rencontrent des difficultés, dans le fond, c'est de leur faute. Elles n'en veulent pas assez, elles ne se donnent pas les moyens de réussir. Qu'elles osent, qu'elles foncent et tout ira bien. Ces femmes dirigeantes, elles sont bluffantes, elles sont exceptionnelles et souvent elles sont seules. Lorsqu'elles parlent des autres femmes, c'est assez théorique, assez lointain car elles en connaissent très peu.

Je ne les blâme pas, ç'aurait pu être moi.

Oui, mais voilà : j'ai pris la route et tout a changé. On ne devient jamais diplomate par hasard. On part parce qu'on se fuit ou parce qu'on se cherche. Sinon, on ne pourrait pas partir. C'est une très chère amie – eh oui, j'ai fait des progrès, il y a maintenant de très chères amies –, veuve d'un grand ambassadeur, qui me l'a dit : « On ne part jamais impunément, surtout seul. Ce n'est pas normal de partir, de tout quitter. Les diplomates ne sont pas des gens normaux. » C'est vrai et c'est peut-être pour ça qu'ils sont attachants. Mais ça, c'est un autre sujet, pour une autre fois, un autre livre.

Après la mode, après Paris, j'ai sauté le pas, ouvert encore plus grand les fenêtres. J'ai eu envie de partir. Loin. Le plus loin possible. J'ai d'abord cherché un travail en Asie. Après tout, je parlais chinois, ce n'était pas encore très répandu, j'allais proposer mes services aux entreprises désireuses de découvrir l'Empire du Milieu qui, au début des années 1980, s'ouvrait tout juste. Seulement voilà, ça recommençait : ça n'intéressait personne. « Parler chinois, ça ne sert à rien », m'expliqua doctement la DRH d'une grande banque que je remercie chaque jour de son manque de clairvoyance : grâce à elle, j'ai su longtemps avant de devenir DRH moi-même que les ressources humaines n'étaient pas une science exacte, loin s'en faut. Mais surtout je n'avais pas compris une chose, un élément crucial puisque nous étions en France et qu'en France, on adore les étiquettes, on ne jure que par elles : je n'avais pas le bon diplôme. Travailler dans une entreprise sans avoir fait d'école de commerce ? Mais je n'y pensais pas ! Une seule entreprise m'a fait une offre à cette époque, a fait confiance à mes vingt et un ans tout neufs, à mon chinois prêt à servir et à mon envie de partir au bout du monde : ce fut le Club Méditerranée qui se proposa de m'embaucher pour essayer de prospecter une nouvelle clientèle dont la société pressentait qu'elle finirait bien par se développer, celle des touristes chinois. Il faut reconnaître qu'ils avaient du flair. J'ai failli dire oui et puis j'ai réagi en fille : pas sûre d'en être capable, j'ai préféré décliner l'offre et faire ce qu'on me disait. C'était vrai, je n'avais pas fait d'école de commerce, c'était certainement un manque, une tare, une faute à expier. On ne me l'avait pas vraiment proposé non plus mais c'était peut-être rattrapable, j'allais m'y mettre. Seulement je n'y connaissais toujours rien, à ce qu'il fallait savoir pour « faire » une école de commerce, comment s'y prendre. Heureusement, un ami d'enfance terminait l'ESSEC, il m'a expliqué, m'a inscrite, m'a accompagnée aux examens d'entrée en deuxième année. J'y suis arrivée aussi peu préparée et aussi peu à ma place qu'à l'entrée à Sciences Po. Une extraterrestre. L'oral a été mémorable. Ça a commencé par une mise en situation sur une crise internationale. Je me suis spontanément située dans le rôle d'une ONG au service des plus vulnérables. Visiblement ce n'était pas la bonne approche. Puis on m'a interrogée pour savoir pourquoi, après Sciences Po, je n'essayais pas l'ENA. Ça recommençait. J'ai raconté le chinois, la banque, le Club Med. C'était déjà mieux. On m'a ensuite demandé ce que j'imaginais comme moyen le plus efficace et me correspondant le mieux pour gagner beaucoup d'argent. Pour une école de commerce, c'était sans doute une bonne question, logique même. Pour moi, beaucoup moins. J'ai réfléchi, hésité et dit ce que je pensais vraiment :

Barbara Cartland. Je voulais être Barbara Cartland. Écrire des tonnes de livres très commerciaux, très populaires, qui plaisent à des millions de gens, qu'on achète dans les supermarchés entre la lessive et les packs de yaourts. Je rendrais heureux plein de gens, j'adorais raconter des histoires et je pourrais finir en vieille dame indigne, les cheveux violets dans une immense maison kitsch. Ça, je sentais que je saurais le faire. Le jury a beaucoup ri. Puis ils ont délibéré. Une heure. Ça a duré une heure, sur mon modeste cas. Et ils m'ont prise. Parce que je leur avais fait passer un bon moment, sans doute.

Mais c'est finalement le Quai d'Orsay que j'ai choisi pour partir vite et loin. Avant de me décider à passer le concours, il a tout de même fallu un mentor. J'y reviendrai. Diplômée de Sciences Po et de Langues O, parlant chinois et bientôt indonésien, rêvant de partir, c'est seulement parce qu'un de mes proches m'y a fortement incitée que j'ai osé passer le concours auquel tout, pourtant, me destinait. Et que je suis devenue diplomate.

Quatre ans après mon entrée au Quai, en 1990 j'ai pris la route et je suis partie seule. Très loin. J'avais décidé qu'à tout prendre, tant qu'à partir, autant que ça en vaille la peine, que ce soit un vrai départ, que ça ait de l'allure. L'Indonésie. Difficile de faire plus loin. Idéal et inéluctable : j'avais même appris la langue. Je voulais partir seule et loin parce que je ne voulais pas voir ma vie en rester là où elle en était. Je rêvais de découvrir autre chose. C'est mille et une merveilles que j'ai trouvées aux antipodes, à commencer par l'homme de ma vie mais lui, je n'en parlerai pas, parce que ce n'est pas le sujet et qu'il détesterait cela. J'ai aussi découvert la vie des femmes d'ailleurs et compris qu'au-delà de mes nombreux frères, j'aurais dorénavant beaucoup de sœurs.

Pourtant, ça a très mal commencé.

Partir à l'autre bout du monde, on a beau l'avoir souhaité plus que tout, l'avoir rêvé, avoir mûri son projet, le jour où ça arrive et que vos parents vous accompagnent à l'aéroport, on fait une drôle de tête sur la photo souvenir. Fière, oui, mais intimidée tout de même. Alors, quand après 20 heures d'avion et trois escales, une diplomate déjà en poste à Jakarta propose de vous héberger pour les premiers jours, le temps que les travaux soient achevés dans votre future maison, on accepte et on remercie avec reconnaissance.

L'accueil fut chaleureux mais « spécial ». Dans cette maison, il n'y avait que des femmes. Mère célibataire, ma généreuse consœur élevait sa fille tout en travaillant et la confiait aux bons soins conjugués de sa propre mère et d'une jeune gouvernante néerlandaise, venue en Asie retrouver le pays où sa famille avait vécu jadis. Cette gouvernante, c'était une sorte de pied rouge à la sauce hollandaise. On aurait dit qu'elle voulait expier le péché colonial de sa patrie à elle toute seule. Elle parlait l'indonésien comme personne, connaissait Jakarta comme sa poche. Dire d'elle qu'elle était austère serait très en deçà de la réalité.

Dans la maison qui m'hébergeait il y avait ainsi quatre générations de femmes sous le même toit : la grand-mère, aristocrate sévère, la mère, quadra progressiste, rousse solaire et fumeuse invétérée, la fillette, bijou choyé et capricieux, sans oublier la gouvernante batave qui n'avait jamais dû voir une comédie de sa vie. À leurs côtés, une armée de soubrettes javanaises discrètes et déférentes, avec qui je me décidai à étrenner mon indonésien tout neuf. J'appris ainsi d'elles dès le premier soir que la maison n'avait plus de gardien, le tenant du titre ayant été chassé le jour même. On l'avait soupçonné, bien que sans certitude, de regarder de trop près la femme de chambre. On cherchait donc à recruter une gardienne, espèce rare s'il en était. À y regarder de plus près, même les deux chiens de la maison étaient des chiennes.

Dès le premier dîner, le ton était donné. Ma consœur déboucha une bouteille de vin en mon honneur, ce qui, au vu du voyage, du décalage et de la chaleur équatoriale, ressemblait plus à une menace qu'à une bonne nouvelle. Elle alluma une cigarette, se déclara ravie de m'accueillir et que je sois une femme célibataire. J'étais comme elle. J'avais bien raison. Les hommes, on en avait besoin cinq minutes dans une vie. Pas plus. Je n'avais qu'à regarder autour de moi. On ne pouvait pas dire qu'ils manquaient à quiconque. Ce soir-là, j'allai me coucher avec le sentiment de me trouver bien loin de mes bases à tous les points de vue. Je décidai d'emménager dans les gravats de ma maison le plus rapidement possible et surtout de découvrir l'Indonésie.

Mais pour une fois la bonne vieille recette cessa de fonctionner. Ce n'était pas avec des Javanais que je risquais me faire une bande de camarades. Les hommes indonésiens que je rencontrerais entraient plus ou moins dans trois catégories distinctes : les moins âgés, assez déboussolés qu'une jeune Française célibataire croise leur route, s'enflammaient au premier regard et traînaient ensuite un dépit encombrant et lourd de reproches lorsque je leur expliquai qu'il ne pouvait s'agir que d'un malentendu (je dois d'ailleurs rendre grâce à la Batave revêche qui, plus d'une fois, se fit un plaisir autant qu'un devoir de me sortir de ces mauvais pas). Il fallut donc que je m'exerce très vite à garder mes distances. Je ne découvris que plus tard que Jakarta comptait une communauté d'homosexuels et d'artistes qui tenait le haut du pavé de la vie culturelle du pays et portait sur la dictature d'alors un regard lucide et empli de dérision qu'elle ne pouvait partager sans crainte qu'avec des étrangers. Ils devinrent des amis mais je ne les dénichai pas tout de suite.

Pour le reste, la dictature était là et bien là et avec elle des hiérarques qu'il me faudrait rencontrer et apprendre à connaître. C'était mon métier et je n'étais pas censée les éviter : la France n'avait pas choisi d'être trop regardante avec ce pays qui emprisonnait ses opposants et massacrait les indépendantistes des provinces lointaines mais avait su jouer la carte de l'anticommunisme. Donc les hiérarques : vieux, galonnés, javanais. Pas ce qui se faisait de plus simple à approcher, d'autant qu'ils vivaient reclus dans des maisons bunkers, mi-résidences, mi-casernes. Mais leurs femmes, elles, sortaient : ventes de charité, concerts, expositions, on pouvait leur parler. Alors je m'y suis mise et elles m'ont bien rendu la pareille, puisqu'elles m'ont présenté leurs maris. Professionnellement c'était parfait. Amicalement, ça restait un peu juste.

C'est là qu'encore une fois j'ai eu de la chance. Être seule, le nez au vent, dans une mégalopole du Tiers Monde comme Jakarta, où j'adorais me promener dans la foule compacte, dans la puanteur moite de la ville et la pénombre mystérieuse de cette partie du monde où la nuit tombe à 17 heures, c'était attirer la curiosité. Et pas seulement celle des Don Juan de pacotille. Celles qui sont venues à moi, ce sont des femmes, jeunes, éduquées, curieuses, que ce pays immense avait commencé à faire éclore et qui n'avaient qu'une idée en tête : savoir ce qui se passait ailleurs dans le monde.

Mes premières sœurs, ce sont elles : étudiantes croisées au musée, femmes actives en lien avec mon travail, femmes de toutes sortes rencontrées ici ou là, elles m'ont ouvert les bras. Elles voulaient tout savoir de mon pays si lointain et moi, je voulais tout savoir du leur. Très vite, elles m'ont tout dit d'elles. Je ne savais pas à quel point la distance rapproche. Pour ces femmes, en Indonésie d'abord, puis partout où j'ai vécu, se confier à une étrangère, c'était comme un soulagement. À moi, elles pouvaient tout dire, leurs joies, leurs craintes, leurs espoirs, leurs colères, ça ne prêtait pas à conséquence. Je venais d'ailleurs, j'y retournerais, je ne jugeais pas, je n'interférais pas, je ne répéterais pas ce qu'elles partageaient avec moi. Elles n'avaient rien à craindre de moi : je ne faisais qu'écouter. Mais j'écoutais passionnément. C'était mon métier, bien sûr. J'étais payée pour observer et pour comprendre, au moins en partie. Et comprendre un peuple, c'est l'écouter quand il se confie à vous. Je me suis mise à écouter sans cesse, sans relâche, tous ceux et toutes celles qui voulaient me parler. Et même à faire parler ceux qui ne savaient pas spontanément se confier. Une passion. Un moyen formidable aussi de me perdre et de me trouver en écoutant les autres, en étant les autres. Et c'est en écoutant ces femmes que j'ai découvert leur monde et compris que c'était aussi le mien.

Partout j'ai trouvé des sœurs. Le sort des femmes dans chaque pays, malgré les cultures, les religions, les modes qui voudraient nous faire croire à d'infinies différences est souvent le même. Partout j'ai ri et pleuré avec elles. Je ris souvent, je pleure souvent. Le sort des femmes, c'est rarement fade. Et c'est rarement simple.

Du rire aux larmes. Le rire d'abord, dans les situations cocasses comme dans les moins faciles. Le rire qui fait que tout passe. Le rire de mes « amies » indonésiennes. De drôles d'amies, qui aimaient rire. Jakarta vit la nuit. À cette latitude, tout près de l'équateur, c'est sage. Il fait si chaud le jour qu'on sort le soir, ou bien avant l'aube, quand les marchés ouvrent à 4 heures du matin. Mais la nuit indonésienne n'est pas toujours sage. Elle est pleine de ces papillons de nuit, les kupu kupu malam, que rien n'effarouche et qui vendent leurs charmes dans les bars et les boîtes de nuit de la ville gigantesque. Parmi elles, il y avait Lisa, la plus belle, grande, une allure folle, très élégante, un peu garçonne, impeccable. On la voyait aussi le jour, au bras d'étrangers de passage, jouer au tennis ou paresser au bord de la piscine des grands hôtels. Les étrangers passaient, Lisa restait. À force de la croiser, de plaisanter avec elle, je me suis mise à l'écouter. Elle voulait que je lui dise si un jour, enfin, l'un de ces étrangers, et j'en connaissais beaucoup, allait rester, rester avec elle, ou l'emmener, ou seulement si l'un d'eux parlait d'elle. Je ne savais quoi lui répondre ou plutôt je le savais trop bien. Elle le savait sans doute mieux encore. Il y avait comme une pudeur, une forme d'honneur de sa part à revendiquer ce rêve, celui d'une vraie histoire d'amour avec l'un de ses clients, celui qui lui permettait de me raconter et de se raconter une belle histoire dans laquelle ses amours tarifées restaient des amours tout de même. Pourtant, je le savais bien, il valait mieux parler d'autre chose. Lisa n'était aux yeux des hommes qu'un bien de consommation. Un produit de luxe, sans doute, mais pas plus. Certains attendaient que leur femme reparte en Europe ou en Australie avec les enfants au début des vacances scolaires pour s'offrir cet extra, avant de rejoindre leur famille un peu plus tard. J'apprendrais plus tard qu'en Afrique, on appelait ça la « semaine du blanc ». Les plus goujats paradaient alors au bras de leurs acquisitions éphémères pour la réception du 14 Juillet, sûrs que d'autres en feraient autant et bien décidés à prendre part eux aussi à ce drôle de « concours de beautés ».

Vraiment, avec Lisa, il valait mieux parler d'autre chose. Une escort girl qui rêve qu'on l'aime, c'est difficile de la faire sourire. Pour passer des larmes au rire, il y avait quand même un moyen : rien de mieux que de faire ensemble la liste de tous les étrangers en goguette qui, sans méfiance, tombaient sous le charme de celles de ses compatriotes, parfois de ses consœurs, qui n'étaient pas tout à fait des femmes. Les « bancis », les travestis javanais, sillonnaient la ville dont ils faisaient partie de longue date. Leur petite taille, leurs attaches fines les rendaient souvent insoupçonnables. Coiffeuses, esthéticiennes, j'avais appris à les connaître… et à les reconnaître. Ils/elles me confiaient leurs peines de cœur et surtout cette douleur profonde, celle de ne pas pouvoir avoir d'enfants, eux qui étaient absolument femmes dans leur tête et pas suffisamment dans leur corps. Parce que je les connaissais, j'ai plus d'une fois sorti des étrangers un peu niais de ce qu'ils auraient sans doute fini par considérer comme un mauvais pas en les avertissant de la vraie nature de leur conquête d'un soir avant qu'il ne soit trop tard. Avec Lisa, ça nous amusait follement et elle, ça la rassurait, ce reste de naïveté chez des étrangers dont elle connaissait surtout le cynisme et l'indifférence.

Tous les étrangers ont fini par partir. Lisa aussi, mais pour de bon. Elle que j'aimais écouter, elle qui pour moi n'était pas une marchandise et pour qui j'avais acquis bien plus de considération que pour n'importe lequel de ses clients, finit par me faire une confidence terrible, par une pirouette, sur le ton de la plaisanterie. Un jour où elle buvait un cocktail multicolore, elle me l'a fait admirer, m'a demandé si je voulais le goûter et m'en a dissuadée aussitôt. Je ne devais pas boire dans son verre, jamais. Elle était malade, très malade. Ce qu'elle avait, c'était d'un client qu'elle le tenait. On disait que ça pouvait aussi se transmettre par la salive ou pas, on ne savait pas très bien. Elle allait sans doute mourir assez vite. Alors non, je ne devais jamais boire dans son verre. Du rire aux larmes.

Qu'on ne compte pas sur moi pour extrapoler, pour cajoler ma bonne conscience en vomissant la prostitution, ceux qui l'organisent, ceux qui l'entretiennent et ceux qui y ont recours. La prostitution tue parfois, elle exploite souvent, elle avilit toujours. C'est un fait. Et ? Et l'on pense qu'elle va disparaître parce qu'on ne veut pas la voir, parce qu'on l'« abolirait » et que le tour serait joué ? Ce n'est pas sérieux. Tout continuera, on le sait bien. Le trafic des êtres humains est une infamie, qui profite plus qu'il ne pâtit de la clandestinité et de l'illégalité.

Et surtout tout continuera ailleurs. Il suffira de voyager. Certains n'ont pas attendu pour cela, le tourisme sexuel se porte à merveille. Il représente 15 % du PIB de la Thaïlande, les chercheurs ont fait ce calcul et on n'a entendu personne s'en émouvoir ni même s'en étonner. On a déjà délocalisé tant d'autres misères. On n'exploite plus les ouvrières du textile en Europe ? Formidable. On les exploite ailleurs, c'est tellement plus pratique, on n'est pas là pour voir. On s'émeut deux jours parce qu'un bâtiment s'écroule au Bangladesh et que des ouvrières étaient dedans. Puis on retourne faire les soldes. J'en ai visité, des usines, en Indonésie, soi-disant des usines modèles. Les ouvrières étaient assises pour coudre, leur poste de travail était bien éclairé et le contremaître l'assurait, elles étaient toutes majeures. Elles l'étaient beaucoup moins quand on parlait leur langue et qu'on leur demandait leur âge en douce : quatorze, quinze ans, c'est pratique, en Asie, tout le monde a l'air jeune. Elles confiaient aussi que, parfois, on oubliait de les payer mais qu'elles ne pouvaient rien dire. Cette misère-là, cette exploitation-là, cet avilissement-là, nous en sommes complices, nous en sommes les clients et personne ne songe à nous pénaliser pour cela.

Lisa, si elle n'avait pas été prostituée de luxe, c'est ce genre de vie qui la guettait, ce genre d'exploitation-là. Alors sa vie de call girl, elle le disait et c'était vrai : elle l'avait choisie. Ce qu'elle n'avait pas anticipé, c'est que cette vie aller la tuer. Et moi, des années plus tard, je ne peux juger personne. J'ai ma mauvaise conscience pour moi et je sais que je dois la garder. Avec le souvenir de Lisa.

Et puis il y a eu toutes les autres, ces femmes que j'ai rencontrées, qui rêvaient à un monde meilleur, où elles trouveraient davantage leur place et pour qui c'est parfois si difficile. Pour parler d'elles, je voudrais avancer prudemment, ne rien trahir, ne rien travestir, ne rien caricaturer et je me demande si ce sera possible. Pourquoi ces précautions ? Parce que ces femmes, ces sœurs, leurs joies, leurs peines, leurs espoirs, leurs craintes, je les ai écoutés, partagés, ressentis dans les terres où elles vivent et où j'ai vécu aussi. Et pour presque toutes, ce sont des terres d'Islam. En écrivant cela, je sais dans quel chemin je m'engage, le chemin tortueux où chaque lecteur de ces lignes viendra avec ses préjugés, ses idées toutes faites, ses certitudes, ses diatribes et ses anathèmes. Pourtant, pour moi, c'est à la fois impossible de ne pas parler d'elles, de celles que j'ai connues depuis plus de vingt ans, où je vis et voyage à travers le monde, mais tout aussi impossible d'afficher des certitudes, des idées simples, des formules définitives. Ce que je dois à ces femmes, ce que parfois elles m'ont demandé, c'est de témoigner pour elles. Alors je voudrais essayer, avec la plus grande humilité possible.

Indonésie, Sénégal, Maroc. Ma vie de diplomate m'a conduite à vivre dans ces pays où j'ai trouvé des âmes sœurs. Curieusement, cinq ans aux États-Unis m'ont apporté mille choses, mais pas ça, cette proximité, cette amitié, cette affection. Et hormis les États-Unis, tous ces pays sont musulmans.

Commençons par une certitude : dans ces pays où j'ai vécu et travaillé, jamais, pas une seconde, cela ne m'a posé la moindre difficulté d'être une femme. Pas un rendez-vous que je n'aurais pas eu, pas un interlocuteur qui ne m'aurait pas parlé ou prise au sérieux parce que j'étais une femme. Pas plus dans ces pays qu'ailleurs dans le monde arabe où j'ai été amenée à travailler par la suite. Pas même au Yémen où j'ai conduit une délégation en faisant face à des interlocuteurs dont beaucoup étaient des interlocutrices, entièrement voilées et dont je n'ai connu que les yeux. Pas de différence. Bien sûr, j'étais étrangère, j'avais un statut, ce n'était pas moi qu'on voyait mais le pays que je représentais. Tout de même. Si je ne témoignais pas de cela, je tairais quelque chose que j'ai vécu et qui ne me paraît pas sans importance. Une étrangère en terre d'Islam, on la traite pour ce qu'elle représente et souvent on la traite bien.

Je voudrais aussi, à pas prudents, partager mes interrogations sur ce que les Européens que nous sommes et plus particulièrement les Français comprennent du voile musulman et de ce qu'il faut en penser. Moi-même, après toutes ces années en terre d'Islam, je ne suis pas sûre d'avoir la réponse. Surtout, je ne suis pas sûre qu'il faille que j'aie une réponse, que ce soit à moi, la non-musulmane, de savoir quoi penser et de le dire, ni que ce soit à un État de décider ce qu'il faut en penser et en dire.

Ce que je veux seulement essayer de faire, c'est de témoigner. Témoigner de ces très nombreuses musulmanes sincèrement croyantes et profondément défavorables au voile. Certes, celles qui me l'ont dit pratiquent l'islam à leur façon. Pas très strictes sur le nombre de prières, pas forcément effarouchées par un verre de vin, guère enthousiastes à l'idée de jeûner pendant le mois sacré. Un islam laxiste sur le respect de ces préceptes-là, sans aucun doute. Pourtant, toutes celles dont je parle se définissent comme musulmanes et les aléas de la vie montrent combien leur religion compte pour elles lorsqu'il s'agit de faire l'aumône et de venir en aide à ceux qui en ont besoin ou lorsqu'elles accompagnent par la prière les moments douloureux de leur existence. Souvent, leur connaissance du Coran est sérieuse et solide. J'en ai parlé bien des fois avec elles, moi qui m'efforçais de relire chaque année le livre saint au moment du ramadan, pour me rapprocher de celles et ceux qui étaient entrés dans le mois sacré en allant un peu plus loin que le partage de l'*iftar*, la rupture du jeûne. Alors je me dois de témoigner pour elles, pour ces femmes éduquées, pieuses par instants mais pour qui certains pans de la pratique méritent d'être soumis à l'interprétation.

Pour elles, pas de doutes, le voile, elles n'aiment pas ça, la progression du nombre de femmes recouvertes d'un foulard leur déplaît autant qu'elle les inquiète. Elles ne mâchent pas leurs mots pour décrire leurs cousines, leurs belles-sœurs qui se sont voilées du jour au lendemain. Elles les assaillent de critiques parfois assassines : bigotes, rétrogrades, poseuses… Elles n'hésitent pas à mettre en doute les véritables motifs de leur transformation vestimentaire et assurent que les nouvelles converties recherchent par la piété de leur tenue de nouveaux avantages, voire de nouveaux passe-droits. On n'a jamais cessé de me décrire de quelle manière elles prendraient tout le monde de haut, drapées dans leur voile comme dans un certificat de vertu et de supériorité. Passant devant les autres dans les queues des administrations, réclamant un traitement de faveur, donneuses de leçons aussi, c'est ainsi qu'elles m'ont été dépeintes.

Moi-même, je ne suis pas certaine de ce que j'en pense. Que certaines islamistes soient donneuses de leçons, je veux bien l'admettre et même en témoigner. Je ne peux qu'avouer mon agacement face aux contradictions, aux approximations et aux affirmations parfois mensongères de certaines militantes islamistes radicales que j'ai rencontrées. Quelques heures passées avec Nadia Yassine, égérie d'un mouvement salafiste marocain, m'ont donné à entendre une femme intelligente, rodée aux arcanes de la communication politique, courageuse mais aussi manipulatrice et capable de doubles ou de triples discours en fonction du public présent comme du but recherché. Cette même intelligence, cette même maîtrise mais cette même multiplicité des discours, je les ai aussi trouvées chez le gourou de l'islamisme cathodique, le très ambigu Tariq Ramadan, que je suis allée écouter plusieurs fois et notamment face à des auditoires extra-européens. Le moins qu'on puisse dire est que je l'ai trouvé glissant, en particulier lorsque ses réponses ou ses prises de position concernent le statut des femmes. Et celles que j'ai croisées dans l'auditoire, portant niqab et gants noirs, fascinées par son discours, apportaient par leur seule présence une réponse bien moins ambiguë que ses paroles aux interrogations sur le projet de société de cet islamiste salonnard.

Mais quelques figures médiatiques ne disent pas grand-chose du mouvement de fond qui conduit nombre de musulmanes à revêtir le voile, contrairement à leurs mères qui soit avaient choisi de ne pas le porter, soit n'avaient pas choisi de devoir le subir.

Je repense à l'aversion qu'inspirent à nombre de mes amies musulmanes ces nouvelles adeptes du hidjab et j'essaie de me souvenir d'un moment où j'aurais pu la ressentir moi-même.

Mon premier réflexe consiste à me dire que ce n'est pas arrivé, que rien dans ma vie de chrétienne en terre d'Islam ou de Française dans mon pays ne m'a exposée à une raison valable, rationnelle, sérieuse de ne pas apprécier le comportement, l'attitude ou les propos d'une femme portant le foulard. C'est important, c'est essentiel et j'y tiens. Pourtant, il y eut une fois, une seule, où j'ai approché ce qui s'apparentait à de l'intolérance, à de l'obscurantisme et à de la mauvaise foi. Je vivais au Maroc et souffrais d'un problème de santé sans gravité. Je me suis rendue dans une clinique pour recevoir une injection prescrite par mon médecin marocain. J'avais cru que ce serait simple : j'avais déjà fait opérer l'un de mes fils à Rabat, j'avais une ordonnance et l'infirmière avait l'air sympathique. Nous étions au Maroc, un pays où beaucoup de choses se passent avec le sourire. Et puis tout est parti de travers parce que l'infirmière, sous son hidjab, n'avait pas bien interprété ma prescription. Elle s'était convaincue, toute seule, contre toute logique scientifique et en dépit de mes dénégations, qu'il s'agissait d'une interruption de grossesse clandestine. Rien à faire pour la persuader du contraire, pour lui faire regarder les faits tels qu'ils étaient et encore moins pour lui faire exécuter la piqûre ordonnée pourtant par un médecin, une simple injection d'une affligeante banalité.

J'eus droit à trente minutes de cours sur l'incompatibilité de l'avortement avec le Coran, à des cris, des vociférations. Il fallut en rester là, partir sans être soignée, trouver un autre hôpital. Ma mésaventure n'étonna personne autour de moi. Les infirmières étaient nombreuses à avoir été séduites par l'islamisme, on ne pouvait pas les raisonner, même sur des choses anodines. Tout allait bien sauf lorsqu'on s'approchait de l'interdit religieux, du haram. Là il n'y avait plus de science, plus de raison, plus de dialogue, juste de l'imprécation, de la conviction, du rejet.

Cela existe, on me l'a dit, je l'ai entr'aperçu. J'aurais même pu être tentée d'en faire une généralité, tant il peut être difficile de comprendre ces femmes qui renoncent à dessein à une partie de leur féminité sous des tenues qui non seulement se conforment aux textes mais vont bien au-delà. Le retour récent du hidjab est aussi chez beaucoup de croyantes le choix d'un accoutrement laid, volontairement sans grâce ni raffinement, profondément différent de la tenue de leurs mères ou de leurs grand-mères. Par rapport aux formes traditionnelles de voile ou de couvre-chef qu'on peut admirer à travers le monde musulman, les foulards islamistes des dernières années saisissent en effet par leur aspect ordinaire, grossier, épais, militant. Des pansements, des cagoules. Beigeasses, marronnasses, grisâtres. Curieux. Le prophète a demandé de se couvrir, pas de choisir la laideur. Question de moyens ? Non, clairement non. Une Indienne, une Sénégalaise, une Sahraouie n'est que rarement riche. Elle est souvent voilée ou coiffée d'un « foulard de tête». Sa mise est pudique, modeste, conforme aux textes. Elle ne se punit pas pour autant. Elle reste altière, élégante, imposante par sa grâce autant que par sa pudeur. Les foulards islamiques d'aujourd'hui, c'est vrai que je ne comprends pas bien d'où ils sortent. Ils me font penser aux tenues de l'Angleterre victorienne : à force de craindre l'indécence, on avait fini par voir le mal partout, par se vêtir en corbeaux et couvrir de jupons les pieds des meubles pour juguler les imaginations fertiles. De pudique, l'Europe était devenue prude, voire pudibonde. Ça n'a guère duré. Derrière, très vite, la Belle Époque, les Années folles ont changé la donne.

Alors pourquoi notre société se fixe-t-elle si ardemment sur et surtout contre le voile des musulmanes ? Avons-nous tant de leçons à donner, nous qui couvrions la tête des femmes dans les églises il n'y a pas si longtemps ? Nous dont les grand-mères ne seraient jamais sorties «en cheveux» ? Pourquoi le foulard islamique nous dérange-t-il davantage que le voile de mère Teresa ou de sœur Emmanuelle ? Pourquoi une assistante maternelle doit-elle demeurer tête nue lorsqu'il est toujours possible de se faire soigner dans des cliniques ou des maisons de retraite tenues par des religieuses en habit traditionnel ? Atteinte à la laïcité ? Nous ne l'avons pas toujours conçue comme cela et, autour de nous, d'autres pays laïcs ne s'y arrêtent pas. Affront à l'identité nationale ? Drôle de concept, plus facile à brandir qu'à définir, plein de sous-entendus et de relents putrides. Tiens, à ce propos, quel fut le film le plus acclamé de l'Occupation ?

Un mélo lacrymal, célébrant les valeurs de dévouement, de sacrifice, d'amour de son prochain, que l'ORTF passa longtemps après la guerre comme film de Noël en dépit de son caractère pétainiste affirmé. Son titre : *Le Voile bleu*…

Certes, notre société a changé. Ce qu'elle glorifiait hier l'agace aujourd'hui. Très bien. Ce qui était impensable hier devient banal. Soit. Aujourd'hui c'est normal de se faire tatouer, piercer. Pas question de critiquer. Je n'adore pas, mais ça ne regarde que ceux et celles qui se prêtent au jeu. Même si notre société n'avait connu du tatouage, jusqu'à récemment, que celui des bagnards et celui des déportés. Les tatouages d'aujourd'hui n'ont rien à voir ? Peut-être. L'art du tatouage en Polynésie devrait nous inspirer ? Sans doute. Nous nous ouvrons donc à d'autres cultures que la nôtre. De ce point de vue, pourquoi pas. Que cela témoigne d'une recherche narcissique de l'identité proche de la névrose n'est que ma lecture du phénomène et elle est sans importance. On se tatoue comme on se teignait les cheveux en rose, comme on portait des DcMartens ou des perfectos. Pour se faire bien voir des uns et ennuyer les autres, généralement à l'adolescence. Parfois un peu plus tard pour le tatouage. Il faut bien que jeunesse se passe.

Et si on regardait les foulards islamiques avec la même sérénité ? Et si une jeune fille choisissait le voile le temps de s'affirmer sans qu'on s'en mêle ? Impossible ? Parce que le voile serait symbole de soumission ? Soumission à un Dieu et aux préceptes d'une religion, c'est clair mais cela ne regarde que celle qui choisit de se soumettre. Le Sikh qui porte turban et ne coupe jamais ses cheveux se soumet également et ne déclenche nullement chez nous la même émotion, même s'il est « soumis » au même respect de la laïcité et donc, en principe au moins, aux mêmes tracas. Soumission à la pression d'un homme ou des hommes d'une famille contre la volonté de la femme ? Là serait le vrai scandale, la vraie cause de mobilisation, en tout cas dans notre société et notre pays. À cela il faut être attentif, vigilant et même si nécessaire intransigeant, au respect de la liberté de choix individuelle de chacun. Mais cela arrive-t-il si souvent ? Pas si simple.

Il y a celles qui se voilent, se couvrent et sortent, chaque nuit du mois de Ramadan, avec l'autorisation de leur père et de leurs frères, dans les médinas du Maroc. Observez-les bien. Elles franchissent la porte de la maison familiale, en djellaba et fichu, un grand sac à la main. Quelques centaines de mètres plus loin, la djellaba est pliée dans le sac, le fichu posé par-dessus et elles se promènent dans la fraîcheur du soir, en jeans ou en jupe, en bandes, elles déambulent, elles rient, elles croisent les garçons, elles montent sur leurs mobylettes. Elles sortent, elles vivent et elles ne pourraient pas en faire autant si elles ne cédaient pas au rituel du fichu et de la djellaba.

Il y a celles qui se voilent, se couvrent et sortent, dans la journée, chaque jour de la semaine, dans les universités du sud de la Méditerranée. Pantalons amples, tuniques à manches longues, chaussures plates, foulard, elles étudient. Leurs pères et leurs frères ne les auraient pas laissées faire des études sans ces tenues-là. Et elles n'auraient pas forcément la paix habillées autrement. Je les ai vues. À l'institut technologique d'Oujda, à la frontière entre le Maroc et l'Algérie. Innombrables, dans les amphis, dans les labos, dans les couloirs, attifées comme des sacs, voilées, souriantes, elles étudiaient. Pourtant ce jour-là l'université avait demandé à quelques-unes de ses étudiantes, pour honorer notre visite, de venir en tenue traditionnelle, caftans soyeux, cheveux dénoués, belles comme des mariées. Celles qui ont accepté ont passé une journée atroce, soumises, oui, en permanence, aux plaisanteries graveleuses et appuyées des étudiants mâles, tellement émoustillés par leur féminité qu'ils en perdaient toute retenue. Pendant ce temps, leurs camarades voilées et en sac vivaient une journée paisible et studieuse, le sourire aux lèvres. Le foulard, c'était leur sésame pour étudier tranquilles.

Leurs grandes sœurs, je les reçois régulièrement à l'ENA, cadres voilées du Maghreb ou d'Égypte qui viennent passer quelques semaines de formation en Europe. Pas moins paisibles, pas moins souriantes que leurs cadettes, ravies de pouvoir sortir, s'instruire et s'amuser sans essuyer de critiques. Leur liberté d'aller et venir passe par leur voile.

Bien sûr, si elles vivaient dans une société où les hommes les laissaient aller et venir tête nue, nous serions certains que leur choix est un vrai choix individuel, une vraie liberté. Et cette certitude, nous ne l'avons pas. Parce que dans les sociétés du sud de la Méditerranée, comme ailleurs dans le monde musulman, comme dans certains de nos quartiers, certains hommes ont tôt fait de croire qu'une fille qui s'habille autrement ne mérite pas le respect. Parce qu'eux-mêmes s'embrasent et s'affolent au moindre morceau de chair dévoilée, parce qu'ils ne font pas de différence entre le monde réel et le torrent d'images pornographiques dont ils sont assaillis et qui, sans doute, les déboussole. Ce sont eux dont on devrait s'occuper en priorité et laisser les femmes voilées tranquilles. Eux que la modernité a sortis de leurs gonds et qui ne savent plus comment se situer. Eux qui pèsent sur leurs familles, sur leur entourage, sur la société. Écouter, peut-être, une partie du malaise qu'ils expriment, ce rejet d'une société du spectacle qui vire parfois à la société de l'obscène. Pourquoi certains musulmans du XXIe siècle ne supportent-ils plus ce que leur pères ou leurs grands-pères voyaient sans rougir ? Pourquoi les images d'étudiantes afghanes en minijupe des années 1970 ne sont-elles plus imaginables aujourd'hui, pas plus que la plaisanterie de Nasser justifiant, au milieu des années 1950 et devant une foule égyptienne hilare, l'impossibilité de négocier avec les Frères musulmans par leur revendication, ô combien risible et saugrenue à l'époque, que les femmes soient contraintes à se voiler en public ? On plaidera le rôle de l'islam wahhabite, l'argent du Golfe déversé sur des populations peu éduquées contre l'imposition d'un modèle social sorti tout droit du Moyen Âge. C'est un fait, même si l'explication ne vaut pas pour l'ensemble du monde musulman. On émettra l'hypothèse d'un rejet du modèle occidental, honni pour son soutien aux dictatures arabes et à Israël. Le modèle est pourtant resté attractif et le demeure encore, en dépit des reproches qui lui sont faits. Et c'est oublier un peu vite le rôle de l'Occident dans le soutien aux mouvements islamistes, même les plus radicaux, au moment où on les croyait le meilleur rempart contre le communisme.

Si nous voulons comprendre, peut-être devrions-nous nous appliquer la même curiosité que celle que nous exerçons sur les autres. N'y aurait-il que dans le monde musulman où les esprits auraient changé ? N'y a-t-il pas dans l'image que l'Occident projette de lui-même quelque chose de suffisamment déroutant pour que d'autres peuples continuent à en envier les atouts mais commencent à en apprécier beaucoup moins l'attrait ? Un coup d'œil aux stars planétaires de la musique mondialisée peut faire réfléchir. Qui donne-t-on à voir aujourd'hui ? Lady Gaga, à côté de qui Madonna passe pour une bigote, une brochette de sous-produits Disney disloqués, Britney Spears, Miley Cyrus ou Lindsay Lohan, toutes rivalisent de provocation pour faire parler d'elles, dans une sorte de *spring break trash* sans fin… Vu de Kaboul, du Caire ou d'Istanbul, pas sûr que l'image de la femme occidentale en sorte raffermie ni que les hommes y comprennent grand-chose. Souhaitons au moins qu'ils ne comprennent pas les paroles des rappeurs, d'Eminem à Jay Z, même s'ils ne risquent pas de se tromper sur les images de leurs clips. Cela me gêne un peu de donner des leçons d'émancipation féminine en dehors de l'Occident pendant que nous exportons ÇA. Et je ne suis pas sûre que ce soit comme cela que nous aiderons le plus efficacement toutes celles qu'on qualifie un peu vite de « musulmanes modérées », toutes celles qui voudraient concilier leur pratique de l'islam avec leur conception de la féminité et leur présence au monde. Mes sœurs. Toutes celles qui fument, souvent beaucoup, qui boivent un peu parfois, qui croient ou qui veulent croire qu'elles peuvent « tout avoir », à leur manière : l'islam et le XXIe siècle, une foi bien à elles et une liberté sans compromission, toutes, à leur manière, sont des héroïnes.

Il y a celles qui ont fui l'Iran parce qu'elles ont voulu croire trop vite qu'en 2009, après des élections qui avaient essayé de dire non à la tyrannie des mollahs, la liberté y serait possible pour tous et pour toutes. Beaucoup furent arrêtées, molestées, torturées et celles qui ont pu s'enfuir portent en Occident leur exil intérieur, désolées d'être libres quand leur patrie ne l'est pas, pas encore ou pas assez. Elles sont perses avant toute chose, fières de leur nation, mais aussi profondément soufies, d'un islam absolument tolérant, qu'elles puisent aux vers d'Hafez. Le voile, elles ont été contraintes de le porter et l'exècrent, même si elles avaient su le détourner pour en faire un accessoire d'une grâce étrange, un complice de séduction au nez et à la barbe des Gardiens de la Révolution. Parce que ce foulard, elles ne voudront plus jamais le porter, elles ont dû quitter l'Iran et ne peuvent pas y retourner, telle Golshifteh Farahani, la sublime actrice coupable d'avoir tourné tête nue et que le régime de Téhéran ne veut plus revoir. Mon amie N. est l'une d'entre elles. L'Iran, elle le porte dans son cœur, dans son âme, comme une princesse en exil. Elle vibre aux poètes perses, aux percussions lancinantes de Madjid Khaladj mais aussi aux accents punk des groupes indépendants de Téhéran. La culture iranienne, elle la connaît mieux que personne. Son pays, son peuple, elle les aime passionnément, en dépit du harcèlement et des violences qu'elle a subis et qui la poursuivent parfois encore jusqu'en France : les radicaux iraniens n'en reviennent pas qu'elle ait pu quitter l'Iran et n'acceptent pas qu'elle puisse vivre ou survivre ailleurs que sous leur domination. Coups de fil anonymes, bousculades dans la rue, menaces, en plein Paris, au pays des droits de l'homme, rien ne lui est épargné. Un homme subirait-il autant de haine, de rancune ? Certainement pas. Ce que les pasdaran ne supportent pas, c'est ce qu'elle représente : même pas un courant politique, ça ne l'intéresse pas tant que ça, non, l'idée qu'elle se fait de la liberté d'une femme iranienne. Une femme tout à fait, passionnément iranienne, croyante tolérante, moderne, éduquée, raffinée, digne dans son exil. Apparemment, pour ses anciens geôliers, cette dignité même leur est insupportable.

Il y a celles, en Afrique, qui ont cru avoir un autre destin que leurs mères, qui ont pensé échapper à la polygamie et qui ont compris leur erreur dans les larmes. En quatre années au Sénégal, j'en ai connu plusieurs. Vives, gaies, modernes, élevées par des parents éduqués, elles avaient fait des études, souvent en Europe. Elles avaient passé une jeunesse insouciante, à sortir, à danser, à faire la fête. Pas un seul bonnet de nuit parmi elles. Puis elles étaient tombées amoureuses et s'étaient mariées, avec de jeunes

Sénégalais prometteurs, brillants, modernes comme elles. Les couples mixtes entre musulmans et chrétiennes n'étaient pas exceptionnels, dans la belle et rare tradition du Sénégal. Des enfants étaient nés. Je les ai connues jeunes mères de famille, toujours joyeuses, ni effacées ni soumises, des femmes modernes, mordant la vie à pleines dents, heureuses et amoureuses de leur mari. Je pense à C., mon amie si gaie, si chaleureuse, si généreuse, à ses longs coups de fil et à ses visites pour me distraire quand je suis restée hospitalisée pendant de longues semaines. Elle me racontait comment elle réunissait chez elle à Dakar ses amis Peter Gabriel, Youssou Ndour et les étoiles montantes de la world music. C., l'Africaine libre, confiante dans son avenir, dans celui de son couple comme dans celui de l'Afrique elle-même.

Jusqu'au jour où tout a basculé. Son mari l'a délaissée et a parlé de prendre une seconde épouse, une ñareel, une « petite sœur ». Lui, l'ingénieur moderne, le patron emblématique, l'icône de la génération montante. Lorsqu'elle a compris qu'il irait jusqu'au bout, C. a avalé des médicaments. Pas pour faire semblant. Elle savait très bien ce qu'elle faisait, comment les doser pour ne pas en réchapper, pour qu'on ne puisse pas la ranimer, d'ailleurs tout le monde le sait en Afrique, moi-même on m'avait expliqué comment disparaître, sans ordonnance, sans aucune chance de s'en sortir. C'est un médecin qui m'avait donné la recette, un soir, comme cela, au détour d'un dîner, sur l'air du détail pratique que tout le monde et surtout chacune devait connaître. J'étais restée sidérée par sa désinvolture mais les personnes autour de moi m'avaient « rassurée » : j'étais la seule à ne pas déjà savoir comment mettre fin à mes jours. C. était de celles-là, de celles qui m'avaient affirmée que la « recette », elles la connaissaient déjà. Car elle était présente à ce dîner.

Lorsque j'ai appris sa mort, je suis restée des heures sans y croire. Qu'une telle force de vie ne soit plus, qu'elle ait renoncé, qu'elle n'ait pas pensé qu'elle parviendrait à empêcher ça, cette deuxième épouse, cette « petite sœur » comme la nomment avec un aplomb effroyable les hommes du Sénégal, je ne pouvais pas le comprendre. Qu'elle se soit avouée battue, bafouée, trompée dans ses rêves et dans son idéal. Pourtant elle avait raison. Son mari, à peine veuf, convolait à nouveau en « justes » noces et ne s'en contentait pas puisque quelques années plus tard, sa douce, sa discrète seconde femme, celle qui avait accepté tous les codes de la société sénégalaise, de l'épouse traditionnelle, pour être admise et respectée, voyait à son tour arriver une nouvelle épouse, comme on parle d'une nouvelle voiture ou d'un nouveau trophée. Le deuxième mariage fut largement commenté par la presse locale, en termes flatteurs pour le nouvel époux dont on saluait la « belle prise », un peu comme pour la pêche à l'espadon qu'on pratique au large de Dakar.

La même presse, toujours complaisante, interviewa le frère du marié lorsque lui aussi succomba à la tentation de la deuxième épouse. Voici ce qu'il répondit : « Il y a les femmes féministes, mais il y a aussi les autres femmes, qui pensent qu'un homme doit avoir deux-trois-quatre épouses et peut-être même plus et celles-là sont beaucoup plus nombreuses. On est en démocratie (*rire*). Et d'ailleurs, je pense que le souci de la grande majorité des femmes est d'avoir un mari. Et comme les femmes sont généreuses à l'égard de leur genre, elles se soucient aussi de ce que toutes les femmes trouvent un mari. Et, s'il n'y a pas assez de maris ? Je vous rappelle que les femmes sont plus nombreuses que les hommes, rien que sur le plan statistique. En fait, la femme qui ne veut pas de la polygamie est celle qui est déjà mariée et en première position. Celles qui ne le sont pas encore, souvent, elles ne rejettent pas ce choix, celles qui viennent en deuxième-troisième-quatrième position non plus. Et elles deviennent facilement majoritaires. La polygamie est une solution pour beaucoup. Par contre, je vais vous dire que pour mon cas, c'est venu par surprise. C'est-à-dire : jamais, jamais, jamais de ma vie, je n'ai pensé que je deviendrais un jour polygame. Mais je ne regrette pas. »

Tout est dit : un homme éduqué, brillant, élevé dans une famille monogame et qui n'avait donné aucun signe de vouloir revenir à une tradition très éloignée de ce que sa jeunesse lui avait fait connaître, cet homme, avec ses mots d'aujourd'hui mais sa mentalité d'un autre temps, justifie d'avoir renié ce qu'il a été et tente d'expliquer par la volonté des femmes elles-mêmes la facilité qu'il s'octroie. Brièvement honnête, il reconnaît que la première épouse n'est pas consentante. Mais visiblement peu importe. Et peu importe que sa famille ait connu à plusieurs reprises la marque du malheur et du suicide des femmes bafouées. Lui, il ne « regrette pas ». Et en Afrique, officiellement, on ne se suicide pas. Le mot est tabou. Ça n'existe pas.

Mes sœurs africaines, j'en ai perdu deux de la sorte. Les autres se démènent dans un monde davantage fait pour justifier la gaudriole de leurs compagnons que pour leur permettre de vivre comme elles l'entendent. Les plus courageuses ont divorcé. Du courage, il leur en a fallu pour surmonter l'opprobre social et survivre à des procédures où ce sont elles qui finissaient par avoir tous les torts. Peu à peu, dans les milieux les plus favorisés, le divorce ou la séparation à l'amiable ont fait une timide apparition. Celles qui ont montré le chemin sont d'incroyables pionnières, des lionnes. Souvent métisses, elles puisent dans leur différence et dans leur capacité à chercher de l'oxygène ailleurs la force de ne pas accepter l'Afrique des hommes, celles que tant d'autres subissent. Elles se tiennent droites, croient à l'Afrique, croient en leur chemin original. Parfois elles tremblent, comme cette amie qui n'a pas quitté Dakar après son divorce, a choisi de continuer à aimer ce pays et cette ville mais interdit à sa fille de monter seule dans le Nord du pays, en terre peule, dans la région de son père. De peur qu'elle soit excisée de force. Lorsqu'elle me l'a confié, en sirotant un thé, j'ai cru que j'avais mal entendu. L'excision ? Dans cette famille-là ? Avec ce père-là, qui avait été de tous les combats de l'extrême gauche africaine ? Oui, là aussi, parce qu'avec la crise de la cinquantaine, il retournait à ses racines et surtout parce que les femmes du clan n'avaient sans doute pas désarmé. Il m'a fallu du temps pour savoir que cette barbarie-là, des femmes que je connaissais l'avaient subie, en Afrique mais aussi ailleurs. Elles n'en parlaient jamais ou alors honteusement, comme si elles en étaient responsables. Femmes cadres, elles portaient en elles cette blessure que l'on croit un peu vite réservée aux milieux les plus incultes, les plus arriérés. Elles se disaient prêtes à tout pour éviter cette mutilation à leurs filles. Et un jour, après encore plus de temps, je me suis demandé ce que voulaient en savoir tous ces mâles, tous ces Blancs qui parcourent le Tiers Monde à la recherche d'amours tarifées : pas trop gênés de « consommer » pour pas cher des femmes mutilées ? Je n'ai pas l'impression d'en avoir souvent entendu parler.

Le Moyen Âge, j'ai vu des femmes en sortir, brusquement, comme d'un mauvais rêve, au Maroc, au moment où j'y arrivais. Hassan II venait de mourir et son fils, Mohammed VI, de monter sur le trône. Parmi les premières décisions qu'il dut prendre, la moins banale fut sans doute de sceller le destin du harem de son père. Combien de concubines furent « libérées » à ce moment-là ? Les chiffres les plus fantaisistes ont circulé. Sans doute plus d'une centaine en tout cas. Certaines avaient rejoint le harem depuis plusieurs décennies, la plupart contre leur gré. Offertes, enlevées, trompées sur leur destination et leur usage, elles avaient appris les lois du harem avec les plus anciennes, celles du sultan Mohammed V. Pour certaines, le harem avait été toute leur vie. Brutalement, Mohammed VI, le nouveau roi, dont on avait beaucoup dit qu'il avait les mœurs de son père en horreur, décidait de ne pas habiter le Palais royal de Rabat et de donner quartier libre, une fois pour toutes, aux femmes du harem. Pour ces femmes, ces premiers instants de liberté ont été des instants de vertige. Que faire lorsqu'on n'a jamais eu le droit de décider de sa vie? Que découvrir quand toute l'existence s'est passée derrière les murs des palais du sultan, hormis pour les quelques favorites qui avaient acquis le droit de voyager à l'étranger avec le monarque, sans jamais toutefois apparaître en public? On imagine les conciliabules, les hésitations. On raconte que leur première sortie fut pour voir de leurs yeux ce que la radio leur vantait sans cesse, le premier hypermarché de Rabat. On aurait aimé sortie plus symbolique, celle-là l'était pourtant à sa manière. On imagine sans peine ces dizaines de femmes communiant ensemble au temple de la consommation dont elles avaient rêvé sans le connaître. Brusquement, la modernité entrait dans leur existence devant les caisses enregistreuses d'un hypermarché de banlieue.

Qui étaient ces femmes et quelle fut leur vie? Le peu qu'on en sait provient de confidences plus ou moins fiables. Elles-mêmes ne se sont jamais exprimées publiquement, tout ce qui relève du Palais royal restant aujourd'hui tabou et passible de poursuites lorsque la presse s'aventure à en parler. Ce que j'en ai entendu ne fait donc pas figure de vérité mais de témoignages. Je n'en ai sollicité aucun et me suis méfiée des plus tapageurs (les frères Bourequat ou la famille Oufkir, qui ont eu à souffrir du régime d'Hassan II mais en avaient été également les bénéficiaires pendant des années). Certaines confidences m'ont touchée. Elles m'ont appris bien plus que de longs discours d'où venait le Maroc et ce que les femmes y avaient vécu.

Il y eut cette incertitude sur le nombre des femmes du harem. Non pas tant l'imprécision dont les médias, avides de sensationnel, ont pu faire preuve pour en parler. Mais plutôt l'hésitation qui s'empara des administrateurs du Palais lorsqu'ils durent traiter la « fermeture » de cette institution royale et décider du sort de ses anciennes pensionnaires. Cela aurait pu être simple. Mais certaines concubines manquaient à l'appel. Celles qui s'en sont aperçues sont des femmes qui avaient pu accéder au Palais des années durant pour y travailler ou y rendre des visites. Discrètement, elles ont alerté. Parmi les anciennes concubines, plusieurs avaient disparu, parfois depuis un bon moment. Elles ont enquêté longtemps, courageusement, discrètement, sans chercher à se mettre en valeur, sans tapage médiatique, pour retrouver ces femmes et les libérer comme les autres. Ce qu'elles auraient trouvé glace d'effroi : les plus récalcitrantes, les plus rebelles, celles qui n'avaient jamais accepté leur sort, auraient été incarcérées dans certains palais royaux éloignés, mises au secret pour prix de leur révolte. Elles auraient été purement et simplement oubliées. Au XXe siècle, parce qu'elles avaient refusé la loi du harem, elles auraient été sanctionnées comme des criminelles. De ces années de détention, de solitude et d'oubli, ces femmes seraient sorties fracassées, incapables de retrouver une vie normale. L'une au moins aurait multiplié les tentatives de suicide. C'est dans un autre type d'enfermement qu'elle vivrait désormais, prisonnière de ses cauchemars. Elle avait été enlevée adolescente à la sortie de son lycée, il y a plusieurs décennies…

La plupart pourtant se sont résignées à leur sort, sans doute conscientes qu'elles ne pourraient pas s'opposer à la volonté d'un monarque absolu ni à un système, le Makhzen, la Cour, dévoué au service d'un seul homme. Elles ont donc appris à vivre au harem, à en comprendre les lois, à les contourner parfois, avec la complicité de celles et ceux qui y avaient leurs entrées mais surtout pouvaient en sortir. C'est ainsi qu'un petit escroc, qui avait réussi à s'assurer les bonnes grâces du Palais, y fit fortune en empruntant le chéquier d'Hassan II et en falsifiant sa signature. Il s'était rendu populaire au harem en y introduisant en fraude des téléphones portables…

Les concubines ont souvent essayé d'y vivre la vie la moins anormale possible. Celles qui eurent des enfants étaient privilégiées. Pour les autres le besoin de reporter leur affection était tel qu'il fallut le satisfaire. On leur livra donc des enfants à adopter, prélevés dans les orphelinats du royaume et dont elles pourraient devenir les mères. L'idée était belle, mais elle eut ses ratés : tous les enfants sélectionnés n'étaient pas orphelins. C'est ainsi que plusieurs enfants que leurs mères, en détresse, avaient confiés quelque temps à des institutions de bienfaisance, furent enlevés et offerts au Palais à des concubines esseulées. Des années durant, une mère réclama ainsi ses enfants devant les portes de tous les palais du Roi.

Tout n'était pas cruel au harem, même si les esclaves de feu infligeaient à celles et ceux qui avaient mal agi des punitions corporelles sévères, auxquelles n'échappaient pas les proches du Roi eux-mêmes. Dans ce quotidien truffé de menaces, de ruses, d'intrigues et de superstitions, le bon plaisir royal permettait aussi à ceux et à celles qui savaient le convaincre, d'étudier, voire d'apprendre un métier. Les enfants des concubines, qu'ils soient naturels ou adoptés, se voyaient gratifiés à l'âge adulte pour les hommes d'une charge et pour les femmes d'un mari, choisi par le Palais. Le mariage était béni par le Roi. Impossible de refuser.

Ces histoires d'un autre temps se sont passées hier. Ceux et celles qui les ont subies vivent encore et j'en ai connu plusieurs. Elles vivent aujourd'hui libres dans un monde moderne qu'elles auraient pu ne jamais connaître. Le roi actuel, qui a grandi au Mechouar, le Palais de son père, a un mérite considérable à avoir rejeté ce qu'il avait connu et mis fin à ces pratiques en libérant ces femmes et en choisissant de vivre autrement. Bien sûr, leurs souvenirs les hantent et rien n'est facile pour elles qui sont passées directement du Moyen Âge au XXIe siècle. Pourtant, elles se tiennent debout, dans la vie, dans le monde, debout, comme tant d'autres femmes maghrébines que j'ai connues. Comme leurs sœurs africaines, asiatiques, perses que j'ai rencontrées, toutes ces femmes dont le destin a tutoyé la tragédie, toutes ces femmes sont debout. Leur condition aurait pu être, a été mille fois pire que la nôtre.

Or très peu se sont résignées et toutes conservent leur dignité. Elles se battent tous les jours pour être acceptées, respectées, comprises. Elles ne renoncent pas et portent l'avenir en elles, elles que le passé n'a pas épargnées.

Je les ai écoutées, longuement, patiemment, passionnément, me parler de leur vie et la partager avec moi qui vient d'un monde si différent. Et pourtant, dans ces histoires qu'elles m'ont offertes, par cette confiance qu'elles m'ont témoignée, j'ai découvert ce que je n'avais pas encore connu : j'ai trouvé des sœurs. Chaque instant fort de ma vie, joies ou peines, je les partage avec elles. Avec elles je peux dire ce que je ressens et me sentir écoutée et comprise comme j'ai essayé de les écouter et de les comprendre. Jamais nos religions ou nos cultures en apparence si différentes n'ont été un obstacle. J'ai toujours constaté que, derrière nos folklores respectifs, nous mettions les mêmes mots sur les mêmes émotions. S'est ouverte à moi une famille infinie où mes sœurs, grandes et petites, du monde entier, prennent une immense place.

Une seule exception, que je regrette : pour cinq ans passés aux États-Unis, cinq années passionnantes, au tournant de ce siècle, juste après le 11 Septembre et pendant la guerre d'Irak, de ces cinq années de travail, comme porte-parole de notre ambassade au cœur de la capitale du pouvoir et des médias américains, ne me reste pas une sœur. Rien à faire. Des dizaines de dîners, de déjeuners, de discussions, souvent cordiales, mais rien de profond. C'est vrai, ces contacts étaient d'abord professionnels, cela plaidait pour assez peu d'intimité. Et j'avais déjà quarante ans, dans une société qui, vue de l'extérieur, m'a donné le sentiment qu'on n'y nouait d'amitiés durables qu'à l'adolescence, au temps du collège et des *spring breaks*. Après, plus vraiment. Mais surtout, j'étais étrangère et, plus que tout, française. Et cela créait malgré moi un artifice insurmontable.

Depuis quelques années en effet, les Américains et surtout les Américaines ont une idée fixe qui revient en boucle : les Françaises. Elles feraient tout mieux que tout le monde. Cela a commencé par un de ces multiples livres de nutrition, best-seller assuré dans un pays aux millions d'obèses : *French women don't get fat*. J'étais aux États-Unis à ce moment-là et ça a été un cauchemar : il m'a fallu rentrer le ventre pendant des mois pour ne pas décevoir. L'idée, c'est que les Françaises savaient naturellement quoi manger et comment le cuisiner, qu'elles avaient un rapport moins compulsif et utilitaire que les Américaines à la nourriture et que, partant de là, elles s'en sortaient mieux. C'était caricatural mais pas complètement absurde, même si la vie citadine des Françaises ne plaide pas forcément pour des repas équilibrés. C'est toujours un peu mieux, de fait, que de grignoter quatre chips et trois barres chocolatées à la vending machine de son bureau et de se caler avec un sandwich au beurre de cacahuètes en rentrant chez soi. Soit. Mais le succès du livre a déclenché une mode et ça ne s'est plus arrêté. *Bringing up bébé*, de l'adorable Pamela Druckermann, vint expliquer aux Américaines qu'elles ne savaient pas élever leurs enfants et qu'elles devraient prendre exemple sur les Françaises. Elle vient de récidiver avec *French children don't throw food*. Il est vrai qu'en déjeunant avec Pamela, nous avions découvert que nous étions toutes les deux mères de jumeaux. Et mesuré à quel point nos situations pourtant comparables pouvaient donner lieu à des perceptions différentes. J'ai compris le fossé qui subsistait entre nous quand elle m'a demandé très spontanément et avec une sincérité désarmante : « Est-ce qu'il t'arrive d'avoir des moments où tu as plaisir à être avec tes enfants ? » Ce qui, chez moi, se résume à un joyeux bazar, plutôt cocasse bien qu'un peu fatigant, c'est-à-dire la vie à la tête d'une famille nombreuse composée notamment de deux êtres soudés entre eux par une force mystérieuse, des jumeaux, était vécu, chez Pamela, comme une épreuve, exténuante, insurmontable.

Nous étions donc à la fois plus minces et de meilleures mères que nos voisines d'outre-Atlantique. Les comparaisons ne se sont pas arrêtées là : nous vieillirions moins vite et surtout avec moins de botox et de liftings, nous serions naturellement plus élégantes, mieux coiffées, plus spirituelles et sophistiquées... Ma chère Elaine Sciolino, pourtant la plus Française des Américaines, n'a pas failli à la règle, elle qui publiait il y a deux ans *La Séduction : comment les Français jouent au jeu de la vie.* Les clichés s'enchaînent comme des perles. J'en ai profité bien sûr et m'en suis amusée. À notre arrivée à Bethesda, la banlieue intellectuelle de Washington, nous avions trouvé une maison et un quartier qui nous convenaient parfaitement : on pouvait y faire ses courses à pied, prendre le bus et le métro pour aller Down

Town. Si ce n'est que personne ne faisait ça à part nous. Tout le monde roulait en voiture, tout le temps et me proposait un *lift* en supposant que mon véhicule était en panne. Lorsque je répondais que je préférais marcher, c'était la perplexité garantie. Déjà que nous n'avions pas de télévision, nous étions peut-être un peu Amish, en tout cas pas très *mainstream*. Jusqu'au jour où un article du supplément du week-end du *Washington Post*, celui qui pèse dix livres et qu'on met quatre heures à lire, expliqua que la marche était bonne pour la santé, qu'elle limitait le cholestérol, les risques cardiaques, les insomnies, que sais-je. Immédiatement, le quartier s'équipa de bâtons de marche nordique. Tout le monde se mit à marcher. Et tout le voisinage vint me saluer. *Indeed, you knew it. Sure, you're French.*

J'étais française, je savais tout mieux que tout le monde. Et cela créait une distance terrible. J'étais toujours l'étrangère, la Française, celle qui n'était pas comme les autres. En tout cas pas une sœur.

Une fois, une seule, j'ai eu le sentiment de me rapprocher davantage, de parvenir à créer un lien avec une Américaine sans qu'elle me voie d'abord et avant tout comme « la Française », ce mélange improbable de Piaf et de Coco Chanel que tous ont en tête. Il faut dire que ce n'était pas n'importe qui, Helen. Helen Thomas : un mètre cinquante-cinq d'énergie, d'insolence et de conviction. La première femme correspondante de presse à la Maison Blanche. Lorsque j'ai connu Helen, elle avait déjà plus de quatre-vingts ans. Elle travaillait encore, pour le groupe Hearst. Dans la salle de presse de la Maison Blanche, son siège était marqué d'une plaque et personne ne l'aurait occupé à sa place, elle, la doyenne des correspondants. Ce siège, cette place, c'est de haute lutte qu'elle les avait conquis. Elle avait réussi à pénétrer le milieu entièrement masculin de la presse américaine en 1943, à la faveur de la guerre. Elle, née dans le Kentucky de parents libanais, était parvenue à se faire un nom à Washington dès les années 1950 en couvrant l'actualité du FBI, pas vraiment un ouvrage de dame. Mais c'est avec John Kennedy que sa carrière à la Maison Blanche avait vraiment démarré. Elle était devenue correspondante pour UPI et le resta quarante ans, à l'issue desquels elle se permit de démissionner pour protester contre le rachat de l'agence de presse par des intérêts réputés proches de la secte Moon. À quatre-vingts ans, elle fut embauchée par Hearst, auprès de qui elle resta encore dix ans avant de prendre finalement sa retraite, à laquelle elle ne survécut guère.

À Kennedy, elle dut la reconnaissance : parce qu'elle n'avait pas eu le droit de faire partie de l'association des correspondants à la Maison Blanche, seulement ouverte aux hommes, le Président menaça d'en boycotter le dîner annuel, l'un des grands moments de la vie politique et médiatique de Washington. Dès lors, beaux joueurs, les correspondants lui réservèrent une place au premier rang de la salle de presse et le droit d'ouvrir et de conclure chacun des briefings du Président. Tous passèrent sous son regard au laser et durent répondre à ses questions sans concession, jusqu'à

Barack Obama, qui confessa que se retrouver face à elle, c'était aussi impressionnant qu'une deuxième cérémonie d'investiture. Elle fut la seule femme à accompagner Nixon en Chine. Et surtout jamais elle ne trembla face à George W. Bush. Exemple, cette question, posée en 2006 : « Je voudrais vous poser une question, monsieur le Président, sur votre décision d'envahir l'Irak. Elle a causé la mort de milliers d'Américains et d'Irakiens, nombre d'entre eux vont souffrir des séquelles de leurs blessures pour le restant de leur vie. Toutes les raisons invoquées pour justifier cette guerre se sont révélées fausses. Alors, je vous demande, monsieur le Président : Pourquoi ? »

Bien sûr, notre opposition commune à la guerre d'Irak nous rapprocha. Mais ce que j'ai le plus aimé chez Helen, ce fut cette liberté totale d'être elle-même, qu'elle assuma et qu'elle imposa dans un monde qui devenait de plus en plus conformiste. Grosse fumeuse, bonne buveuse, plus féminine que féministe, elle se moquait pas mal du qu'en-dira-t-on. Lors d'un de ces fameux dîners des correspondants à la Maison Blanche, une association qu'elle avait à ce point conquise qu'elle avait fini par la présider, à l'un de ces dîners donc, en présence de George Bush, « le pire Président de l'histoire des États-Unis » ainsi qu'elle le qualifiait en privé, elle était apparue déguisée, à quatre-vingts ans passés, en Scarlett O'Hara dans un sketch désopilant et d'une absolue irrévérence à l'égard du chef de l'État. D'une indépendance farouche, elle avait de son métier une idée beaucoup plus haute que la plupart de ses confrères. Elle n'a jamais essayé de plaire, jamais minaudé, mais l'a toujours emporté par l'absolue exactitude avec laquelle elle couvrait l'actualité et le courage avec lequel elle a défendu la liberté de la presse.

Je n'ai pas toujours été en accord avec les excès de cette pionnière, de cette anticonformiste mais je l'ai toujours admirée et surtout, avec elle, j'ai énormément ri. Dans une période étrange de l'histoire des États-Unis, quand les attentats du 11 Septembre avaient déclenché une vague de nationalisme étroit, xénophobe et radical, Helen ne laissa rien passer mais ne perdit rien de son humour. D'elle, je me sentis proche. Pour elle, je n'étais pas La Française. Ou pas seulement. Ma sœur américaine. La seule.

C'est parce que j'ai pu faire le tour du monde que j'ai appris à voir les femmes autrement, à comprendre ce qui nous unit, ce qui fait que nous nous ressemblons malgré nos différences, à chérir leur amitié, leur confiance. Elles m'ont donné envie de les écouter, de les comprendre, de parler d'elles, d'agir pour elles aussi. Sans elles je n'aurais pas imaginé ce livre et c'est beaucoup pour elles, en pensant à elles, que je me suis aventurée à l'écrire.

6.

Un mentor, sinon rien

« Mais qu'est-ce qu'on va faire d'elle ? » C'est ainsi que commença ma vie professionnelle.

L'année de mon arrivée au ministère des Affaires étrangères correspondait à une première : nous étions en 1986 et pour la première fois nous étions autant de femmes que d'hommes à avoir réussi les concours. Nous n'y avions guère prêté attention, tout à la joie de notre réussite. Mais pour la chefferie du Quai d'Orsay, ce fut autre chose. « C'est l'invasion ! » Ce fut par ces paroles assez peu diplomatiques que le Secrétaire général de l'époque nous accueillit en ouvrant la porte de son emblématique bureau et en découvrant notre promotion. Nous étions prévenues. Pourtant cela nous avait fait sourire. Après tout, il ne pouvait pas dire ça sérieusement, encore moins le penser. Nous avions réussi un concours, on savait quoi faire de nous.

Pas si simple. Des femmes diplomates, surtout jeunes – et j'étais la benjamine – on avait beau être en 1986, on ne savait pas encore bien comment s'en dépêtrer. Il faut dire que le Quai avait mis du temps à s'apercevoir que l'humanité n'était pas faite d'un seul genre, en tout cas s'il ne s'agissait ni de taper à la machine, ni de servir le café. Premiers concours ouverts aux femmes : 1928, quatre ans après que l'Union soviétique eut nommé la première femme ambassadeur. Première femme reçue : 1930, Suzy Borel. Son histoire, son « épopée administrative », comme la qualifia Giraudoux, en dit long sur les obstacles qu'elle eut à surmonter. Qu'a-t-on fait d'elle ? Giraudoux encore : « Depuis quatre ans les chefs du personnel perdent leur latin et leurs cheveux sur ce problème. » On a d'abord considéré qu'elle ne pourrait pas servir à l'étranger, au motif que, ne disposant pas de droits civiques, elle ne pourrait pas représenter la France. Pourtant, née et élevée en Indochine, elle n'avait appris le chinois que pour pouvoir partir en poste en Asie. Diplômée de l'École libre des Sciences politiques et de l'École des Langues orientales, licenciée de philosophie, elle avait cru mettre toutes les chances de son côté. Elle dut se résigner malgré elle à faire carrière en France. C'est cependant ce que lui reprocha l'Association des agents du ministère des Affaires étrangères, qui introduisit contre sa nomination un recours devant le Conseil d'Etat. Motif invoqué : ne pouvant être affectée à l'étranger, Mlle Borel et celles qui lui succéderaient auraient tôt fait de monopoliser les postes parisiens à leur profit. Au moment de s'inscrire au concours, l'huissier avait déjà refusé d'enregistrer la candidature de Suzy Borel au prétexte qu'il était nécessaire d'avoir accompli son service militaire pour devenir diplomate. Malgré ces obstacles, Suzy Borel resta au Quai. Elle s'illustra dans la Résistance au sein du groupe Combat et fut remarquée par Georges Bidault, qui en fit tout d'abord son directeur adjoint de cabinet avant… de l'épouser en 1946. Son rôle et sa personnalité sont controversés et elle suscita l'inimitié de Roger Peyrefitte, qui la décrit dans ses livres sous les traits peu amènes de « Mademoiselle Crapotte » ou de « la hyène du Quai d'Orsay ». Il est vrai qu'elle confessait elle-même avoir plutôt les qualités et le caractère d'un préfet de police…

Du caractère, il en fallut à Suzy Borel pour affronter les vexations, les embûches et l'hostilité d'un monde marqué par une profonde misogynie. Du caractère, mais aussi un mentor, André Siegfried, son professeur à Sciences Po, qui lui donna deux conseils essentiels. Le premier, celui de tenter le concours dès son ouverture aux femmes : « Essayez ! » L'injonction fut suffisamment forte pour qu'elle ne se décourage ni à son premier échec ni quand, goguenard, le responsable des concours l'accueillit à sa deuxième tentative : « Vous vous acharnez ! » Ce à quoi elle répondit : « Je ne m'acharne pas, je persévère. » Deuxième conseil d'André Siegfried, tristement réaliste : « Vous êtes reçue ; maintenant il faut vous faire admettre. Ne prenez pas prétexte de votre qualité de femme pour exiger des égards. Efforcez-vous d'entrer par la porte étroite »…

Le monde que je rejoignais en 1986 n'avait pas profondément changé. La première femme ambassadeur, Marcelle Campana, avait été nommée en

1972, et encore : au Panama et en fin de carrière. Comme celles qui lui succéderont, elle sera montée par le rang, lentement, bien que privilégiée (son père était déjà diplomate). Comme la plupart, elle sera restée célibataire. La «petite Borel», «Mademoiselle Campana» seront tout juste tolérées dans ce monde d'hommes où on ne leur confiera jamais de fonctions prestigieuses. Les premières femmes chefs de poste étaient ambassadeurs. Hors de question de féminiser leur titre. Tous les prétextes ont été invoqués : on ne féminisait pas un nom de fonction, il ne devait pas s'accorder à celui ou à celle qui le portait. Vraiment? Je n'ai jamais entendu quiconque hésiter à parler d'une directrice d'école (et c'est heureux, puisque depuis quelque temps, j'ai enfin une fonction qu'on décrit sans paraître se tordre les lèvres), d'une infirmière, d'une religieuse ou d'une couturière. Il y aurait donc des métiers naturellement féminisables et d'autres beaucoup moins. Il semblerait d'ailleurs que l'on féminise d'autant plus volontiers que le statut correspondant est peu prestigieux : chômeuse, ouvrière, caissière... Personne ne parait s'offusquer de ces féminins-là.

Autre argument, tout aussi spécieux : l'ambassadrice serait la femme de l'ambassadeur. Impossible de donner ce titre à une diplomate sous peine de confusion. Tiens donc. Nous aurions ainsi une catégorie tout à fait à part, la générale, la préfète, l'ambassadrice, munies d'un titre du seul fait de leur statut conjugal. D'un titre et donc d'une fonction. Enfin oui et non. Sont-elles rémunérées? Certainement pas. Attend-on d'elles qu'elles participent à la vie professionnelle de leur conjoint ? Oh que oui. Arrêtons-nous un instant. L'épouse du préfet, de l'ambassadeur ou d'un officier général doit donc à l'État, quel que soit le métier qu'elle exerce par ailleurs et sans que l'État la rétribue, des heures de travail sans contrepartie. Ah si, justement, j'oubliais : elles ont un titre : la préfète, l'ambassadrice, la générale. Ou plutôt elles l'ont eu. Rien d'autre ne leur fut jamais accordé, en dépit des attentes souvent saugrenues dont elles ont fait l'objet, tout à fait officiellement, de manière parfaitement légale. Qu'on juge plutôt : jusqu'en 1987, les feuilles annuelles d'évaluation des sous-préfets permettaient aux préfets d'y porter un commentaire sur leurs épouses. Et une circulaire, citée par Najat Vallaud-Belkacem, dont le mari est membre du corps préfectoral, conseille aux épouses de préfets de déployer certaines qualités essentielles, comme celle de faire rapidement les bagages, en prévision des mutations souvent abruptes de leurs conjoints.

Rien de très différent au Quai d'Orsay, où l'on soumit longtemps les diplomates à une demande d'autorisation lorsqu'ils désiraient se marier. La demande déclenchait une enquête, particulièrement attentive en cas de mariage avec une ressortissante étrangère, ce que des considérations de sécurité pouvaient justifier. Mais l'enquête n'était pas moins serrée, dans un passé pas si ancien, pour une fiancée française, dont le Quai cherchait à s'assurer qu'elle pourrait utilement contribuer aux activités de représentation de son mari. Les archives diplomatiques recèlent ainsi l'inventaire du trousseau et le montant de la dot de nombre de futures épouses, destinés à conforter le ministère dans l'idée que le couple saura faire face à ses obligations. On comprend par là que l'épouse fera partie intégrante de la carrière de son mari mais aussi, et depuis longtemps, que l'État s'appuiera sur les moyens personnels du couple pour asseoir son influence à l'étranger.

Pendant des décennies, les épouses embrassèrent leurs obligations sans trop d'états d'âme apparents. « Coéquipière à plein temps de mon mari, j'exerçais selon les heures les fonctions d'hôtesse, restauratrice, assistante sociale, agent de voyage, décoratrice, attachée de presse et d'autres comme celle de déménageur, qui font moins rêver », confie la femme de l'ambassadeur Ollivier dans ses Mémoires.

Récemment, bien des choses ont changé. Beaucoup d'ambassadeurs sont célibataires, au moins géographiques. Certains vivent en couple du même sexe. Surtout, nombre d'épouses ont un métier et ne sont plus disposées à tout sacrifier à la carrière de leur mari sans grand-chose en retour. Parfois, elles proposent un apport inattendu à l'activité de l'ambassade. Ainsi de Catherine Clément, compagne d'André Lewin, qu'elle accompagna en Inde, en Autriche et au Sénégal où je l'ai connue et où nous sommes immédiatement devenues amies. Philosophe, romancière, elle prenait également très à cœur sa mission de compagne de l'ambassadeur. Ainsi, elle choisit d'enseigner bénévolement la philosophie à l'université Cheikh Anta Diop de Dakar, dans la chaleur, la poussière, les salles déglinguées, les « délestages » d'électricité, les grèves sauvages et les menaces d'« années blanches ». Elle documenta également avec l'aide de l'ethnopsychiatre Tobie Nathan les pratiques de transes propres à certaines guérisseuses de la région de Dakar. Ce faisant, elle faisait sans doute plus pour l'image de la France qu'en ordonnançant les petits-fours des réceptions de la résidence, ce à quoi elle s'adonnait aussi, à sa manière, joyeuse et inventive. Lorsque la France gagna la coupe du monde de football en 1998, à quelques jours du 14 Juillet, elle choisit de repenser entièrement la célébration de la fête nationale : serveurs en maillots de l'équipe de France, ballons de football accrochés au plafond, buffets aux couleurs de la France… et du Brésil, perdant magnifique du match de finale qu'il ne fallait pas fâcher, peints par ses soins.

Le Quai d'Orsay lui en fut-il reconnaissant ? Pas le moins du monde. L'ambassadeur se fit chapitrer lorsqu'il laissa sa compagne, écrivain reconnu, signer le télégramme diplomatique par lequel elle dressait le portrait de Yahya Jammeh, le nouveau et déroutant président de la Gambie auprès de qui André Lewin était également accrédité et avait présenté ses lettres de créance. Personne n'aurait tiqué si ce portrait, léger, drôle et bien vu, avait été écrit en douce par Catherine Clément, sans rien en dire et signé par son compagnon. Mais de là à l'assumer, quelle audace, quelle inconvenance ! Gérer l'intendance, organiser les réceptions, prendre part aux déplacements officiels et accepter les visites protocolaires, même les plus ennuyeuses, accueillir les ministres en voyage officiel ou même en vacances, les intéresser, les occuper, les distraire, oui, naturellement, ces tâches exaltantes lui revenaient, mais de là à signer un télégramme, où allait-on ?

Pourtant, Catherine Clément n'était pas une inconnue au Quai d'Orsay, loin de là. Elle y avait même fait un passage remarqué. Alors journaliste en charge des pages culture du *Matin de Paris*, elle avait été nommée par Claude Cheysson à la tête de l'Association française d'Action artistique, qui organisait les échanges culturels entre la France et son réseau à l'étranger. Tollé général à sa nomination : une femme, pas même diplomate de carrière, à la tête d'une institution aussi importante pour le Quai d'Orsay ? Scandale. Ce ne pouvait être que le fait du prince. Aussitôt le ministère retrouva ses vieux démons.

Une association d'agents intenta un recours contre cette nomination, qu'on imaginait illégale. On ajoutait même, sans aucun élément de preuve, que la nouvelle directrice, non seulement ne remplissait pas les conditions pour être nommée à son poste mais y bénéficiait en outre d'un salaire exorbitant. Menace de procès, bruits de couloirs… l'accueil rappelait celui fait à Suzy Borel. D'abord abattue, Catherine Clément essaya de comprendre. Et pour comprendre, cette disciple de Lévi-Strauss avait une méthode : aller voir le sauvage de près pour en analyser les mœurs. Ce qu'elle fit sans tarder en demandant à rencontrer le représentant de l'association qui contestait sa nomination. La rencontre eut lieu. Elle fut inattendue. André Lewin, le diplomate en colère, tomba sous le charme de la nouvelle directrice, l'invita à l'opéra… et vécut avec elle jusqu'à sa mort il y a deux ans. Elle le suivit en Inde, pays qu'elle connaissait pour avoir organisé l'année de l'Inde en France, en Autriche, au Sénégal. Dans chacun de ces pays, elle écrivit des livres, fréquenta assidûment les intellectuels, fit venir ses amis artistes et penseurs français, s'impliqua, s'engagea. Le Quai d'Orsay en tira naturellement bénéfice mais s'émut qu'elle pût un jour signer un télégramme.

C'est dans ce drôle de monde que j'entrais en 1986. Je l'ai déjà dit, je n'y serais certainement pas allée de moi-même. Cinquante ans après Suzy Borel, il me fallut moi aussi quelqu'un pour me suggérer d'essayer. Un cousin de mon père, diplomate lui-même, m'ouvrit les yeux : avec un diplôme de Sciences Po et un autre de Langues O, un goût prononcé pour les voyages et l'envie d'aller voir ailleurs, le Quai d'Orsay valait la peine d'être tenté. La mode, j'avais essayé et j'en étais revenue. L'ESSEC, c'était très joli, mais le service public, c'était autre chose. Il alla plus loin et me dit quelque chose que je n'attendais pas : « Vas-y, tu es faite pour ce métier. » Vraiment ? Sans lui, je ne me serais pas crue autorisée à candidater. Sans quelqu'un pour me montrer le chemin, j'aurais cru que ce n'était pas pour moi. Et une fois entrée, il me fallut encore du temps pour me dire que j'étais à ma place. Pour tout arranger, j'étais la benjamine. Encore. Vingt et un ans. Mais qu'allait-on faire de moi ?

L'accueil fut plutôt frais. Après l'alerte à l'invasion lancée par le Secrétaire général, la suite fut à peu près aussi agréable : « Mariez-vous sans tarder. Jeune, célibataire, vous êtes vulnérable. Il y a d'ailleurs dans votre promotion un de vos camarades avec lequel vous semblez bien vous entendre. Songez-y. »

L'abruti qui me prodigua ce conseil en fut quitte pour m'entendre. Vulnérable, vraiment ? Plus que les quinquagénaires mal mariés que je croisais dans les couloirs, en quête d'aventure et vite convaincus qu'un regard appuyé qui ne disait pas non pouvait vouloir dire oui ? Plus que ce diplomate sans doute très perturbé qui, en Chine puis en Mongolie, avait pris un chanteur de l'Opéra de Pékin pour une chanteuse et en était tombé amoureux ? Davantage que celui qui avait poignardé l'un de ses collaborateurs dans un vaudeville à l'issue tragique ? Plus que ce consul pris par des paparazzi en flagrant délit de libertinage avancé sur une plage du Pacifique en pleine crise du *Rainbow Warrior* ? L'année de mon arrivée avait été, du point de vue des faits divers scabreux dans lesquels nos brillants diplomates avaient réussi à se fourvoyer, une année record. Mais c'était moi, la benjamine qu'on jugeait vulnérable ?

Je n'avais aucune intention de me marier à court terme et encore moins avec celui que mon employeur me désignerait (le malheureux, que j'aimais bien, j'ai d'ailleurs immédiatement cessé de lui adresser la parole tant tout cela m'exaspérait). J'avais choisi le Quai pour voir le monde, certainement pas pour me fixer, à aucun point de vue. Il faudrait s'y habituer. Et ce que j'entendais sur les couples du Quai d'Orsay, deuxième taux de divorce professionnel après les hôtesses de l'air, ne m'incitait pas immédiatement à m'engager dans la même voie.

Bien sûr, quelques années plus tard, la vie en a décidé autrement. À peine partie en poste, je rencontrai celui qui devait devenir l'homme de ma vie. Cela non plus n'était ni prévu, ni planifié et nous n'avons depuis lors jamais échafaudé de plans de carrière. On nous interroge souvent pour savoir comment nous avons fait pour exercer nos deux métiers en parallèle sans jamais cesser l'un et l'autre de travailler, dans autant de pays aussi différents. La réponse est à la fois très simple à exprimer et assez compliquée à mettre en œuvre : nous avons fait au mieux. Personne n'a « suivi » personne. Nous nous sommes toujours demandé s'il y avait un ou plusieurs pays, une ou plusieurs fonctions vers lesquels cela aurait du sens, pour l'un ou pour l'autre, si possible pour l'un et pour l'autre d'essayer d'aller. Nous avons énormément discuté, fait des choix auxquels nous ne pensions pas au départ, défini nos vraies priorités. Le contraire d'un et surtout de deux plans de carrière et aucun regret à la clé. Parce que nous avons appris partout, de chacune de nos expériences, qu'elles nous ont enrichis et ont fini par bâtir une forme de cohérence dans des parcours qui n'avaient rien de linéaire. Cet usage du nous inclut nos enfants : nos mutations avaient des conséquences fortes sur nos vies à tous, lorsqu'il fallait plier bagage, quitter un pays, des amis et repartir ailleurs. Certes, chaque changement est parti d'une décision prise d'abord par ou pour l'un d'entre nous : je suis partie célibataire le plus loin possible et, au fur et à mesure que nous avions des enfants et que leur scolarité ou leur état de santé devenait un facteur prédominant, nous nous sommes plutôt rapprochés de la France, jusqu'à y être revenus depuis quelques années. Mais partout où nous étions, nous avons cherché à donner un sens pour chacun de nous deux, puis trois, puis cinq, puis six à notre présence. Cela n'a pas toujours été simple, mais cela a fini par être possible, chaque fois. Pas simple d'emmener aux États-Unis juste après le 11 Septembre des enfants élevés aux Maroc, fiers de bredouiller et d'écrire l'arabe et qui ont appris à leurs dépens ce que les préjugés veulent dire. Pas simple de les ramener en France après douze ans d'expatriation, pétris d'autres cultures et d'autres modes de vie et incapables d'expliquer en quoi ils étaient français. Pour eux, pendant un temps, Saint-Sulpice ne pouvait être autre chose qu'une mosquée à deux tours. Pour eux, Jésus a longtemps été aussi noir que dans les crèches des églises de Dakar où une messe digne de ce nom se terminait en dansant. Indiens dans la ville, ils l'ont été à leur arrivée en France. Décalés, sans aucun doute, mais capables eux aussi d'embrasser le monde et d'aimer aller â la découverte.

En entrant au Quai d'Orsay, j'étais pourtant loin de penser que tout cela m'attendait. Je n'y pensais pas une minute. Pour commencer, il fallait se faire accepter. Cela recommençait mais ça tombait assez bien, j'avais de l'entraînement.

« Vous avez un style de speakerine de télévision. » Ce fut le commentaire aimable de mon premier directeur, qui officiait en tant que porte-parole du Quai d'Orsay. Sa conception de la communication était telle que les journalistes l'avaient surnommé « le porte-silence ». Sa réponse préférée à chaque question embarrassante tenait en une formule : « Nous n'avons pas de commentaires à faire à ce sujet ». Aussi remarquablement intelligent qu'immensément travailleur, son poste de porte-parole était le seul pour lequel il n'était pas fait. Il était à son bureau sept jours sur sept, de 7 h à 23 h, hormis pour la messe. Avec lui, j'ai beaucoup appris, mais d'abord à encaisser. On m'avait affectée auprès de lui parce qu'à une femme, benjamine du ministère, on ne pouvait pas donner un travail sérieux. Alors le service de presse, c'était parfait. Et comme lui-même ne sautait pas de joie à ma venue, il m'a confié ce qui l'intéressait le moins : l'audiovisuel. Un truc de saltimbanque. Ou de speakerine. Bien suffisant pour une femme jeune. D'ailleurs le poste n'avait pas été pourvu pendant six mois et mon prédécesseur était d'un grade inférieur au mien. Un homme aurait sans doute refusé. Peut-être ne le lui aurait-on d'ailleurs pas proposé. Pour ma part, j'ai pris ce qu'on m'a donné, j'ai serré les dents et j'ai travaillé, pour prouver que je valais quelque chose. Pas par ambition, pas du tout : par fierté.

On m'avait installée dans le même bureau qu'une pauvre femme qui ne devait son poste qu'aux relations de son père. Elle buvait comme un Polonais, arrivait titubante dès le matin, fumait sans discontinuer et battait ses enfants. Elle me détestait, hurlait en ma présence et a même essayé de mettre le feu à mon bureau. Au bout de six mois, j'ai fait savoir que c'était un peu fatigant. On m'a félicitée : personne n'avait tenu aussi longtemps. J'ai gagné le droit à un bureau seule et à une certaine considération. On me nomma même adjointe au sous-directeur, ce qui n'était pas mal pour un début de carrière et représentait une promotion rapide. Et là j'ai découvert la haine : celle des autres femmes, celles qui n'avaient pas été promues et qui ne comprenaient pas. Toutes filles de notables du Quai, toutes nommées sur contrat et par protection, sans concours. Assez franchement incompétentes, elles organisèrent la rébellion contre mon modeste avancement. Il y eut celles qui essayèrent de ne pas venir travailler pour contester mon autorité. Il fallut en faire appeler une au Racing de la Croix-Catelan, où elle avait pris ses quartiers d'été et l'enjoindre par haut-parleur de revenir au bureau. Il y avait eu ma voisine pyromane. Puis ce fut l'heure de la protestation officielle. Ces braves dames, souvent d'un âge avancé, filles de famille qui avaient plus un emploi qu'un travail et en tout cas moins besoin de travailler que de se distraire, ces braves dames, donc, vinrent voir mon sous-directeur en grand appareil pour s'émouvoir de mes tenues vestimentaires. Trop jeune, pas assez protocolaire, pas assez Quai d'Orsay. Trop speakerine ? C'était vrai, sans doute. J'avais vingt et un ans, un vestiaire d'étudiante, un salaire de débutante et pas vraiment d'obligations de représentation. Elles effectuèrent la démarche dans mon dos et en délégation. Ce fut mon sous-directeur qui m'en avertit. Cela l'avait beaucoup fait rire. Il en riait encore. Il avait écouté les pétitionnaires et leur avait répondu – il en riait encore, vraiment, il se trouvait lui-même très drôle – que mes tenues lui convenaient tout à fait, qu'il les trouvait très agréables, faites pour moi, tellement faites pour moi qu'il déconseillait en tout cas formellement à ces vieilles biques d'essayer de me ressembler. Sur elles, c'était trop tard, ça ne ferait pas le même effet. Ce qui était charmant sur une fille de vingt ans le serait nettement moins à leur âge. N'est-ce pas que c'était drôle ?

Désopilant. Tout à fait ce dont je rêvais. Une heure plus tard, la cause était entendue : j'avais couché. Il ne pouvait pas y avoir d'autre explication à ma promotion et à la mansuétude dont je faisais l'objet. Et cette explication-là, c'étaient des femmes qui la colportaient. Désopilant. Vraiment.

Ce fut utile en tout cas parce que c'est arrivé très tôt et que j'ai appris très jeune qu'une femme qui réussit est d'abord suspecte, voire coupable *a priori* aux yeux de certains, aux dires de certaines. Son succès, ce n'est pas naturel. Si elle est promue, c'est qu'elle couche. Et il n'y a pas grand-chose à faire face à ces rumeurs-là, si ce n'est savoir qu'elles existent, que les femmes ne sont pas les dernières à les colporter, ni les hommes les plus prompts à les démentir. Parce que, naturellement, de leur côté, ils trouvent ça plutôt distrayant, vaguement flatteur et certainement pas grave, ces rumeurs-là. Que la rumeur, ce n'est jamais personne, mais c'est un petit peu chacun autour de soi. Ceux qui parlent sans savoir, qui parlent pour parler, ou pour faire un bon mot. Qui n'en savent rien mais qui ne veulent pas avoir l'air dupes. Qui ne disent rien mais ne démentent pas non plus.

J'ai su très vite que même si c'était désagréable je n'y pouvais pas grand-chose. Et j'ai décidé de ne plus m'en préoccuper. Je n'ai pas trouvé de meilleure parade que celle-là et je ne crois pas qu'il y en ait d'autre. On pense que vous avez choisi de séduire pour réussir? La meilleure arme : l'indifférence absolue. Les rumeurs, ça abaisse ceux qui les colportent, ça aveugle ceux qui les croient. Hors de question que cela affecte celles qui en sont l'objet. Plutôt que de s'abaisser, se situer au-dessus. On y est beaucoup mieux.

Au-dessus. Monter pour chercher un peu d'air. Oui. Mais comment? J'eus un réflexe, celui de la bonne élève : passer un nouveau concours, encore plus difficile que le premier. Il y a ceux qui essaient de se distinguer, de se faire remarquer et il y a celles, souvent celles, qui se mettent à travailler deux fois plus.

Mais pour réussir un concours, le «concours d'Orient» en l'occurrence, celui qui ne prévoyait qu'une place l'année où je le présentai dans la catégorie qui était la mienne, il faut d'abord s'en croire capable. Et une fois encore, il m'a fallu quelqu'un pour me le dire. Seule, j'aurais pensé que ce n'était pas pour moi, je n'aurais même pas essayé. Je pense que nous sommes des millions à qui il faut quelqu'un qui dise qu'«on le vaut bien», pour paraphraser la plus géniale des publicités adressées aux femmes, la phrase qu'elles ont toutes besoin d'entendre. Ce concours, je l'ai passé et je l'ai réussi parce que j'ai travaillé, bien sûr, mais aussi parce que j'ai eu un patron, un autre, qui m'a interdit de le rater. Tout simplement. Un patron génial, un très grand directeur, qui deviendra ensuite un immense ambassadeur, en Chine puis en Allemagne. Pas un tendre, pas un sentimental. Mais qui a su trouver la formule magique : « Ce concours, je vous interdis de le rater. » Alors je l'ai préparé comme une brute et je l'ai passé en me répétant cette phrase, tout le temps : je n'avais pas le droit d'échouer. Et ça a marché.

Une sociologue a interviewé d'anciennes élèves de l'ENA pour savoir ce qui leur avait donné le courage de présenter le concours, de le préparer et de le réussir. À une écrasante majorité, elles répondent, comme l'a fait l'épatante Rose-Marie Van Lerberghe, présidente de l'Institut Pasteur et membre du Conseil Supérieur de la Magistrature dans une très belle interview : « Parce que mon père croyait en moi et m'y a encouragée. » Sidérant. L'ambition féminine serait d'abord une affaire d'autorisation paternelle. J'ai alors interrogé des femmes ingénieures, des femmes chefs d'entreprise pour connaître leur réaction à cette réponse. Elles ont été unanimes : « Oui, naturellement, bien sûr. Mon père m'a encouragée, il a cru en moi, alors je me suis lancée. » Ah. Je n'avais pas remarqué qu'on demandait aux candidates de fournir un formulaire d'autorisation paternelle pour entrer dans les grandes écoles. Pourtant, il semble qu'on ferait aussi bien. Aujourd'hui encore je n'ai pas fini d'être effarée par cette réalité, puisque c'en est une : l'attitude du père, clé de l'image qu'une fille se fait d'elle-même et de son avenir. Le syndrome d'Indira Gandhi.

Mais tous les pères ne le savent pas. Et tous n'ont pas envie de le savoir. Je me souviens de quelques phrases, lâchées sur le ton de la plaisanterie élégante, par un très haut fonctionnaire à propos de sa fille, adolescente prolongée, visiblement en quête d'elle-même : « Elle est jolie, elle a une mère aimante et un père totalement absent. De quoi se plaint-elle ? » Puis, toujours à propos d'elle : « Elle se pique d'écrire. A-t-on idée ? » Poussé aussi loin, un tel mélange de cynisme et d'indifférence peut déclencher une révolte salutaire, une envie bienvenue d'en remontrer à la terre entière en commençant par l'auteur de ses jours. J'en connais quelques-unes, des jeunes filles dont le père préparait la dot plutôt que leur avenir professionnel, qui ont voulu en découdre, prouver qu'il faudrait compter avec elles, à qui l'envie de surprendre et une forme de rage ont servi de moteur.

Mais tout le monde n'a pas leur trempe. Toutes les femmes ne sont pas des Sophie Germain. Sophie Germain n'est pas seulement le nom que l'on donne à des lycées de jeunes filles, pas seulement celui d'un théorème. Derrière ce nom, il y a une mathématicienne et une philosophe mais surtout une petite fille du XVIIIe siècle finissant à qui son père confisquait les chandelles pour l'empêcher d'étudier le soir. Une petite fille qui n'a pas lâché et qui a fini par étudier à Polytechnique… par correspondance, puisque l'école était interdite aux femmes. Qui s'est fait passer pour un homme afin qu'on lui envoie les cours et pour correspondre avec Lagrange. Correspondance passionnée d'érudits qui se poursuivit jusqu'à ce que Lagrange découvre la supercherie le jour où il voulut rencontrer son correspondant en personne. Lagrange démasqua Sophie Germain mais il la soutint et devint son mentor.

Mentor, mot magique. Qui est Mentor ? Celui qui conseille Télémaque en l'absence d'Ulysse et qui l'encourage à marcher sur les traces de son père. Tout est dit : à défaut de père, trouvez-vous un mentor. Attention, ne pas confondre : le modèle Pygmalion n'a rien à voir. Pygmalion tombe amoureux de son œuvre et n'obtient d'Aphrodite que Galatée prenne vie que pour l'épouser et mieux en jouir. Dans l'histoire, Pygmalion y gagne, Galatée nettement moins. Évitez le Pygmalion, cherchez le mentor.

Le mentor ? Un homme ? Sans aucun doute. Pour entrer dans le monde des hommes, rien ne vaut un spécimen en guise d'introduction. D'abord parce qu'ils sont beaucoup plus nombreux. Cela permet de choisir, ou d'être choisie. Prudence tout de même : se méfier des imitations. Les « approchez vous, mon petit, que je vous explique », ce sont les plus repérables, on se doute bien de quelque chose. Il y en a d'autres, plus subtils, ceux qui voudraient faire de vous leur brillante seconde, une fois pour toutes, mais surtout rien de plus, rien de mieux. Ceux-là sont innombrables, pétris de bonne conscience et de bonnes intentions. On en croise forcément. Un indice ne trompe pas : ils vous promeuvent au gré de leurs propres intérêts et de leur calendrier personnel. Ils vous adorent comme adjointes pour toute une série de raisons qui ne sont pas les bonnes : parce que vous êtes rassurante. Parce que vous les maternez. Parce que vous ne chercherez pas à prendre leur place, qu'ils ne vous imaginent pas comme des rivales. En gros, parce que c'est confortable. Pour eux.

Adjointe. Bras droit. Ça n'est pas désagréable. On y apprend beaucoup de choses. On s'y sent très utile. On n'y prend guère le soleil mais peu de coups aussi. On prépare, on prévient, on conseille, on coordonne, on organise, on exécute. On existe juste ce qu'il faut mais surtout pas trop. Ne pas dépasser. Ne pas éclipser. Parfait pour une femme. Adjointe, bras droit, éminence grise, ça peut tenir lieu d'ambition. On s'y voit bien. Les autres vous y voient aussi. Combien de postes vous propose-t-on « auprès de ». Je n'ai pas fait exception à la règle. Auprès d'un ancien président de la République. Auprès de plusieurs conseillers diplomatiques. Auprès d'un directeur de cabinet. Auprès d'un ancien Premier ministre. Dame de compagnie. Un vrai travail de femme. Et j'ai failli dire oui. Heureusement, il y a toujours eu le mot de trop. « Venez, ce sera tellement sympa. Avec vous, ce sera confortable. » Pour qui ?

Heureusement, il y a eu les vrais mentors. Et surtout le principal. Celui qui a cru que je pourrais faire mieux et qui m'a forcée à y croire aussi. Un patron comme on en rêve. Pourtant, ça aurait pu très mal commencer. J'étais diplomate depuis six ans, j'allais rentrer d'Indonésie, nous étions en 1992 et je voulais travailler dans sa Direction, celle des Nations unies, mais certains m'avaient prévenue. Il était spécial, original, atypique, parfois colérique, peut-être un peu dingue. Plutôt à éviter. J'étais en Indonésie, à des milliers de kilomètres et j'avais peu de moyens de me renseigner. Alors j'ai écrit à une amie, qui travaillait avec lui, en lui confiant mon envie mais aussi mes doutes. Était-il tout à fait aussi dingue qu'on le disait ?

Je fais volontiers confiance, parfois trop. La dingue, c'était elle, celle à qui j'avais écrit. À peine avait-elle reçu ma lettre que, dans un élan d'enthousiasme inconsidéré, elle la montrait à celui au sujet de qui je l'interrogeais. En tout cas, c'est ce que j'ai vite compris. Jakarta, un vendredi soir. Chaleur moite habituelle. Le téléphone sonne chez moi. Une voix stridente et goguenarde au bout du fil : « Allô ? C'est moi, le dingue. Enfin il ne faut rien exagérer. Je suis beaucoup moins dingue qu'on ne le dit. J'ai pris mes renseignements sur vous. Ce qu'on m'a dit m'a plu. Vous voulez venir ? Je suis d'accord. Je n'ai aucun poste pour vous pour le moment, mais ça n'a pas d'importance. Je vais raconter un bobard à la DRH et je vous prends. Considérez que c'est fait. » Si vous trouvez quelque chose d'intelligent à répondre à ça, dites-le-moi. Même vingt ans plus tard, je n'ai pas trouvé. J'ai bredouillé.

Il a tenu parole. Il a tellement harcelé la DRH pour que je vienne qu'au bout de quinze jours on me nommait, par lassitude, à la condition expresse que j'obtienne qu'il arrête de téléphoner dix fois par jour. Il ne m'avait pourtant jamais vue. Il prenait le risque. Un patron, un vrai. Il fonctionnait sur un principe simple : il emmenait ses collaborateurs partout. Parce que c'était pour eux le meilleur moyen d'apprendre et pour lui la certitude qu'ils seraient motivés et qu'ils connaîtraient leurs dossiers dans le moindre détail.

Le Quai d'Orsay, Matignon, l'Élysée, la Défense, je l'ai suivi dans tout Paris. Un tourbillon. Et avec lui j'ai appris, tambour battant. Appris ce qu'on attendait de moi, comment travailler, comment m'exprimer, comment trouver ma place. Tout ce qu'on n'apprend pas dans les livres, tout ce qu'on ne vous dit pas, le savoir-faire, le mode d'emploi. Les codes. Pour s'y conformer ou pour les bousculer, encore faut-il les connaître. Sur les plus grands, les plus puissants, il me donnait tous les conseils utiles. « Celui-là, évitez-le, c'est un tordu. Faussement génial, plutôt malfaisant, pas très efficace. Celui-ci, épatant mais exalté, vérifiez ce qu'il vous raconte. Lui, indispensable, excellent, le meilleur. Mais je vais lui dire que vous allez vous marier et qu'il vous laisse tranquille. Il aime trop les femmes. Il faut que vous puissiez aller le voir sans craindre qu'il s'enflamme. On ne sait jamais. » Les plus importants, les ministres, les directeurs de cabinet, la galerie de portraits défilait à toute allure et je restais bouche bée. Décrits par mon mentor, ils devenaient humains, accessibles, compréhensibles, normaux. Sans lui, j'aurais continué à les voir comme des surhommes, les dieux de l'Olympe. Grâce à lui, je ne montais pas mais eux redescendaient sur terre. Leur monde devenait compréhensible. C'était presque le mien.

Décoder : cherchez-vous un décodeur. Tous les milieux professionnels ont leurs codes, leurs rites, leurs attentes et leurs coutumes. Or la plupart sont implicites. On ne vous apprendra jamais formellement tout ce qu'on attend de vous. On supposera que vous êtes capable de le comprendre et, si tel n'est pas le cas, vous ferez partie de ceux ou de celles qui au mieux sont pas mal, mais… En matière de codes, de rites et d'étiquette, la France est imbattable. On en vient à se demander si elle n'a pas la nostalgie de ce qu'elle a le plus combattu : l'Ancien Régime, la Cour, les castes, la pompe. Les ors de la République. Dans quel autre pays entretient-on cette expression et ce qu'elle recouvre ?

En France, les lieux eux-mêmes sont chargés de symboles. Les centres du pouvoir se nichent encore dans des bonbonnières à l'ancienne. L'Élysée ? L'ancien hôtel de la Pompadour. Matignon ? Un palais tarabiscoté, charmant et malcommode, passé entre mille mains, dont celles d'une danseuse et du comte de Paris. La plupart des conseillers du Premier ministre, comme ceux du président de la République, prennent d'assaut des volées d'escaliers tortueux pour rejoindre sous les combles des bureaux exigus. À l'heure du *cloud computing* et du travail collaboratif, on prête à des ambassadeurs ou des secrétaires d'État surnuméraires la salle de bains de la reine d'Angleterre, au Quai d'Orsay, pour en faire un bureau. C'est assez simple, quoique franchement malcommode : on pose un large plateau sur la baignoire et cela devient une table de travail. La ministre de la Modernisation de l'État occupe l'hôtel de Seignelay, rue de Lille. De la fenêtre de son bureau elle surplombe une stèle, érigée dans le jardin à l'emplacement où repose le chien de Marie-Antoinette.

Imposants, chargés d'anecdotes ces bâtiments nourrissent les récits de ceux qui les occupent comme de leurs visiteurs. Mais insensiblement ils en imprègnent aussi les esprits. Difficile d'oublier l'étiquette sous les lambris dorés de la vieille République. Pour un peu on en rajouterait. Bernard Kouchner me l'avait fait remarquer, qui détestait le Palais des Affaires étrangères, lourde pâtisserie Napoléon III dans laquelle les esprits eux-mêmes devenaient empesés. Il préférait largement l'autre bâtiment, celui de l'ancienne Imprimerie Nationale, architecture industrielle revisitée, où il exigeait que les réunions se tiennent régulièrement parce qu'on y pensait mieux, avec plus de liberté. Il avait raison.

Mais, la plupart du temps, les lieux imposent leurs rites. Huissiers, gendarmes, le pouvoir, même civil, s'entoure d'uniformes, voire les adopte. Dans quels autres pays les préfets ou leurs équivalents travaillent-ils en uniforme? Ministère en uniforme, dit-on de l'Intérieur. Sous-entendu : ministère d'hommes. La République, aujourd'hui, c'est d'abord un ballet de tenues d'un autre âge : toges rouges doublées de fourrure blanche pour les plus hauts magistrats, feuilles de chêne et d'olivier sur la tenue des préfets, tenues d'hiver et tenues d'été, tenues ordinaires et de cérémonie. Le code vestimentaire s'affiche.

Restent les rites implicites, ce qu'on peut dire et ce qu'on ne peut pas, ce qui s'écrit, comment se comporter. L'apprentissage ne s'en fait pas dans les livres, pas tant que cela dans les écoles (même si des institutions comme Sciences Po et l'ENA y contribuent en partie). Alors l'entrée dans la vie professionnelle divise les nouveaux arrivants en deux camps : ceux qui savent déjà, parce que leur famille les y a préparés d'une manière ou d'une autre, ceux que Bourdieu appelait les héritiers et qui disposent d'un capital d'aisance sociale et professionnelle. Et puis il y a ceux qui débarquent. C'est vrai partout, dans toutes les professions, dans tous les milieux, à tous les niveaux. Jargons, coutumes, comportements, chaque corporation développe sa culture mais ne la partage que parcimonieusement. La question n'est pas seulement celle de l'entrée dans une élite. La France reste de ce point de vue une juxtaposition de castes où chaque strate professionnelle ou sociale développe son entre-soi, qui la protège et qui l'isole des autres. Les mieux organisées parmi ces castes assurent des rites de passage à ceux et à celles qu'elles voient venir avec bienveillance : les compagnons du Devoir accomplissent leur Tour de France et doivent se plier à des obligations précises qui leur assurent l'intégration dans une communauté.

Face à ces phénomènes, on peut s'interroger : faut-il favoriser l'expression formelle de rites d'appartenance, dont le caractère explicite permet au moins à tout un chacun de les comprendre et de s'y conformer ? Faut-il au contraire combattre ces cultures professionnelles et sociales parfois archaïques, souvent étriquées et dont il n'est pas rare de constater qu'elles visent autant à exclure les intrus qu'à accueillir de nouveaux entrants ? Formulée de la sorte, la réponse serait dans la question et le meilleur moyen de lutter contre la reproduction sociale consisterait à bousculer les codes anciens et à promouvoir une société totalement ouverte à toutes sortes de comportements professionnels. L'ouverture servirait toutes les formes de la diversité et assurerait par là même une plus grande mixité.

Il est pourtant facile de mesurer combien pareil projet relève de l'utopie. Il n'est que de voir ce que produit en matière de rituels la sphère de la nouvelle économie. On nous dira sans doute que les pépinières de start up sont remplies de jeunes en sweat à capuche qui travaillent le casque vissé sur les oreilles, se détendent d'une partie de ping-pong dans leurs bureaux paysagers et ont ainsi jeté aux orties les convenances de leurs aînés. Certes, cela change du costume anthracite et de la machine à café comme unique lieu de convivialité. Cela n'empêche pourtant en rien l'éclosion d'un nouveau conformisme, qui ressemble de près à l'uniforme jeans-boots-gilets multipoches du reporter, porté fièrement par souci de se démarquer du système et quand bien même ledit reporter ne fréquenterait que des bureaux climatisés et des chambres d'hôtel douillettes. Cela ne garantit pas vraiment non plus une ouverture réelle à la diversité ou à la mixité, car les deux sujets sont liés, au-delà des apparences. Média, Internet, on a abondamment documenté la difficulté des femmes à y trouver leur place, le sexisme graveleux qui s'y trouve à son aise. Les choses changent depuis peu, excellente nouvelle, et elles changeront sans doute encore davantage. Mais il me semble utile de se méfier d'une forme d'angélisme superficiel qui conduirait à penser qu'une nouvelle forme de vie professionnelle se serait libérée de tous les codes et de tous les préjugés de l'ancienne. Qu'elle ne les exprime pas ou pas de la même manière doit inciter à les analyser et à les comprendre, certainement pas à les ignorer.

Il me semble même, en allant plus loin, qu'on risque de se tromper d'angle en voulant nier l'existence des codes sociaux et professionnels et en aspirant à leur complète remise en cause. Si l'on admet que le rite fait office de grille de lecture d'une société, s'il procure du lien et affirme des valeurs, son existence est alors justifiée, bienfaisante et souhaitable. Il ne pose en réalité problème que s'il vise à exclure, à discriminer et s'il conduit à une crispation identitaire et à l'immobilisme. Pour ouvrir un milieu professionnel à une plus grande diversité, faut-il attendre que ce milieu s'adapte à de nouveaux profils ou veiller à transmettre aux nouveaux arrivants les clés de ce qui les attend ?

Je ne connais pas un employeur qui soit prêt *a priori* à changer ses pratiques professionnelles pour accueillir de nouveaux talents s'il n'y trouve pas un intérêt mesurable. Combien de fois ai-je entendu qu'il n'y avait pas de raisons de se plier aux demandes des femmes, dans l'entreprise ou dans l'administration, mais que c'était aux employées de répondre aux demandes de l'employeur ? Après tout, si elles ne sont pas contentes…

Encore faut-il que ces pratiques soient explicites et qu'elles soient expliquées.

De ce point de vue, le système éducatif ne remplit encore que très imparfaitement son rôle, en déléguant aux stages, les sacro-saints stages, la tâche de faire comprendre ce que requiert la vie professionnelle, comme si le sujet ne méritait pas d'être traité à part entière par les enseignants eux-mêmes, comme si seule comptait la transmission des connaissances académiques et beaucoup moins celle des savoir-faire, moins noble.

On mesure aujourd'hui ce que cette vision, pourtant portée par un souci d'égalité et de respect de l'autre, peut entraîner comme inégalité des chances et comme discrimination involontaire. Si l'école ne dit rien – et elle dit très peu de choses – de la réalité du monde professionnel qui attend ses élèves, elle préserve l'avantage de ceux qui pourront s'informer par eux-mêmes par rapport à ceux qui ne le pourront pas. De ce point de vue, les stages introduits au collège ou au lycée agissent comme un premier facteur de discrimination. Obligatoires, donc très demandés et encore plus difficiles à décrocher, ils reposent essentiellement sur la capacité des parents à utiliser leur carnet d'adresses et à convaincre leurs relations de s'encombrer quelques jours de leur progéniture. L'implication des établissements ou des collectivités territoriales pour permettre à des jeunes de découvrir des métiers est nulle. Les points d'attention auxquels il est demandé aux élèves de s'intéresser pendant leur stage témoignent d'un regard assez particulier sur le monde professionnel de la part des enseignants : existence d'instances de dialogue social, d'un comité d'entreprise, rémunérations, horaires et organisation du travail… On est plus proche de la mission d'un inspecteur du travail que de la découverte d'un métier. Et surtout le fils d'un cadre ne fera pas le même stage que la fille d'un magasinier. Et ce dès la classe de troisième.

Bien sûr tout change dans les grandes écoles, à condition de les avoir intégrées. Et à condition d'être préparés aux stages que l'on va décrocher. Depuis plusieurs années, j'avance avec précaution mais avec conviction sur ce terrain difficile, celui qui consiste à expliquer aux nouveaux venus les usages et les rituels du milieu professionnel mais aussi social qu'ils rejoignent ou qu'ils aspirent à pénétrer. Terrain difficile car décrire ces rites ne revient pas à les approuver, même si cela peut contribuer à les affermir encore. Difficile aussi car il est rare qu'on puisse en rester à des considérations strictement professionnelles.

Exemples : à l'ENA les élèves effectuent trois stages, en ambassade, en préfecture et en entreprise, qui les projettent dans le type de fonctions qu'ils auront à exercer plus tard. Pour ce qui est de la capacité à apprendre et du dynamisme, pas d'inquiétude, ceux qui ont réussi le concours en ont à revendre et tous partent sur un pied d'égalité. S'agissant des usages professionnels et sociaux, c'est une autre paire de manches. Premier round : connaître l'origine sociale des élèves. Oui, c'est intrusif. Mais ne pas le savoir relève de l'irresponsabilité. Il y a à l'ENA, comme dans toutes les grandes écoles, une proportion significative de fils et de filles de cadres supérieurs. Les filles surtout : c'est la conséquence de la sacro-sainte injonction paternelle qui a autorisé les mieux loties à faire des études et à passer le concours. Quelques fils et filles de hauts fonctionnaires, pas beaucoup, beaucoup moins qu'on ne l'imagine. Beaucoup d'enfants d'enseignants, qui n'ont pas forcément été élevés dans une très grande aisance financière mais qui disposent d'un capital plus précieux, la connaissance de ce qu'il faut apprendre et de la façon dont il faut l'apprendre. Les vrais privilégiés de notre système scolaire, ceux qui bénéficient de ce que j'appelle le « délit d'initié culturel ». Mais ni eux, ni l'écrasante majorité des élèves qui n'ont jamais fréquenté intimement la haute fonction publique n'en connaissent les usages. Ne rien leur en dire, comme ce fut longtemps le cas, c'est évidemment donner l'avantage aux « héritiers » tels que Bourdieu les avait décrits. Aussi, depuis quelques années et de manière tout à fait assumée, on dispense quelques heures de cours à tous : protocole, attendus professionnels, préparation aux entretiens.

Pourtant ce n'est pas suffisant. Plus on parviendra à diversifier le mode de recrutement de nos élites et plus il faudra, de mon point de vue, en passer par là : « Savoir vivre et savoir être à l'usage des élites issues de la diversité », cela sonne bizarrement. Et pourtant je ne vois pas de manière plus égalitaire d'accueillir les nouveaux talents en leur donnant toutes les chances de réussir.

La règle est valable pour tous et particulièrement pour les femmes : minoritaires dans le monde qu'elles pénètrent, elles y sont davantage observées et les marqueurs sociaux les épargnent moins. Ainsi, s'il est permis de se demander pourquoi le vestiaire masculin a si peu évolué depuis un siècle et si l'immuable cravate demeure comme signe d'appartenance au monde des « cols blancs » ou comme preuve d'aliénation, il est plus facile pour un homme de se conformer à quelques attentes vestimentaires minimales sans risquer d'impair que pour une femme. Je me souviens ainsi du récit d'un garçon formidable, pris de court le jour où il a été reçu au Quai d'Orsay : issu d'un milieu très modeste, il n'avait jamais porté de costume. Il s'est demandé où il pourrait bien acheter une chose pareille. Il a fermé les yeux, s'est souvenu du dernier endroit où il avait remarqué une concentration d'hommes en costume dans Paris. Direction la Défense, quartier de toutes les publicités pour cadres dynamiques. Une heure aux Quatre Temps et c'était réglé. Ensuite, restent les chaussures (à cirer), les cheveux (à couper, mais aussi à laver, nous sommes en France, ça ne tombe hélas pas toujours sous le sens), le nœud de cravate à savoir nouer : tout cela, j'ai appris à en parler depuis des années avec des hommes qui en sont toujours reconnaissants. S'ajoute parfois la disparition de la boucle d'oreille ou du tatouage. Et le tour est joué.

Pour une femme, c'est plus compliqué. Tout le monde jauge, tout le monde juge. Un faux pas et c'est le classement sans suite : « L'allure d'une assistante sociale », « Une crémière endimanchée », « Une pouffiasse ». Les jugements sont aussi rapides que stupides et discriminants. Révoltant ? Oui. Mais que faire ? Faire comme si ça n'avait pas d'importance ? Allons. Nous sommes en France, l'un des pays qui accorde le plus d'importance à la mise. Et le plus souvent à Paris, où chacun s'efforce d'appartenir à la tribu qui le rassure le plus sur son identité. L'obsession de l'allure commence dès l'école et ne fait que croître. Aliénante, sans aucun doute, mais au cœur de nos sociétés. Alors il faut avoir le courage d'en parler. Déconseiller le parfum qui dérange, le maquillage qui déforme, les tenues ultracourtes prévues davantage pour les vacances que pour la vie de bureau. Je n'ai jamais vu personne m'en vouloir de lui en avoir parlé. Je me souviens de ce troc express entre deux diplomates lorsque la première fut appelée sans préavis à assister à un entretien ministériel et que la deuxième eut l'autorité de ne pas la laisser y aller dans la tenue qu'elle s'était choisie, minijupe timbre-poste et débardeur d'aérobic : les vêtements de l'une allaient à l'autre et en cinq minutes l'échange était fait. L'épisode est un bon souvenir pour chacune, celle qui fut rhabillée et celle qui prêta sa garde-robe et son bon sens à l'exercice. Un mentor, déjà.

Car c'est bien ce dont il s'agit : on pourra toujours souhaiter que les écoles, les entreprises et les institutions abordent la question des usages professionnels ouvertement et vis-à-vis de tous. Mais on risque attendre encore. Il n'y a que très peu de milieux qui assument de travailler là-dessus. Ainsi à l'École hôtelière de Lausanne, un miroir prévient les élèves avant qu'ils ne rejoignent la réception de l'établissement : « Ceci est votre dernière occasion de donner une première bonne impression. » Ailleurs, on ne dit rien, ou pas grand-chose et on attend de voir ceux qui s'en sortent et ceux qui trébuchent.

Tout le monde n'est pas prêt non plus à reconnaître que l'entrée dans le monde du travail requiert une certaine adaptation. J'ai ainsi entendu une chercheuse relater le résultat de ses travaux sur l'accès réservé des étudiants de milieux défavorisés à Sciences Po Paris, initiative dont Richard Descoings avait été à l'origine et qui avait été beaucoup débattue avant d'entrer dans les mœurs. Cette chercheuse décrivait le mal-être de beaucoup de ces étudiants – et notamment de ces étudiantes – projetés dans le milieu hyper-codé de la rue Saint-Guillaume. Vêtements, loisirs, elles ne faisaient rien comme les autres et se sentaient ostracisées, ce que je crois volontiers.

Ce que je partage moins, c'est le reproche qu'elles auraient exprimé à l'endroit des professeurs qui auraient essayé de s'occuper d'elles, de leur faire prendre conscience de leur manière de parler estampillée « banlieues » et de l'utilité de s'en départir. Je comprends qu'elles se soient senties interrogées dans leur identité. J'imagine aussi que la façon dont on les a alertées a pu manquer de finesse. Pourtant, si elles avaient choisi de tenter des études supérieures exigeantes et qu'elles s'en étaient montrées capables, n'étaient-elles pas prêtes à s'adapter à autre chose que ce qu'elles avaient connu, à d'autres habitudes que celles qu'elles avaient pratiquées ? Le parler « banlieues » est un code, utilisé bien au-delà des quartiers où il est né. Ceux qui l'emploient en sont conscients, ceux qui l'entendent également. Peut-on, doit-on le conserver en dehors du cadre où l'on se plaît à le manier ? Peut-on, doit-on alerter ceux qui en usent du marqueur qu'il représente, des réticences qu'il peut susciter, de l'isolement qu'il peut projeter ou qu'il risque d'entraîner ? Faut-il en parler ou le taire ?

J'ai pour ma part trop de respect pour celles et ceux que rien ne favorisait à l'origine, qui par leurs études, par leur travail, gagnent la place que d'autres ont acquise avec moins d'efforts pour ne pas les croire capables de maîtriser toutes les compétences, tous les savoir-faire, tous les attendus d'une vie professionnelle. Les usages qui en font partie ne sont pas plus ardus à acquérir que les autres connaissances qu'apprennent avec détermination ces talents que rien ne prédestinait aux meilleures études, aux plus beaux parcours. Beaucoup d'entre eux rejoignent le monde du travail munis, grâce à leur intelligence des situations, de tous les savoir-faire que l'on peut attendre d'eux. Pour ceux qui tâtonnent encore, ne pas leur dire ce qui leur manque, c'est ne pas croire à leurs chances, ne pas vouloir les intégrer vraiment, complètement. C'est, par facilité, par paresse, parce qu'il n'est pas agréable de dire à quelqu'un que notre société est sotte, qu'elle s'attache à des détails mais qu'il ne peut pas les ignorer s'il aspire à y faire sa place, les laisser au bord du chemin.

Heureusement, les mentors sont là. Les miens, car il y en eut plusieurs, je leur dois tout, parce qu'ils ont misé sur moi, parfois à ma place. « Interdit d'échouer au concours », c'était une injonction géniale. Sans elle, je me serais trouvé des faux-fuyants.

Le coup d'après fut encore plus décisif. Il est venu comme une claque. Je ne l'avais pas volée. Je l'ai déjà dit, j'avais déniché le patron de rêve : celui qui croit en vous, qui vous fait progresser, vous dévoile le dessous des cartes et vous ouvre les portes. Lui faisait tout ce qu'il pouvait. Moi, en échange, je travaillais, dur, pour ne pas le décevoir, être à la hauteur de la confiance qu'il m'accordait. De son point de vue, le deal était parfait. Il m'aidait, je le lui rendais bien. Et c'est là qu'on reconnaît le vrai mentor : ça ne lui a pas suffi. Ou plutôt il s'est agacé qu'à moi, ça me suffise. C'est là que la claque est venue. Évaluation de fin d'année, exercice convenu dans lequel peu de patrons s'aventurent à dire vraiment ce qu'ils pensent de leurs collaborateurs. Trop risqué, trop compliqué et surtout à quoi bon ? Autant leur dire à tous qu'ils sont formidables, ça ne coûte rien et ça rend sympathique. Pour une fois, ce ne fut pas le cas. L'appréciation est tombée comme un coup de fouet : « Capable de faire une très grande carrière, sous réserve qu'elle en ait l'ambition. »

J'ai reçu l'évaluation par écrit et me suis trouvée stupéfaite de la première partie de la phrase, sidérée par la seconde. Une très grande carrière, moi ? Sérieusement ? Quelle drôle d'idée. Mais qu'est-ce que c'était que cette histoire d'ambition ? On m'avait toujours dit qu'il ne fallait pas en avoir. « Secrétaire, pour ne fâcher personne. » Alors, comme cela, il fallait avoir de l'ambition, c'était autorisé, recommandé même ? Et j'en manquais ? Oui, complètement. Cela au moins, c'était vrai. Le message était clair : j'avais ce qu'il fallait, hormis la volonté. Ça m'a vexée. Et réveillée.

J'ai cherché à en savoir davantage mais n'en ai pas eu le temps. Les élections législatives de 1993 venaient d'avoir lieu, un nouveau ministre, Alain Juppé, arrivait, il constituait son cabinet. On songeait à moi.

Mon patron a dit oui pour moi, à ma place, avant même qu'on m'en parle. Il avait peur que je refuse. Il a bien fait, j'allais dire non. Je n'avais pas vu le coup venir, j'avais pensé que des tas de gens iraient en cabinet ministériel, j'en avais même coaché quelques-uns avant leurs entretiens. Jamais je n'aurais imaginé qu'on me mette sur les listes. Jamais je n'ai candidaté. Une femme, jeune, pas énarque, mais vous n'y pensez pas ! Vous avez dit autocensure ? Je n'ai capté aucune des marques d'intérêt qu'on me témoignait avant les élections, à gauche comme à droite d'ailleurs. J'ai continué à faire mon travail sans rien comprendre de ce qui se préparait autour de moi, pour moi. J'ai conseillé une dizaine de postulants sur ce qu'ils pourraient faire pour se faire remarquer, les ai présentés à ceux qui pouvaient compter. Et il a fallu qu'un homme, mon mentor, prenne la décision d'accepter en mon nom ce qu'on allait me proposer pour que je franchisse le pas. Toujours la bonne vieille injonction paternelle, ou ce qui en tenait lieu.

Là, j'ai commencé à comprendre. Comprendre ce que je lui devais. Comprendre qu'il y avait peut-être un chemin pour moi mais qu'il faudrait encore qu'on m'y guide. Comprendre que j'aurais encore besoin de lui longtemps. Aujourd'hui encore, chaque fois qu'un choix s'offre à moi, je l'interroge. Car à chaque évolution, à chaque progression en particulier, les règles changent, elles se durcissent et les attentes vis-à-vis de vous diffèrent, comme diffère le regard que l'on porte sur vous. La règle vaut pour tous mais, encore une fois, davantage pour les femmes : plus elles progressent, moins elles sont nombreuses et plus elles sont observées. On ne leur passe pas grand-chose et on épluche chacun de leurs actes avec un niveau d'exigence qu'on aimerait voir appliqué à leurs confrères.

Alors, pour savoir où l'on met les pieds, ce qu'on peut s'autoriser et ce qu'il faut éviter, seule, on risque de ne rien comprendre. Mon mentor, je lui fais une totale confiance, parce qu'il m'a montré qu'il était capable de faire passer mon intérêt avant le sien lorsqu'il s'agissait de me donner un conseil. Un jour, il m'a proposé de retravailler avec lui. La proposition était séduisante, d'autant qu'elle me permettait de le retrouver. Je lui confiai qu'on m'en avait fait une autre et la lui décrivis. Immédiatement il m'interrompit : « Mais ce qu'on vous propose est mieux, beaucoup mieux, pas de doute, foncez ! »

Foncer. Saisir sa chance. Faire confiance à ceux qui vous font confiance. Si on vous propose quelque chose, c'est qu'on vous en croit capable. Arrêter de s'autocensurer. Prendre un job difficile, ce n'est pas se condamner à souffrir, c'est, au prix de vrais efforts, découvrir qu'on en est capable et qu'on peut y apporter quelque chose. Une énorme satisfaction. Alors pourquoi refuser ? Parce qu'on n'est pas sûre d'y briller dès le premier jour ? Dans ce cas c'est tout le contraire de la modestie. Il y a en effet beaucoup de femmes qui ne conçoivent qu'une seule sorte de situation : celle dans laquelle elles sont reconnues, complimentées, récompensées sans sortir de leur zone de confort, sans se dépasser. C'est leur droit, bien entendu. Tout le monde n'est pas obligé de s'exposer, de prendre des risques. Mais de quels risques s'agit-il au juste quand on vous propose de faire mieux que ce que vous avez déjà accompli ? Le risque de se tromper, de commettre une erreur ? Et alors ? Qui est infaillible ? Qui peut le prétendre ? Est-ce ce qu'on nous demande ? Revoilà le syndrome de la bonne élève, celle qui ne lève la main que si elle est sûre d'avoir la bonne réponse et qui, parfois même, reste silencieuse alors qu'elle sait. Parce que c'est plus confortable, moins risqué, parce qu'on ne sait jamais. Nous ne sommes plus à l'école. Il faut oser.

Le cabinet ministériel, en France, c'est l'épreuve du feu. On y donne tout ce qu'on est capable de donner, on y apprend énormément. On manque d'y couler sous le poids du travail et des responsabilités mais si on surmonte les difficultés, on en sort beaucoup plus fort. Nulle part ailleurs que dans notre pays on ne donne aux cabinets une importance pareille et c'est sans doute une pathologie bien française. Mais, et c'est une réalité qui s'est plutôt accentuée depuis une dizaine d'années, c'est aussi une voie royale pour ceux qui y ont servi. Et on y trouve très peu de femmes.

Les raisons en sont multiples, mais je n'en vois pas qui soient parfaitement objectives. Première raison : on ne fait pas assez appel aux femmes pour ces postes-là ou en tout cas pas spontanément. Dans l'inconscient du politique ou du recruteur, le conseiller de cabinet est un loup. Donc un homme. C'est totalement absurde car le conseiller ministériel est d'abord le membre d'une équipe soudée constituée pour servir un gouvernement et une politique. Une femme peut parfaitement se reconnaître dans ce profil-là. Dans l'inconscient du politique toujours, les clichés ont la vie dure. On n'oubliera pas de sitôt la déclaration balourde d'un ministre fier d'annoncer qu'il avait réussi à recruter un nombre significatif de femmes dans son équipe « bien qu'il s'agisse de sujets très techniques ». Au moins avait-il essayé.

On nous dira aussi qu'on ne peut pas faire appel à des femmes pour des fonctions de cabinet car les contraintes horaires de ces postes sont trop lourdes pour des chargées de famille. Et on aura raison. Sauf qu'on peut se demander ce qui justifie qu'un conseiller ministériel travaille autant, alors que les équipes des cabinets sont en moyenne deux fois plus nombreuses qu'il y a vingt ans autour de leurs ministres, que les gouvernements sont pléthoriques et que leurs membres peuvent normalement s'appuyer sur des administrations compétentes. On peut d'autant plus se le demander que nulle part ailleurs dans le monde les ministres ne s'entourent d'autant de collaborateurs immédiats et ne les sollicitent de la sorte. À Londres, chaque membre du gouvernement s'appuie sur une poignée de conseillers politiques et réalise l'essentiel de son travail en s'adressant directement aux administrations qu'il dirige. À Berlin, à Washington, en dehors des moments de crise, vous ne trouverez pas à son bureau un seul conseiller ministériel à 23 heures, là où à Paris il sera toujours présent, actif à défaut d'être efficace.

Il y a quelques années, on m'a à nouveau proposé un poste en cabinet, que j'ai immédiatement refusé. Le poste ne manquait pas d'intérêt, le ministre auprès duquel il se serait agi de servir non plus. J'ai posé une seule question, dont je connaissais déjà la réponse : l'amplitude horaire du poste. 8 heures/minuit. Tous les jours. C'était « normal ». J'ai fait remarquer que j'avais quatre enfants. Le tenant du poste m'a rétorqué que c'était également son cas, de même que le directeur de cabinet. Renseignements pris, l'un n'avait pas croisé ses enfants depuis trois semaines. L'autre avait oublié la rentrée scolaire et ne s'en était pas aperçu. Il comptait sur sa femme pour s'occuper de « ces choses-là » mais sa femme travaillait elle aussi en cabinet ministériel. Ils avaient oublié tous les deux. Je l'ai interrogé pour savoir si tout ce qui « remontait » à lui depuis les services avait vraiment besoin qu'il s'en occupe et qu'il s'en mêle. La réponse était non, évidemment non. Mais rien n'arrêtait la machine et rien n'empêcherait que tout remonte ni qu'il se mêle de tout. Je n'ai pas voulu lui demander pourquoi il avait trouvé évident que sa femme s'occupe de tout ce qui concernait leurs enfants ni la leçon qu'il avait retirée de leur double loupé. Je me suis contentée de refuser le poste.

Alors oui, je me suis autocensurée et non, je n'ai pas demandé conseil à mon mentor. Parce que je savais ce que j'avais à faire. Mais parce que je savais aussi qu'il ne pourrait pas me comprendre, lui qui, spontanément, m'avait demandé quelque temps auparavant quand j'arrêterais « de pondre des mouflets ». Parce que lorsqu'on en vient aux questions d'équilibre de couple et de famille par rapport à la vie professionnelle, c'est beaucoup plus difficile de recueillir des conseils éclairés de ceux qui nous ont précédés. Là-dessus, mes mentors ont fait pâle figure. « Mes mouflets », ils n'ont jamais très bien compris pourquoi j'en avais eu. Lorsqu'en 1995 j'ai mis fin à ma première expérience en cabinet ministériel parce que je désirais avoir des enfants – et qu'on m'avait clairement indiqué au préalable qu'un pareil poste impliquait de s'en abstenir – j'ai essuyé des réactions d'une rare violence. Comment, on me proposait de suivre Alain Juppé à Matignon, tout le monde aurait rêvé d'une aussi belle proposition et tout ce que j'avais en tête, c'était cette idée absurde d'avoir des enfants ? Mais des enfants, je pourrais en avoir plus tard, quand je voudrais ! Je n'allais pas laisser passer une chance pareille ! Eh bien si – et le seul qui sut l'entendre, ce fut ce ministre devenu Premier ministre et qui trouva que lui faire faux bond pour avoir des enfants, c'était la meilleure raison du monde. Ce ministre-là était véritablement féministe et, avec beaucoup de respect, je me hasarde à en faire mon mentor lorsqu'à nouveau je m'interroge. Mais c'était l'un des très rares à pouvoir comprendre.

Une femme aurait-elle mieux compris, fait un meilleur mentor ? Ça n'a pas toujours été vrai, ni des plus féministes, ni des autres. Les autres, celles qui se sont hissées en sacrifiant tout, à commencer par leur vie personnelle, en se comportant comme des hommes mais en payant le prix fort en termes d'absence de projet de famille – et pas seulement, comme la plupart des hommes au sommet, d'absence de vie de famille – celles-là ne sont ni des modèles, car on serait bien en peine d'avoir envie de leur ressembler, ni des mentors, tant il est rare qu'elles se préoccupent de rendre aux autres le chemin moins ardu que celui qu'elles ont parcouru.

Avec les féministes de la génération précédente, ce n'est pas forcément plus facile. J'ai le souvenir d'une conversation qui m'a estomaquée, avec quelqu'un que j'admire pourtant énormément et qui a beaucoup œuvré pour la cause des autres femmes. Nous parlions ensemble de ces jeunes qui choisissaient de renoncer à une activité professionnelle pour devenir femmes au foyer, en dépit de leurs diplômes et de leurs débuts de carrière prometteurs. Nous nous accordions à nous inquiéter pour elles, à craindre qu'elles sous-estiment la dépendance financière fragile dans laquelle elles se plaçaient vis-à-vis d'un mari qui ne le resterait peut-être pas éternellement ou qui risquait un jour des revers professionnels que leur propre situation ne viendrait pas compenser. Sur cela nous étions parfaitement en phase. Mais j'ai hasardé qu'il fallait tout de même essayer de les comprendre sans les juger et surtout sans leur reprocher de dilapider par leur retour au foyer les avancées de leurs aînées féministes. Je m'essayai à expliquer qu'avec le durcissement des conditions de travail, certaines femmes commençaient à trouver le sacrifice de leur vie personnelle trop pesant. Je m'aventurai à émettre l'hypothèse que le combat féministe s'était peut-être arrêté trop tôt si la vie des femmes devait se limiter à courir entre des obligations familiales et des obligations professionnelles. Je suggérai qu'il était devenu difficile de préserver un peu d'épanouissement personnel dans cette quête permanente d'efficacité et de performance, au travail comme chez soi.

Et je me heurtai à l'incompréhension totale de mon interlocutrice : « Mais enfin, l'épanouissement, c'est dans le travail que vous le trouverez ! Pourquoi voudriez-vous le chercher ailleurs ? Vous voulez vraiment tout avoir ! »

Eh bien oui, décidément, *I would like to have it all.* Parce que beaucoup d'hommes ont ce « tout » sans qu'on les culpabilise. Et je le voudrais pour moi comme pour mes sœurs et pour les filles que je n'ai pas eues. Mère de quatre garçons, je n'ai pas eu de fille. Cela ne m'a pas manqué pour une raison étrange, totalement irrationnelle et que je ne m'explique pas : j'ai toujours *su* que j'aurais quatre enfants, quatre garçons dont deux jumeaux. Un pressentiment, une quasi-prémonition qui m'a suivie depuis l'enfance et jusqu'à ce qu'en effet elle se réalise. Rien de vraiment planifié mais est arrivé ce que j'avais toujours su qu'il arriverait pour moi, quatre garçons et j'en suis très heureuse. Vaguement épuisée mais très heureuse. Pour autant, je pense sans cesse à toutes les filles que je n'ai pas eues mais dont je voudrais qu'elles connaissent moins de difficultés que la génération de leurs mères n'en a affronté. Je voudrais que, dans ma génération, nous soyons les mentors de celles qui arrivent. Que nous puissions les conseiller comme on nous a conseillées et encore davantage. Je voudrais, parce que j'ai gravi certains barreaux de l'échelle, aider d'autres femmes à s'y hisser, si possible avec moins de peine, plutôt que de rester seule au sommet et de repousser l'échelle pour être certaine que personne ne me rejoigne. Être mentor, sinon rien.

7.

Elle n'y arrivera jamais

Extérieur jour. Une rue de Paris, un matin de marché. Je me fraye un chemin au milieu de la foule. Ou plutôt je nous fraye un chemin. Allongés dans une poussette double mes jumeaux pépient. Mon aîné, qui a tout juste seize mois de plus, se tient fièrement debout à l'arrière du véhicule. Les paniers à provisions sont accrochés aux poignées de la poussette. Nous avançons, lentement, sûrement mais gaiement. Jusqu'à ce commentaire d'une passante inconnue à l'une de ses amies, à haute et intelligible voix : « Regarde-la, la pauvre. Elle n'y arrivera jamais. »

Intérieur nuit, quelques semaines auparavant. Les jumeaux viennent de naître, la famille s'est agrandie d'un coup dans un joyeux chaos. C'est un peu la phase tsunami, rien n'est parfaitement calé, les nuits sont courtes mais tout va bien. Commentaire d'un membre de la famille : « Bon, cette fois-ci, vous allez arrêter de travailler. Je ne connais aucune mère qui travaille avec trois jeunes enfants. Vous n'y arriverez jamais. »

Merci. Merci à toutes les Cassandre, à tous les oiseaux de malheur. Merci de ne pas m'avoir proposé votre aide. Merci de m'avoir condamnée d'avance à ne pas m'en sortir. Elles m'ont donné une raison supplémentaire d'y arriver : l'envie de les contredire, de ne pas me laisser abattre, de leur donner tort. Comme un écho de mon échange un peu vert avec mon vieux professeur de physique : « J'y suis arrivée et je vous emmerde. » Pas très élégant mais bougrement efficace.

Mais au fait, pourquoi ces commentaires décourageants sont-ils d'abord et surtout venus d'autres femmes ? Plusieurs hypothèses :

La maternité est une affaire de femmes. Ce sont donc les femmes qui s'autorisent à en parler. Toutes les femmes, à toutes les mères. Ça pourrait être formidable. Ça l'est parfois, mais pas toujours. Ce fut effectivement délicieux lorsqu'une femme politique sénégalaise, que je connaissais un peu – mais pas si bien que cela –, m'a appelée à Paris, pile au bon moment, celui de la naissance des jumeaux, celui où l'on me répétait que je n'y arriverais jamais, pour m'adresser ses félicitations avec cette phrase merveilleuse : « Ils doivent être tout agités autour de toi, les Français, avec tes trois enfants en seize mois ! Ça doit être l'événement ! Pour nous, tu es juste normale, juste comme nous. Bienvenue ! » Formidable. Et cela disait quelque chose de très juste : vivant en Afrique, j'étais devenue un peu africaine. Un enfant, une naissance étaient une fête. Ni plus, ni moins. Les difficultés, les risques pesaient de peu de poids face à cette vision-là. Si je n'avais pas vécu en Afrique, j'aurais peut-être été plus « raisonnable », j'aurais peut-être plus réfléchi. Plus réfléchi ou mieux réfléchi ? J'aurais davantage pensé aux risques, aux inconvénients de deux grossesses et trois naissances aussi rapprochées. Et j'aurais eu tort.

Des paroles joyeuses et réconfortantes sur le bonheur d'être mère, je n'en ai pourtant pas entendu tant que cela de la part des autres femmes. Au chapitre « je me mêle de la maternité des autres et je la commente sans qu'on me le demande », il n'y a pas toujours eu que de la délicatesse. J'ai encore le souvenir de ces mois de grossesse américaine, lorsque j'attendais mon quatrième enfant : ces femmes qui venaient toucher mon ventre lorsque je m'arrêtais avant de traverser une rue. Comme cela, sans préavis, dans un pays où se frôler déclenche toute une histoire. Je n'étais plus une personne mais un porte-bébé. Ou bien cette jeune mère, dans les vestiaires de la piscine, me montrant du doigt à sa toute petite fille : « Regarde, elle ne va vraiment, vraiment, vraiment pas tarder à accoucher ! » En clair j'étais énorme et il n'était pas question de m'aider à l'oublier. Personne n'aurait osé ces remarques si j'avais été simplement obèse. Enceinte, on pouvait manquer de tact et on ne s'en privait pas. En France à peine moins, où chaque ventre rond déclenche immédiatement des commentaires. On a toujours pris trop ou pas assez de kilos. On sait s'habiller (on est en France !) ou on est « horrible ». Jamais on ne se livrerait à pareilles appréciations en dehors d'une grossesse – et jamais à l'égard d'un homme. On dit souvent que les femmes enceintes sont émotives. Elles en entendent aussi de toutes les couleurs. Et surtout des autres femmes. Surtout des femmes malheureuses. Cela aussi, je l'ai compris. À mes dépens. Scène de la vie de bureau : je viens d'annoncer à l'ambassadeur auprès de qui je travaille que j'attends mon quatrième enfant et que, pour la première fois, j'entends ne rien sacrifier de mon congé maternité. La rumeur a déjà fait le tour de l'ambassade. Une diplomate m'arrête dans le couloir : « Tu as raison. Tu as raison de faire un petit dernier. Le jour où ton mari te quittera, tu seras moins seule. Tu sais, ça t'arrivera. Les femmes qui travaillent, ils ne supportent pas. Ils partent. Tous. »

Un ventre rond, c'est un point d'interrogation involontairement tendu vers les autres femmes, un sujet que l'on met sur la table même sans rien dire. Et cela donne des résultats étonnants, imprévisibles. Parfois émouvants : l'arrivée à la maternité, au moment où je venais d'accoucher, de ma meilleure amie. Elle venait tout juste de perdre l'enfant qu'elle attendait. Sa générosité, son affection, son enthousiasme pour ces deux petites vies que je serrais dans mes bras alors que les siens étaient restés vides, son amour pour ses « neveux » qui, des années plus tard, la voient toujours arriver comme un soleil. J'aime l'idée que mes enfants ont plusieurs mères, que l'affection que je leur porte n'est pas exclusive et qu'ils peuvent compter sur d'autres que moi, d'autres qui n'ont pas eu ma chance.

La gestation pour autrui ? J'aurais aimé en être physiquement capable, porter l'enfant d'une autre qui ne pouvait pas le faire. À mes yeux j'y pense d'abord comme à un très beau geste de don. Je n'arrive pas à comprendre les arguments de ceux qui y sont hostiles. Ce n'est pas « naturel » ? Les vaccins, les antibiotiques, les greffes d'organes non plus. Cela brouille la filiation ? Pas davantage que l'adoption, que fort heureusement personne ne condamne. Cela permet à des couples du même sexe de fonder une famille ? S'ils s'en sentent capables, pourquoi le leur refuser ? « L'intérêt supérieur de l'enfant », au nom duquel on s'exprime souvent un peu vite, ne commande-t-il pas d'abord et surtout des parents aimants et si possibles unis ? N'y a-t-il pas exactement autant de chances d'en trouver chez les couples homosexuels désireux de fonder une famille que chez les autres ? Telles sont les questions que suscitent chez moi les opposants à la GPA. Quant à supposer que certains d'entre eux sont convaincus qu'un couple homosexuel donnera forcément naissance à des enfants homosexuels, je ne sais pas s'il faut en rire ou en pleurer. Je préfère ne pas leur faire l'insulte de croire qu'ils raisonnent de la sorte. Toujours parier sur l'intelligence des autres, quitte le cas échéant à être déçue.

Une seule question me trouble s'agissant de la GPA, celle de savoir si elle peut conduire à une marchandisation du corps des femmes. Et si la réponse n'est pas simple, ce risque de marchandisation ne peut pas être nié. Comme tout ce qui relève, à n'y prendre pas garde, de l'exploitation, de la domination ou de la soumission. Du déséquilibre entre les forts et les faibles, les possédants et les démunis. Vaste champ de réflexion et d'action, dont on serait heureux qu'il soit exploré autrement qu'au travers du seul prisme de la GPA. Tourisme sexuel, travail au rabais, j'en ai déjà dit un mot, trop vite et certainement mal. Les Chinoises vendent leurs cheveux pour en faire des perruques. Des pauvres parmi les pauvres, partout et même en Occident, prêtent leur corps, contre rétribution, pour l'expérimentation de nouveaux traitements médicaux. Là-dessus, silence de plomb. Il n'est jusqu'aux hôpitaux de France qui l'exploitent, cette pauvreté des hommes et des femmes, pauvreté face au savoir, face au libre arbitre. La formule paraîtra excessive. Et pourtant…

En 1998 je suis dans les derniers jours d'une grossesse gémellaire qui se termine mal. J'ai quitté l'Afrique en urgence, évacuée sanitaire et ai été hospitalisée dans l'une des toutes meilleures maternités de Paris. Pourtant ça ne se passe pas bien, de moins en moins bien en fait. Je m'enfonce dans une maladie qu'on ne diagnostique pas mais qui déclenche des crises de plus en plus violentes. Je suis seule à l'hôpital, seule à Paris où mon mari ne m'a pas encore rejointe. Malade et seule. La proie rêvée. L'interne attend, je n'invente rien, je n'exagère rien, qu'une crise m'affaiblisse un peu plus que les autres et il vient me voir. Il a une solution pour moi. Un nouveau traitement révolutionnaire. Cela va me soulager, il en est certain. Il faut cependant mon accord. Quelques papiers à signer et on pourra démarrer tout de suite. Je prends les papiers, j'essaie de me concentrer pour les lire. Je comprends qu'il s'agit d'une expérimentation, d'un nouveau médicament qui n'a jamais été testé sur des humains. Que si je signe, je dégage l'hôpital de toute responsabilité. Je rappelle le médecin et l'interroge. Le médicament est-il anodin ? Il est « très bien supporté par les souris ». Y a-t-il une surveillance médicale à prévoir une fois le traitement administré ? « Presque rien. Une prise de sang deux fois par jour. Pour mes jumeaux et pour moi. Pendant trois mois. Au moins. »

Ce fut souverain. Jamais je n'aurais cru retrouver autant d'énergie que celle qui m'a permis de mettre l'interne dehors. Ni autant de précision sur ce que j'avais à lui dire. Il y était question d'abus de confiance, d'abus de faiblesse. Je savais – en fait je n'en savais rien – qu'il existait beaucoup d'autres traitements mieux connus, tout à fait bénins pour ce que j'avais et on voulait me transformer, non seulement moi mais les enfants que je portais, en cobaye. Le médecin a battu en retraite. J'ai vu miraculeusement arriver un autre traitement – oui, il en existait bien un autre et même plusieurs – qui m'a soulagée. J'étais fière d'avoir résisté. Mais j'ai posé une autre question aux infirmières dont la réponse m'a dévastée : oui deux autres patientes du service étaient des femmes immigrées. Oui, analphabètes ou quasiment. Oui, on leur avait proposé le « nouveau traitement » et elles avaient accepté. Elles avaient signé la décharge. Avaient-elles compris dans quoi elles s'engageaient ? Silence.

Alors s'il faut dénoncer la marchandisation ou l'utilisation abusive du corps des femmes et du corps des hommes, que ce soit toujours et partout. Quelles que soient les circonstances.

Pour en revenir à la gestation pour autrui, mon sentiment est que l'Afrique la pratique depuis longtemps, technique médicale mise à part. J'y ai vu comment des familles nombreuses confient certains de leurs enfants aux oncles et tantes qui n'ont pas pu avoir de descendance. La charge est ainsi mieux répartie et c'est « l'intérêt supérieur de l'enfant », la dose d'amour et d'attention qui peut lui être donnée, qui prime. Conversez un moment avec nombre d'Africains qui vous parleront de leurs frères et sœurs, de leurs oncles et tantes, et essayez de vous y retrouver en plaquant nos schémas occidentaux contemporains. Bonne chance. Les orphelins ont des pères et mères, les enfants uniques des frères et sœurs, les oncles sont aussi des parrains. Certes, pas de bistouri, pas d'intervention chirurgicale, ni don de gamètes, ni mère porteuse dans tout cela, mais l'esprit n'est pas si éloigné : les enfants des uns font le bonheur des autres.

J'ai eu la chance d'être en partie élevée comme cela, puisque tous mes cousins ont passé une partie de leur enfance et de leur adolescence chez nous. Simplement parce que chez nous c'était plus grand, sans doute plus calme et surtout c'était à Paris. Pour nous, c'était de l'animation en plus. Rien d'angélique, il fallait se serrer, faire la place, s'entendre ou se disputer mais ce n'était rien d'autre qu'une façon un peu élastique de concevoir un cercle familial, un peu moins nucléaire, un peu plus protéiforme. Aujourd'hui, on s'interroge sur les familles recomposées, qui n'inventent pourtant pas tant que cela. Prenons nos arbres généalogiques : combien il y eut jadis de mères mortes en couches, de veufs remariés, de demi-frères et sœurs, de cousines et de filleuls élevés ailleurs que chez leurs parents biologiques, chez de plus fortunés ou, inversement, chez des nourrices dont on « marchandisait » le corps sans vergogne ?

Je descends de l'une de ces nourrices et non la moindre. Nourrice des enfants de Louis XVI. Un sacré personnage. Ambitieuse à sa manière et à celle de son époque, elle voulait tout avoir, et a usé des arguments qu'elle avait en sa possession. Pour cela, elle a effrontément menti. Elle s'est présentée comme une génitrice hors pair, capable de mettre au monde et surtout d'élever des gaillards forts et sains, donc d'être une nourrice idéale. La réalité était moins brillante et elle avait perdu plusieurs de ses enfants en bas âge avant d'atterrir à Versailles. On l'accusera d'ailleurs plus tard d'avoir transmis la tuberculose au premier Dauphin, qui mourut à huit ans. Pourtant, son arrivée à la Cour fit sensation. Madame de Bombelles la décrit ainsi dans une lettre : « C'est une franche paysanne, femme d'un jardinier de Sceaux ; elle a le ton d'un grenadier, jure avec une grande facilité ; tout cela n'y fait rien, c'est fort heureux même, parce qu'elle ne s'étonne et ne s'émeut de rien, que par conséquent son lait s'altérera difficilement. Les dentelles, le linge qu'on lui a donnés, ne l'ont pas surprise ; elle a trouvé cela tout simple, et a seulement demandé qu'on ne lui fit pas mettre de poudre, parce qu'elle ne s'en était jamais servie, et voulait mettre son bonnet de six cents francs sur ses cheveux comme les autres cornettes. Son ton amuse tout le monde, parce qu'elle dit quelquefois des choses fort plaisantes. » Elle sera appelée Madame Poitrine, à l'image de toutes les nourrices royales et portera fièrement ce nom. Elle introduira à la Cour une comptine qui traversera les âges et n'avait pourtant rien de bien féminin ni de très maternel puisqu'il s'agissait de « Marlborough s'en va-t-en guerre ». Elle essaiera aussi de plaider pour plus de simplicité dans la vie de Versailles, chantonnant, avec moins de succès : « Quittez vos habits rosés et vos tissus brochés », à quelques mois de la Révolution. La mort du Roi, de la Reine et du Dauphin la mettra au chômage ? Qu'à cela ne tienne. Elle saura se souvenir de son amitié avec Guillotin, traversera cette période sans encombre et osera réclamer aux révolutionnaires une sorte d'indemnité compensatrice de fin involontaire de contrat. Le plus fort est qu'elle l'obtiendra et que lui sera versée une rente, transmissible à ses héritiers. Ce fut mon arrière-grand-mère, toujours versaillaise, qui jugea utile de mettre fin à cette rente, encore scrupuleusement honorée jusque-là par la République…

Que l'on parle de marchandisation du corps et on se souviendra que les nourrices en constituaient un vivant exemple sans que nul n'y trouve à redire. On jugea toujours naturel qu'elles nourrissent d'autres que leurs petits de leur propre lait. Comme on juge aujourd'hui souhaitable d'encourager les mères qui allaitent à donner de leur lait à celles qui ne peuvent pas le faire. Le progrès – et il est énorme – a consisté à ce qu'on décourage le rapport marchand. Pourquoi ce qui a été possible pour les nourrices ne le serait pas pour les mères porteuses ? Question de volonté politique et de capacité à mener un débat de société sans invective. Certes, on en est loin.

Pour revenir un instant aux nourrices, souvenons-nous aussi que notre société traditionnelle ne cessa de s'attendrir des liens supposés entre frères et sœurs de lait, au point de nourrir tous les fantasmes et d'échafauder toutes les théories. Il s'est ainsi trouvé des historiens, encore récemment, pour imaginer que l'enfant mort au Temple, loin d'être le fils de Louis XVI, n'aurait été que le fils de sa nourrice, substitué à l'insu de tous à son « frère de lait »... Sans sombrer dans ces fantaisies, reconnaissons que l'on a pu avoir une idée un peu moins nucléaire et un peu moins stricte de la famille et de la maternité jadis qu'aujourd'hui et que le modèle familial qu'on nous présente parfois comme la « norme » n'a pas toujours été un modèle unique. Comme on gagnerait à accepter que ce qui nous paraît nouveau et inquiétant a déjà existé et que les sociétés ont survécu à bien des formes de schémas familiaux. Et à cesser de ramener la famille à un père + une mère + deux ou trois enfants. Ce n'est ni « réglementaire » (quel horrible slogan) ni éternel.

Qu'en privé et dans l'espace politique on décide un peu moins pour les autres ce à quoi leur famille doit ressembler et chacun ne s'en portera que mieux.

En revanche, au travail, il arrive une chose étrange à la famille : elle disparaît, à commencer par la maternité. Si les femmes ne se privent guère de donner leur point de vue sur la maternité des autres, sur ce sujet les hommes sont moins diserts. Voire totalement mutiques. Ça reste une affaire de femmes. Un mystère. Une maladie. Dans la vie professionnelle, c'est à peine si l'on vous en parle en face. Dans votre dos pourtant, cela y va. Choses vues, ou plutôt entendues : « Encore enceinte ? On pourrait peut-être lui parler de la pilule. » Autrement dit : votre projet ayant pris vos collègues par surprise, on suppose que c'est aussi votre cas et que, si vous êtes enceinte, c'est que vous êtes un peu gourde. Également entendu : « Pas de femmes en âge de procréer dans mon équipe ! » Avec les progrès de la science, le spectre est large. Toutes les femmes sont ainsi perçues, comme potentiellement dangereuses. Pensez : elles pourraient « tomber enceintes » (comme on dirait « tomber malade » ou « tomber en syncope »). Et l'idée que toutes les femmes ne sont pas obnubilées par le désir d'enfant paraît totalement absente. Pourtant, cette idée-là, il serait temps de lui faire une place, pour le bien de tous. À commencer par celui de toutes les femmes. Car enfin, combien de fois entend-on, dans les propos les mieux intentionnés, que le « problème » du plafond de verre et du travail des femmes, c'est la difficulté à concilier vie familiale et vie professionnelle à un certain niveau de responsabilités. Cette affirmation-là dit énormément de choses dont la plupart relèvent du préjugé. Elle dit d'abord d'une femme que c'est forcément une mère ou une future mère. Qu'il s'agit de la norme. Et c'est insupportable.

Insupportable pour celles qui ne souhaitent pas ou ne peuvent pas devenir mères. Parce que partout, dans leurs familles, dans les représentations que la société se fait d'elle même, elles sont l'erreur. La déviance. Forcément victimes ou forcément étranges. On ne leur laisse que l'un de ces deux choix-là. Ne pas pouvoir avoir d'enfants, vous voilà plainte. Ne pas en vouloir et vous êtes un monstre d'égoïsme. Dans tous les cas on s'interroge. À bas bruit. On ne vous en parlera pas mais on en parlera sans vous. Et vous le savez bien. Vous le lisez sur les lèvres, dans les regards. Ces enfants que vous n'avez pas, c'est fou ce qu'on vous en encombre. Et tant que vous êtes « en âge de procréer », vous serez tout de même une mère en puissance. Rassurante en privé, menaçante au travail. Si vous n'avez pas d'enfant, on s'attend à ce que cela vous passe.

Plus largement, si une femme n'est qu'une mère en devenir, si elle a nécessairement un projet familial et si elle a une vie professionnelle, elle est par avance confrontée à des choix déchirants. On le suppose en tout cas à sa place. Elle a donc, par essence, un problème. Elle est un problème. Depuis quelques années on lui en aura parlé de moins en moins ouvertement, dès lors que, par souci d'éviter les discriminations à l'embauche notamment, il est désormais prohibé d'interroger une femme sur le nombre de ses enfants et sur la manière dont elle envisage de « concilier » son travail et sa maternité. Louable évolution, puisque jusqu'à présent on se permettait cette question pour chaque femme mais pour aucun homme. Heureusement la société change. C'est récemment l'un de mes élèves qui a appelé mon attention sur son statut de *primary care giver* pour que nous le prenions en compte. Il avait peur qu'on n'y prête pas suffisamment d'attention, il avait raison de le faire et du courage de le revendiquer.

La société change mais les employeurs évoluent moins vite qu'elle. Ainsi, même si on ne devrait plus interroger une femme sur son organisation familiale, on continue pourtant fréquemment à le faire. Mais surtout on réfléchit à sa place. On ne lui propose que ce qu'elle pourra assumer. À une jeune mère, on ne proposera donc pas grand-chose. La pauvre. Pour l'aider. On ne le lui dira jamais mais on aura décidé pour elle. Ou plutôt contre elle. On aura réorganisé ses tâches pour son retour de congé maternité, on aura promu quelqu'un d'autre, on ne lui aura pas proposé quelque chose d'« incompatible avec la maternité ».

Curieusement, on n'a jamais parlé de postes incompatibles avec la paternité. Jamais. Au point qu'aujourd'hui ceux parmi les hommes qui changent d'orientation professionnelle pour raisons familiales – et il y en a – ont un sacré courage. On met leur démarche sur le compte de la « génération Y ». On pense à eux comme à des originaux. On murmure qu'ils ont voulu éviter un divorce ou qu'ils sont obligés de s'occuper de leurs enfants en garde alternée. En bref, il faut vraiment qu'il leur soit arrivé quelque chose de sérieux pour qu'ils soient contraints d'essayer de trouver du temps pour leur famille.

Aux États-Unis, un haut responsable affirme souvent qu'il quitte son poste « pour passer plus de temps avec sa famille ». Cela fait rire tout le monde. Personne n'est dupe et chacun sait qu'il s'agit d'une formule convenue et dénuée de sens. Cela signifie simplement qu'on est écarté de son poste et que l'on souhaite sauver la face. *Spend more time with my family*, pour un homme, cela dit seulement qu'on est débarqué et qu'on ne sait pas encore comment on va rebondir.

Pour une femme c'est à la fois semblable et différent. J'ai goûté l'humour de la chose le jour où cela m'est arrivé. Débarquée sans préavis et sans point de chute, je me suis demandé ce qui m'arrivait mais surtout ce que j'allais faire. Les conseils n'ont pas tardé : « Tu vas avoir du temps pour t'occuper de tes enfants. Et tu vas voir, tu vas y prendre goût. » Ainsi, alors que nous n'en avions jamais parlé, on pensait autour de moi – et pour moi – que depuis toutes ces années, je n'étais pas vraiment à ma place et que je ne m'en étais pas bien rendu compte. Toujours le syndrome de la gourde ; je n'avais pas pris le temps de m'occuper de mes enfants, j'étais passée à côté de la vraie vie, en tout cas de la vie d'une mère. Mais des circonstances somme toute providentielles allaient m'ouvrir les yeux, me remettre à ma vraie place. Et me faire libérer celle que j'avais prise au travail : la place d'un homme.

Ce sont des hommes, au travail, qui m'ont tenu ce discours. Pas seulement, bien sûr. Les mères au foyer qui m'ont vue tout à coup à leurs côtés à la sortie des classes, « à l'heure des mamans », je les comprends. Depuis toutes ces années que, sans rien dire, je ne menais pas la même vie qu'elles et que, peut-être, je questionnais silencieusement leur choix, qu'elles me retrouvent à leurs côtés et qu'elles en tirent des conclusions sur le retour à ma vraie place, il pouvait difficilement en être autrement. Le message était d'ailleurs un peu plus complexe que cela : « Tu vas voir, mère au foyer, c'est aussi un job à plein temps. » Cela aussi je le comprends. Un peu lassées qu'on les regarde comme des feignasses, souvent chargées de tonnes de petites tâches au prétexte qu'elles « ne travaillent pas », elles espéraient me voir tirer la langue et mesurer la chance qui avait été la mienne de pouvoir me changer les idées au travail.

Et pourtant. Combien de fois elles m'ont agacée, ces mères au foyer mais aussi les enseignantes, à vouloir me donner mauvaise conscience. Les petits déjeuners dans la classe fixés sans concertation, toujours lorsque je suis en voyage. Les rendez-vous avec les profs, jamais autrement qu'à 17 heures, jamais pour moins de deux heures, tout comme les représentations de théâtre ou de chorale. Les sorties extrascolaires où j'ai jonglé avec mon emploi du temps pour accompagner les classes de mes enfants, pour être un peu avec eux et parce qu'aucune mère au foyer « n'avait le temps ». Les exposés préparés en hâte, à 22 heures, les livres à acheter le lundi pour le vendredi et jamais l'inverse… Les parents délégués, plus soucieux de se faire bien voir et de défendre leur progéniture que de demander un peu de prévisibilité sur les devoirs. La préférence marquée pour que les enfants aient des devoirs en semaine et pas le week-end, pour « laisser le week-end au repos ». Si ce n'est qu'en semaine, à partir d'un certain niveau de responsabilité, quel est le parent qui rentre avant 20 h 30 ? On me dira qu'il faut autonomiser les enfants, leur apprendre à se prendre en charge. C'est même moi qui vous le dirai. Seulement à six ou sept ans, il faudra me dire comment on fait. Et même ensuite, il ne faudra pas venir m'expliquer que c'est par la façon dont je fais réviser mes enfants que je peux les faire progresser, « en leur posant les bonnes questions », « en approfondissant le cours avec eux ». À 22 heures ?

Dit-on la même chose aux mères immigrées et non francophones, ou analphabètes ? J'imagine qu'on n'ose pas. Et que dit-on à celles qui enchaînent les travaux dans la journée et qui font le ménage des bureaux le soir ? Aux infirmières ? À toutes celles qui travaillent en horaires décalés ? De quand date la circulaire qui proscrit les devoirs à la maison en primaire et qu'aucun enseignant n'applique ?

Donc sachons-le : pour le corps enseignant, il est normal que les parents – entendons les mères – qui pourtant doivent faire confiance aux professeurs et poser le moins de questions possibles sur leurs méthodes ou sur les programmes, fassent travailler leurs enfants chaque soir. Et soient donc en situation de le faire. C'est cela la norme, vu des profs. Le problème, c'est que ni les femmes qui ont un travail prenant, ni celles qui ne peuvent pas suivre pour des raisons culturelles ne sont dans la norme. Le problème, c'est que la norme, ce sont les profs. Ceux qui rentrent chez eux aussi tôt que leurs enfants et qui peuvent les suivre. Vous voulez réussir vos études : soyez fils et filles de profs. Là est le secret, la martingale. À l'ENA, c'est flagrant : 30 % des candidats reçus ont au moins un parent prof. C'est énorme. Et si l'on regarde les autres, une très grande majorité ont une mère dont le travail est nettement moins prenant et valorisé que celui du père. « Une mère aimante et un père totalement absent. » J'ai déjà entendu cela quelque part. Et une proportion non négligeable de mères au foyer. Ce que le système éducatif ne dit pas mais diffuse, c'est cela : vos enfants réussiront d'autant mieux que leurs mères auront pu se mettre à leur service. On nous dit chaque jour que l'on demande trop à l'école. J'ai pour ma part le sentiment que l'école demande énormément aux mères.

Bien sûr c'est pire ailleurs. En Allemagne, aujourd'hui encore il faut choisir entre avoir un métier et avoir des enfants. Pas assez de crèches, de systèmes de garde collective, des horaires scolaires qui libèrent les enfants en début d'après-midi ? La seule chose à faire, c'est qu'un des deux parents arrête de travailler. Pourquoi serait-ce la mère ? Parce que l'Allemagne n'est pas sortie du triple K (Kinder, Kirche, Küche) ? Cela, je n'y crois guère, même si une mère qui travaille est assez vite cataloguée « mauvaise mère ». Cela pèse sans doute mais peut-être moins que la différence de salaire entre hommes et femmes. S'il faut que l'un des deux s'arrête, autant que ce soit celui – et donc celle – qui gagne le moins.

Idem aux États-Unis. Les cours s'arrêtent vers 14 heures. Ensuite, les enfants rentrent. Soit grâce au ramassage scolaire, soit parce que leurs mères viennent les chercher. En voiture. Pas ou très peu de transports en commun dans les villes américaines et des distances énormes. On n'aime pas beaucoup les transports publics en Amérique. Cela va à l'encontre de la liberté individuelle. En tout cas c'est la version officielle. Cela fait aussi voyager les pauvres vers les quartiers des riches et c'est ça qu'on n'aime pas beaucoup. On le dit moins mais on le pense. Un quartier accessible en métro perd de la valeur. Sauf à Manhattan, bien sûr. Donc les mères vont chercher les enfants en voiture. Et les remmènent, toujours en voiture, à leurs innombrables activités d'éveil. J'ai été, le temps d'un congé maternité, une de ces *soccer moms*. J'ai fait des kilomètres, des heures durant, de la patinoire (« Ce n'est pas loin, juste quarante minutes de voiture ! ») au terrain de foot en passant par le conservatoire. Au point de nourrir un dégoût de la voiture et d'avoir choisi de ne plus en avoir aujourd'hui. Les pères, eux, consacrent une heure ou deux par week-end, aux activités d'éveil des enfants. C'est ce qu'on appelle le *quality time*. On connaît le concept, il est dans tous les films américains : le père lance quelques balles de base-ball (une variété : le basket) avec son fils, échange avec lui deux ou trois phrases définitives qui montrent qu'il est resté un grand enfant et que son fils est sacrément mûr pour son âge et ses taches de rousseur. Il lui frotte affectueusement les cheveux et ils repartent. Du concentré de présence parentale affective et effective. Quinze minutes qui suffisent à tout se dire. Un concept extraordinaire. Curieusement réservé aux hommes. Pour les femmes, ça reste le *quantity time*. Conceptualisé lui aussi. Il paraît qu'on peut se dire des milliers de choses en conduisant ses enfants quelque part. C'est certain et c'est heureux, si l'on compte qu'aux États-Unis on passera facilement deux heures par jour en voiture avec eux. Surtout qu'il est hors de question, en tout cas dans la bourgeoisie éduquée, de laisser ses enfants rêvasser à la maison. Le temps après l'école est mille fois plus chargé que l'école elle-même. Tout doit servir à éveiller, éduquer et préparer l'enfant à être pris dans les meilleures *high schools* qui conduisent aux meilleurs collèges des meilleures universités. Mes enfants étaient ainsi devenus amis avec une famille américaine aussi typique qu'étonnante. Cinq garçons. Famille juive pratiquante et parents ultra-républicains. Mais aussi ultra-préoccupés de l'avenir de leurs enfants. C'est ainsi que les chers bambins apprenaient le français. Mais aussi le chinois, grâce à des cours particuliers et une nounou chinoise choisie tout exprès. Et le violon. Et le piano. Et le judo. Et des cours particuliers de maths en plus. Exceptionnellement, les deux parents travaillaient. Aussi c'était la Chinoise qui conduisait les enfants partout. Un emploi du temps millimétré. Pas une minute à perdre. Nous faisions partie de la tournée : nous étions la *playdate* en français. Aux États-Unis, on n'invite pas les petits voisins à venir jouer, on planifie une *playdate*. Et la nôtre revenait régulièrement puisque les petits pouvaient en profiter pour entendre et pratiquer du français. Pas tout à fait tout le vocabulaire qu'ils maîtrisaient déjà puisque j'avais dû leur interdire les blagues racistes et homophobes. On était dans l'Amérique de George Bush, il fallait veiller au grain. Dans ce cas, la mère pouvait travailler parce qu'ils étaient extrêmement riches et pouvaient s'offrir une nanny capable de conduire et la voiture dédiée qui allait avec.

Pour tous les autres, c'était plus compliqué. Je me souviens du choc d'une amie journaliste américaine. Judith Warner avait eu ses deux filles lorsqu'elle vivait et travaillait en France. À Paris tout avait été simple – ou presque, en tout cas avec le recul : la crèche, la maternelle, les activités extrascolaires proposées à l'école, le tout en bas de la maison, à *walking distance*, pour trois fois rien. Des petites camarades pour ses filles dans l'immeuble, Une jeune fille au pair en fin d'après-midi et le tour était joué. Puis elle est rentrée à Washington. Pas de crèche. Presque pas de *kindergardens*. Des nounous hors de prix, à faire venir des Philippines en les « réservant » six mois à l'avance. Pas facile de travailler dans ces conditions avant l'entrée des enfants à l'école. Mais pas davantage après, ce qu'elle découvrit avec effarement. Le concept de bon parent (entendre : bonne mère) commence extrêmement tôt. Certes, c'est formidable de voir des petits de cinq ans préparer et présenter un exposé (on dit un *project*) devant toute leur classe. Formidable mais totalement irréaliste. La plupart du temps, ce sont les parents qui ont tout fait. On leur explique d'ailleurs ce qu'on attend d'eux en termes d'implication dans la vie de la classe dès le premier soir, la *back to school night*. Hors de question de la rater. Si vous n'y êtes pas, vous êtes un dangereux asocial prêt à ce que vos enfants deviennent délinquants et toxicomanes. L'après-midi de la *back to school night*, on croise dans tous les États-Unis des parents anxieux de donner une première bonne impression et prêts à réviser dur pour les *projects* de leurs bambins.

Et il y a les activités d'éveil. J'en ai déjà parlé en décrivant ma famille ultra-républicaine. Ce n'est pas une spécialité partisane. Mon amie journaliste, juive ultra-démocrate, a vite découvert qu'il faudrait aussi qu'elle en passe par là : cours de danse, de musique, de dessin, de théâtre, de chinois (encore) sans quoi elle passerait pour une mère indigne. Son travail ? Son quoi ? Alors elle a écrit un livre, comme un coup de poing sur la table : *Perfect madness : motherhood in the age of anxiety*. Où elle expliquait qu'en France on pouvait encore avoir des enfants et un travail. Depuis, c'est devenu son travail, au *New York Times*, de traquer les dérapages de la parentalité. Succès énorme auprès des femmes américaines.

Après elle, Anne-Marie Slaughter a poussé son propre cri de rage, dans un long article de l'*Atlantic Monthly* qui a fait couler beaucoup d'encre : *Why women still can't have it all*. Un article désespérant, avec lequel je ne suis pas entièrement d'accord, mais qui est utile. L'auteur, une universitaire de Sciences politiques à Princeton, y explique qu'elle renonce à son poste au Département d'État auprès d'Hillary Clinton parce que personne d'autre qu'elle ne pourra s'occuper de son adolescent en détresse. Le témoignage est intéressant, courageux mais sans doute peu transposable : peu de femmes (ou d'hommes) travaillent à Washington quand leur famille est restée à Princeton. Et l'idée selon laquelle le père ne saura pas faire face aussi bien que la mère face à un ado en crise me chiffonne un peu. Peut-être parce que j'ai un travail à Strasbourg et une famille à Paris et que je n'ai pas très envie qu'on m'envoie à nouveau à la figure que «je n'y arriverai jamais».

Mais, oui, Anne-Marie Slaughter a raison, la société américaine a choisi de demander aux mères des prouesses impossibles à accomplir. Le culte de la performance y touche aussi la maternité. J'y ai accouché dans un hôpital où l'on m'a indiqué à quel endroit de la salle de travail je pourrais brancher mon laptop pour checker mes emails. Apparemment, beaucoup de parturientes le réclament. Mais ensuite, de la préparation aux meilleures écoles en consultations de psys, d'orthophonistes ou de coachs pour ados, les mères sont encore en compétition, les unes avec les autres, pour élever leurs poulains et les amener au plus haut de l'échelle. Et dans cette compétition, elles sautent de l'échelle elles-mêmes. Travailler et être mère, c'est finalement moins simple qu'on ne le pense au pays de la liberté et de l'esprit d'entreprise. Lorsque j'ai attendu mon quatrième enfant aux États-Unis, on m'a demandé, en plaisantant bien sûr, si j'étais Amish. Ou islamiste. En plaisantant. De l'humour. Mais cet humour-là n'est jamais gratuit.

Bien sûr, ce que Judith Warner et Anne-Marie Slaughter décrivent, ce sont les femmes de l'*upper-middle class*. Pas un mot sur les *single moms* qui enchaînent trois jobs dans la même journée pour nourrir des enfants qui grandissent dans la rue et dont une partie tournera bien, une autre pas. Pas grand monde pour parler en leur nom, pour dire ce qu'elles endurent, pourquoi les hommes ne sont pas là (Papaoutai, hymne universel). Cette réalité sociale-là, la vie de ces femmes-là, de ces mères, on en parle à leur place, aux États-Unis comme ailleurs, ou plutôt on parle souvent des enfants, de ce qu'ils sont, de ce qu'ils deviennent, rarement des mères. Pour elles, c'est le grand silence. Et je ne suis pas la mieux qualifiée pour en parler moi-même.

Bien sûr, par comparaison, il est infiniment plus facile de travailler et d'élever des enfants en France qu'aux États-Unis ou en Allemagne. En tout cas moins difficile. Mais attention au piège de l'autosatisfaction. Ailleurs, on prend peu à peu conscience de ces barrières imposées au travail des chargés de famille. En Allemagne, plusieurs ministres du gouvernement de grande coalition d'Angela Merkel ont annoncé qu'ils travailleraient à temps partiel pour pouvoir s'occuper de leurs enfants. C'est notamment le cas d'Ursula Von der Leyen, la très médiatique ministre de la Défense, mère de sept enfants. Bien sûr, leur décision a rencontré un certain scepticisme et il fait peu de doute qu'ils travailleront aussi depuis chez eux. Mais l'exemple vient d'en haut. Et en France, au même moment, j'entendais une ministre femme se plaindre à l'un de ses collaborateurs de ne pas pouvoir, à la différence d'un autre membre du gouvernement, obtenir une note urgente de son cabinet à 2 heures du matin si nécessaire. Si nécessaire ? À 2 heures du matin ? En dehors des ministères habitués à gérer des crises, Intérieur, Affaires étrangères, Défense, qui donc pourrait avoir besoin d'une note urgente à 2 heures du matin ? La question ne semblait pas l'avoir effleurée. Le collaborateur, lui, était effondré.

Bien sûr, il est plus facile de travailler lorsque la crèche précède la maternelle, qui prend en charge les enfants dès trois ans et que les rythmes scolaires n'entrent pas trop en conflit avec le rythme de travail des parents. Tiens donc, s'agissant des rythmes scolaires, si le débat a enflammé notre pays, comme chaque fois qu'il s'agit de l'école, je n'ai pas le souvenir d'avoir beaucoup entendu parler de ce que ces rythmes changeaient pour les mères qui travaillent. Et pourtant. On nous dit, beaucoup, que nos enfants sont fatigués, que les journées d'école sont trop lourdes, qu'il faut les alléger. Et on surfe avec des modifications d'emplois du temps pour lesquelles jamais les parents ne se sentent vraiment consultés. Mercredi matin allégé, vendredi après-midi raccourci. Journées de concertation pédagogique des enseignants qui reviennent de manière lancinante et suppriment encore des heures d'enseignement. Et surtout kyrielles de petites vacances, cauchemar des parents qui travaillent : que faire des enfants lorsqu'on ne peut pas prendre de vacances soi-même ? Serait-il totalement incongru de se demander si des apprentissages un peu plus lents et réguliers tout au long de l'année, au travers d'heures de cours plus nombreuses mais moins denses, ne permettraient pas aux professeurs de faire avancer toute la classe plutôt que de faire la course en tête avec les meilleurs et de laisser les autres sur le bas-côté ? Et si plus d'heures passées à l'école pouvaient diminuer les heures de devoirs à la maison et permettre aux enfants, une fois rentrés chez eux, de se détendre vraiment et de passer à autre chose ? Les adultes se plaignent de l'empiètement de leur vie professionnelle sur leur vie personnelle. Mais que devraient dire les lycéens ? À peine rentrés de classe, on s'attend à ce qu'ils retournent à leur table de travail. « Deux heures chaque soir » au lycée de mes enfants. Et naturellement les parents sont vivement encouragés à interroger leurs enfants pour les faire réviser et approfondir le cours. Et si on arrêtait cette course folle ? Si on regardait l'année scolaire pour ce qu'elle est, un passage permanent d'accélérations incroyables (« attention, le conseil de classe arrive ») à des pauses à répétition (vacances, ponts, voyages scolaires, journées de concertation des enseignants entre eux, formations suivies par les mêmes enseignants), un passage qui désoriente, empêche d'approfondir ou tout simplement de prendre le temps d'assimiler une notion avant de passer à la suivante ? Si on ralentissait ? Des journées mieux remplies mais moins denses, pas de report vers la maison de ce qui n'est pas fait en classe, moins de petites vacances, moins de stress, plutôt que d'alléger encore les programmes à un moment où les classements internationaux montrent notre décrochage ? Est-ce irréaliste ? Et si l'on se souvenait qu'en majorité, soit les deux parents travaillent, soit les couples sont séparés et que quoi qu'il arrive il n'y a pas grand monde pour faire travailler les enfants à la maison ? Si on osait reconnaître que les horaires scolaires peuvent devenir un cauchemar pour les parents ? Si l'on parlait d'une école inscrite dans le siècle et dans la réalité sociale des familles ? Est-ce trop demander ?

Partout en Europe, on s'éloigne des journées d'école trop courtes. C'est ce qu'a commencé à faire l'Allemagne quand elle a reculé dans le classement PISA. Les enfants comme les mères s'en portent mieux. Anne-Marie Slaughter le demande instamment : les femmes ne pourront « tout avoir » que lorsque les États-Unis auront repensé les horaires de leurs écoles. Peut-on espérer que le débat français sur les rythmes scolaires prenne en compte les mêmes préoccupations ?

J'ai pleinement conscience de parler d'un point de vue très privilégié, celui d'une femme cadre. Je n'entends ni donner de leçon, ni me donner en exemple. Je ne parle de mes enfants en public que pour encourager de jeunes femmes à commencer une carrière sans craindre de passer à côté d'une vie de famille. Mais j'ai le sentiment que ce qui me paraît difficile doit l'être encore infiniment plus pour d'autres. Et cet agacement que je ressens, c'est que l'école reste pensée par des hommes. Ségolène Royal, ministre déléguée à l'Enseignement scolaire, eut le poste le plus élevé jamais confié à une femme dans le secteur de l'éducation. C'est tout de même étrange que les femmes soient souvent identifiées au *care* (ministre de la Santé, des Affaires sociales) mais jamais ministres de plein exercice à l'Éducation Nationale. Et tous les penseurs de l'éducation qui s'expriment dans les médias sont aussi des hommes. Je me demande s'il ne faudrait pas commencer à prendre davantage la parole sur ces sujets-là.

Je voudrais aussi qu'on ne réduise pas en permanence la question du travail des femmes à celle de la conciliation enfants/vie professionnelle. Ils sont écrasants, tous les préjugés qui se réfugient derrière cette idée-là : ceux qui veulent que derrière toute femme se trouve une mère. Je l'ai dit plus haut et d'autant plus facilement que j'ai moi-même des enfants : je trouve atroce qu'on impose aux femmes qui n'ont pas d'enfant une « norme » dans laquelle elles ne seraient pas. Mais aussi ceux qui veulent que le soin à porter aux enfants soit une affaire de femmes et uniquement de femmes. Il faudrait donc laisser aux femmes un temps dont elles seules auraient besoin pour s'occuper de leurs enfants. La question ne se poserait pas pour les hommes. Or s'il y a bien une chose sur laquelle la société française n'est pas en avance et aurait besoin de progresser c'est la répartition des responsabilités familiales entre hommes et femmes. L'Allemagne est sûrement en retard sur le travail des femmes, mais beaucoup moins sur le partage des activités familiales. En France, ce partage n'a que très peu évolué dans les dernières décennies. On parle des « tâches ménagères » et en anglais c'est encore pire, le même mot, *chores*, désigne travail domestique et corvées. Qui aurait spontanément envie de partager ça ? Il y a en cela un implicite assez bluffant : on reconnaît que s'occuper du foyer est d'un ennui mortel ET il serait naturel que cela revienne aux femmes, qui doivent pouvoir concilier vie professionnelle et corvées domestiques. Quelle perspective !

Qu'on ait raisonné de la sorte du temps (relativement bref) où les hommes subvenaient seuls aux besoins de la famille et où les femmes restaient au foyer peut s'entendre : elles fournissaient un apport essentiel à l'équilibre familial par un travail domestique non rémunéré. Que celui-ci ait été plus souvent voulu ou subi est une autre histoire. Il arrive qu'aujourd'hui encore le choix de ne pas travailler soit volontaire. Qu'un des conjoints assure le fonctionnement de la maison et le soin aux enfants pendant que l'autre a une activité rémunérée au-dehors est une idée qui se tient. On peut, légitimement à mon sens, s'inquiéter du sort du conjoint « inactif » face aux perspectives de séparation d'un couple et aux difficultés à s'insérer ou se réinsérer par la suite dans le monde du travail. On peut, tout aussi légitimement, pointer le risque économique de ces carrières courtes qui ne permettent pas de bâtir une retraite. On pourrait se demander dans quelle mesure le soin apporté à une maisonnée, à élever des enfants ou à s'occuper de parents âgés, exercé de manière bénévole, ne devrait pas être pris en considération dans une véritable valorisation du *care*. La rémunération par la collectivité d'un congé maternité pour les femmes qui travaillent relève déjà de cette logique. Mais on ne peut pas, me semble-t-il, vouloir la même répartition des responsabilités familiales dans un couple où les deux parents travaillent à l'extérieur que dans un couple où l'un des deux travaille à la maison. À condition que la situation soit voulue et non subie.

Reste que le partage des tâches en France n'évolue pas vraiment au rythme du travail des femmes. S'il est vrai que les hommes passent davantage de temps avec leurs enfants que dans le passé ceci est aussi avéré pour les femmes : le temps familial existe plus aujourd'hui qu'hier, on l'a vu. Mais s'agissant d'activités moins gratifiantes (linge, ménage, courses) on trouvera toujours beaucoup plus les femmes que les hommes. La «double journée» est d'abord une réalité féminine, qui comporte sa mythologie mais bien peu de gratification : mythologie de la femme capable naturellement d'être multitâches, de penser l'organisation du foyer en prévoyant les courses, en sériant les activités, en anticipant les besoins. Toutes qualités qu'on suppose innées chez les femmes et absentes chez les hommes. Toutes qualités qu'on devrait, si on y croyait vraiment, rechercher et valoriser dans la vie professionnelle en sélectionnant les femmes chargées de famille dont on supposerait qu'elles sont capables d'accomplir au travail les prouesses qu'elles réalisent au foyer.

La réalité est à mille lieues de cette mythologie : un CV s'enrichira flatteusement de quelques «centres d'intérêt» bien choisis qui montreront combien le candidat est plus riche d'expérience et curieux d'esprit que ses seuls diplômes et son seul parcours professionnel ne le laissent supposer. À ce jeu-là les chargées de famille risquent de manquer d'atouts. Nous en parlions récemment avec des jeunes mères reçues à l'ENA : leur principal « loisir », c'était de s'occuper de leurs enfants. Elles avaient salué le fait que le jury n'avait pas souhaité leur demander ce qu'elles faisaient de leur temps libre puisque, du temps libre, elles n'en avaient pas. Nous en avions parlé en avance avec le jury : les loisirs sont un marqueur social. Selon ses origines on ne fait pas forcément la même chose de son temps libre, sous réserve qu'on en ait. Pour les femmes, certaines commencent leur vie en s'occupant de leurs frères, la continuent en élevant leurs enfants et passent sans transition au soin de leurs parents âgés. Le *care* comme centre d'intérêt unique et systématique.

C'est une véritable inégalité qui s'exprime là : la société des loisirs n'est guère une société pour les mères qui travaillent, sauf à penser qu'elles y contribuent en planifiant les loisirs de leurs enfants. J'ai déjà dit ce qu'une figure du féminisme des années 1970 m'avait répondu lorsque j'avais osé exprimer un peu de lassitude à voir ma vie résumée à mon travail et à mes enfants : l'épanouissement, c'est au travail qu'on l'atteignait, pourquoi vouloir autre chose ? Pourquoi vouloir « tout avoir » ?

Les femmes elles-mêmes s'emprisonnent parfois dans le schéma du double perfectionnisme : parfaites au travail et à la maison, femmes au cerveau en forme de post-it qui pense à tout, contrôle tout, « gère » (quel mot affreux) tout. Je refuse de « gérer » mes enfants. En prendre soin, oui, leur porter de l'attention, sûrement, les gérer, non. Mon foyer n'est pas résumable à un tableau Excel et je n'ai pas de *process* pour organiser ma semaine. J'assume l'imperfection. Je mise sur l'affection, un peu d'improvisation et beaucoup d'humour pour y arriver. Et je ne crois pas bien faire, seulement faire avec bienveillance. Freud nous a avertis depuis longtemps : « Quoi que vous fassiez vous ferez mal. » Au moins c'est clair. On peut choisir d'être tétanisée ou finir par accepter ses insuffisances maternelles. Il y a sans doute quelque chose d'un peu malsain au perfectionnisme des mères qui travaillent, une sorte d'*hubris* assez dangereux à croire que l'on va pouvoir tout contrôler, tout réussir, tout « gérer » avec grâce et talent.

Il y a quelques années, croyant me faire plaisir, une créatrice très en vogue me dédicaçait la BD qu'elle avait réalisée : « À la Wonder Woman qui est en vous. » J'aime beaucoup cette créatrice mais pas du tout son commentaire. Pas plus que la couverture assez niaise d'un magazine tout heureux de constater que nous étions tout de même quelques femmes à avoir percé le plafond de verre et qui nous représentait en Fantômettes. Fantômette, je l'ai adorée mais ce n'est pas moi. Le vrai secret d'une conciliation vie familiale-vie professionnelle à peu près tenable, c'est d'accepter de n'être parfaite nulle part et d'avoir l'humilité de ne pas en faire un drame. Déjà victimes du piège de la bonne élève, il ne faudrait pas que nous tombions dans celui de la femme parfaite, au travail et à la maison. Sauf à croire qu'on peut dominer le monde ou à s'exposer à un terrible *burn-out*.

Le temps est peut-être aussi venu de se demander comment on réfléchit au rapport de l'homme – et de la femme – avec son travail et comment on aurait intérêt à évoluer par rapport à cela. Sur ce point il ne faut pas minimiser les difficultés ni les résistances. Depuis des décennies on vit dans le mythe qu'on est célibataire et sans attache pendant les longues heures de sa vie au travail et qu'il y est possible de faire totalement abstraction de sa vie personnelle. Cette mythologie-là est pourtant récente : les récits plus anciens montrent combien le rapport au travail des cadres d'autrefois ménageait de vastes plages de respiration. Lire les mémoires des écrivains diplomates permet de mesurer combien leur passage par le Quai d'Orsay (de Paul Morand à Romain Gary) ne constituait qu'un moment de leur journée parmi d'autres. Le vice-président du Conseil d'État, travailleur acharné et grand serviteur de l'État, témoigne que certains de ses lointains prédécesseurs organisaient savamment leur semaine de travail pour tenir compte de la saison de la chasse. Les déjeuners d'affaires du temps jadis attestent eux aussi d'un rapport au temps assez distendu. Aujourd'hui, l'hyperdisponibilité est la règle au nom du principe sacro-saint de l'efficacité. Les cadres rivalisent de présence au travail, pendant qu'on impose à l'ensemble des employés les trouvailles du *lean management* qui consiste avant tout à s'assurer qu'ils ne « perdent pas de temps ». Le mythe est là, puissant : un bon travailleur ne doit se concentrer que sur sa tâche et ne se consacrer qu'à son accomplissement. Pas de « temps perdu » à échanger, à circuler d'un poste de travail à l'autre : les employés ne doivent surtout pas se détourner de leur tâche, définie de la manière la plus normée – et la plus étroite – possible. Quant aux cadres, les exigences sont tout autres : être présent est le premier des impératifs, qui prime souvent devant beaucoup d'autres. Présent et visible. Qu'il y ait de bonnes raisons ou non. Les évaluations annuelles en sont pleines, de ces louanges aux cadres « toujours disponibles », au cas où. En France, rester tard à son travail est signe d'importance et de prestige : on est indispensable, on est surchargé, on est donc bien dans la catégorie des cadres supérieurs. Au Royaume-Uni, aux États-Unis, rester tard est un signe de faiblesse : on est soit trop sollicité, soit mal organisé, soit pas très doué. À Washington, pendant cinq ans, ceux de mes interlocuteurs qui m'appelaient après 19 heures s'excusaient de me déranger chez moi. Je me gardais de leur dire que j'étais encore au bureau car mon image en aurait pâti.

En France, les réputations se bâtissent après 20 heures, les réseaux, les promotions aussi. On doit être vu, entrer dans le registre des conversations plus informelles, une fois la nuit tombée. Terminer son travail, bien sûr, mais bien au-delà, prendre le temps d'échanger, de se confier – un peu – de créer du lien. Rien de tout cela n'est absurde en soi. Que le travail soit bien plus et bien autre chose que la production sèche de biens ou de services définis à l'avance et qu'il nécessite d'entretenir du lien social pour l'accomplir du mieux possible, je le pense profondément. Que cela conduise forcément à alourdir les horaires et à renoncer non seulement à toute vie familiale, mais même à toute vie sociale normale me paraît en revanche hautement discutable. Ce lien, cet échange entre professionnels peut et doit se faire à d'autres moments de la journée, en traquant le véritable temps perdu : celui des réunions qui commencent en retard, qui durent deux heures, dont le sujet n'est pas clairement posé à l'avance, auxquelles participe deux fois plus de monde que nécessaire parce qu'on ne sait jamais, dont il ne ressort rien d'autre que la date de la prochaine réunion… Une réunion se prépare, s'organise, se mène, se conclut. Normalement. Mais en France, pas tellement. On y prend la parole comme on prend la pose : pour exister, pour une postérité qui s'en moque, par souci de marquer un territoire, plus que pour faire avancer un projet. On enferme trente cadres dans la même salle à quarante-cinq minutes de leur lieu de travail pendant deux heures pour leur diffuser un PowerPoint qu'on aurait pu leur envoyer par courrier électronique et au sujet duquel on n'a pas de temps pour des questions. On sort de réunion comme on y est entré, sans savoir qui fait quoi, comment et pour quand. Tout cela, cette perte de temps, aucun *lean management* pour venir la dénoncer. Peut-être, parce qu'une pratique pénible, pour absurde qu'elle soit, est difficile à remettre en cause dans une culture, où souffrir au travail serait la norme et beaucoup souffrir le signe que l'on travaille beaucoup, donc bien.

Nous voici à nouveau dans un symptôme bien français : celui de l'accomplissement dans la douleur et par la douleur. On n'est pas censé se plaire à l'école mais y subir des apprentissages et des épreuves.

Une phrase récente d'un de mes fils me revient aux oreilles : « J'adore les algorithmes et les maths en général. Je m'amuse en cours. Est-ce que je suis normal ? » Inquiétude légitime dans un cadre scolaire français. Cela continue en classe prépa, où il est clair qu'on n'est pas là pour s'épanouir. Une des grandes prépas parisiennes vante sans crainte pendant ses journées portes ouvertes la grande qualité de son infirmerie pour le soutien physique et moral de ses élèves.

Cela continue au travail. L'entreprise source d'épanouissement n'est que rarement crédible dans le discours français. Adorer son métier n'est pas facile à porter socialement. Faire en sorte qu'on puisse être bien au travail n'est pas non plus une préoccupation si fréquente. Le dialogue social sur ces questions se borne à mentionner les risques psycho-sociaux, louable intention souvent plus proche du slogan syndical que de la réalité des conditions de travail. L'idée qu'on puisse réellement améliorer ces conditions de travail en commençant par s'attaquer aux méthodes est, elle, une idée assez orpheline. Quelques chartes du temps fleurissent ici et là, rarement portées par les syndicats, souvent imposées d'en haut, trop peu appliquées pour être crédibles.

Il y aurait pourtant tant à repenser à l'heure de la société digitale, qui a bien davantage révolutionné notre vie quotidienne que nos habitudes de travail. Revoir ces réunions-monologues destinées à la seule information du plus grand nombre, là où un mail circulaire suffit. Revoir ces déplacements en troupeau vers des grand-messes inefficaces et surtout aussi peu interactives que possible, là où une visioconférence donnerait peut-être au moins autant de chances de prendre la parole et ferait économiser du temps de transports. Apprendre à dompter les courriers électroniques plutôt que d'être commandés par leur sonnerie lancinante sur sa table de travail. S'entendre sur ce qu'on attend précisément du travail en présentiel et du télétravail afin de responsabiliser les uns et les autres. Faut-il continuer à rémunérer le temps passé au travail ou le résultat atteint ? Doit-on valoriser – et surpayer – celui qui reste tard à son poste ou celui qui apporte une qualité supérieure à son travail ? Y a-t-il une fatalité à être débordé ?

Je me souviens d'avoir accepté un poste réputé assez lourd à la surprise générale : « Comment ? Mais tu ne te rends pas compte ! Ton prédécesseur terminait tous les soirs à 1 heure du matin. Avec tes enfants, tu n'y arriveras jamais. » Tiens, encore.

Mesdames, quelques remarques avant de renoncer à un poste pour ces raisons-là : Combien d'enfants a votre prédécesseur ? Autant que vous ? Pourquoi ne l'a-t-on pas dissuadé d'occuper ce poste et pourquoi n'y a-t-il pas renoncé de lui-même ? Deuxième remarque : Pourquoi tout le monde sait-il que votre prédécesseur termine à 1 heure du matin ? A-t-il fait une campagne de publicité exprès sur le sujet ? Sans doute, ou à peu près. Toujours disponible, certainement, mais aussi soucieux de le faire savoir, ça, clairement. Une méthode infaillible : l'envoi de mails à 1 heure du matin. En rafale. À la France entière. En tout cas la France qui compte. Celle qui vous regarde travailler et qui vous évalue : très bon, très disponible. Que ces mails aient pu être envoyés plus tôt, que leur contenu soit dérisoire, comptait visiblement moins que l'effet masse, l'horaire affiché et l'expéditeur unique, toujours le même, y compris pour des broutilles.

Le poste était lourd à mon arrivée, en effet, car aucune tâche n'y était déléguée. Aucune confiance accordée aux collaborateurs, aucun espace pour leur permettre, eux aussi, d'avoir une identité, de faire savoir qu'ils participaient à un travail collectif. Aucune responsabilisation, aucune mise en valeur des autres. Un chef unique, homme orchestre, faisant tout ou faisant mine de tout faire et des équipes démotivées, désœuvrées et dévalorisées. Un très bon, vraiment ? En tout cas un prototype puisque reconnu par ses pairs, célébré pour son sens du sacrifice.

Travaillez dans la douleur et vous serez dans le vrai. Souffrez et vous serez grand. On adore en France le vocabulaire militaire et la lexicologie religieuse pour décrire les qualités professionnelles : sens du sacrifice, mobilisation, dévouement, engagement. Vocation, sacerdoce, mission. Une glorification de la souffrance et de l'effort. Curieusement, on en oublie d'autres valeurs tout aussi propres à la vie militaire ou religieuse : sens de la stratégie, vision, imagination, capacité de conviction, courage, aptitude à conduire les autres à se dépasser, attention portée aux troupes…La question de savoir s'il faut vraiment en passer par l'exemplarité des valeurs militaires ou religieuses dans une société laïque et en temps de paix interroge. La référence à des vocations d'abord masculines (l'Armée, l'Église) et qui peinent elles-mêmes à recruter dans les jeunes générations ne peut que troubler. Mais plus encore le choix de ne retenir de ces valeurs « viriles » que les plus ordinaires (la souffrance, l'effort) au détriment d'attentes plus relevées et de ce fait plus exigeantes : l'audace, l'innovation, la capacité à se fixer sur l'objectif plus que sur la procédure, à tourner ses efforts vers l'invention de l'avenir et non la répétition du passé, à emmener ses équipes avec soi, à construire du consensus...

C'est dans la haute fonction publique que le profil du « grand travailleur », saint laïc vénéré par la République, est particulièrement valorisé. On y célèbre ceux qui jamais n'arrêtent de travailler, qui jamais ne quittent leur poste. Admirables, bien sûr. Dotés d'un sens supérieur de l'État, sans aucun doute. Exceptionnels, certes. Mais en quoi ? Est-ce par leur seule quantité de travail ou bien par leur vision, leur sens des priorités, leur capacité d'entraînement ? C'est là que quelques questions se posent. Des visionnaires, des créatifs, des penseurs libres, des hommes capables de concevoir un nouveau projet et de le mener à bien avec succès, on en dénombre beaucoup moins que de ces bourreaux de travail qui inspirent tant de respect et occupent tant de places. Dévoués, ils le sont, mais à quelle cause ? Aux politiques qu'ils servent ? Certes et c'est un confort sans pareil de savoir que l'on peut tout demander à ces « grands commis de l'État ». Tout et à toute heure. Et parfois n'importe quoi. Ces kyrielles de lois inutiles, de réglementations tatillonnes, de positions de négociation incompréhensibles, brouillonnes, à courte vue, destinées à contenter un politique qui veut exister quelques semaines ou quelques mois, comment sont-elles préparées, si ce n'est à la lueur de la lampe, en maugréant mais tout de même, par ces grands scouts toujours prêts dont la qualité essentielle est de toujours dire oui ?

Bien sûr, c'est la vocation du serviteur de l'État que de suivre la volonté du politique. Comme on lui reprocherait, comme on lui reproche déjà, de s'en affranchir, de faire vivre l'administration pour elle-même et suivant ses propres convictions. Ce reproche, souvent formulé, c'est bien à tort qu'on l'adresse à ces grands commis. Ils exécutent, passionnément, dans le détail, la volonté de politiques dont ils savent pourtant les limites pour les voir d'un peu trop près. Ils s'ingénient à « rendre présentables » des consignes souvent vagues, souvent obscures et souvent médiocres. Ils polissent, ils vernissent, ils chantournent. Des artisans de haute volée.

Pourquoi ne font-ils pas davantage, ne conseillent-ils pas plus, ne pèsent-ils pas du poids de leur intelligence plutôt que de celui de leur savoir-faire ? Les raisons en sont multiples et sans doute les politiques préfèrent-ils s'entourer de cabinets ministériels pléthoriques et toujours plus jeunes que de grandes figures qui, parfois, pourraient leur résister.

Mais il y a autre chose et cette autre chose réside dans notre rapport au travail. Un très haut fonctionnaire, dans notre pays, n'existe que par sa fonction, que par son travail. Il y consacre ses journées mais aussi ses soirées et, largement, ses week-ends. Il ne sert pas l'État, il est l'État. Sa vie familiale, s'il a eu le temps d'en établir une, se glisse furtivement dans de rares interstices. Sa vie amicale en fait autant. Et surtout elle se résume souvent à quelques-uns de ses semblables, de ses pairs, qui pensent comme lui, vivent comme lui ou plutôt, comme lui, ne vivent guère. À quoi ressemble la vie d'un très haut fonctionnaire : un chauffeur au petit matin qui le conduit vers un tunnel de réunions, de notes, d'entretiens, d'auditions parlementaires, de colloques, de conseils d'administration, la journée entière, jusqu'à point d'heure. Un déjeuner forcément de travail, à moins que ce ne soit un plateau-repas avalé sur le pouce. La vie au-dehors ? Ramassée, résumée, déformée par les chaînes d'infos en continu qui font souvent office de fond sonore dans le bureau. Le soir venu, s'il n'est pas resté au bureau jusque tard, très tard, quelques rencontres sociales, entre animaux du même biotope, d'une remise de décoration à un dîner ou une soirée à l'Opéra, parce que cela, c'est permis. On a le droit d'être mélomane, il s'agit presque d'un devoir. Ça ne manque pas de sel quand on sait à quelle heure commence l'Opéra, « au milieu de l'après-midi » dirait-on d'ordinaire dans la haute administration. Mais ce milieu de l'après-midi-là est admis si c'est pour l'Opéra, où l'on est abonné, où l'on se retrouve et l'on se flaire.

On trouve beaucoup plus d'hommes que de femmes dans ces rites sociaux autorisés par l'élite dirigeante du pays. Les femmes qui participent à cette élite sont certes peu nombreuses. Mais de plus elles ne s'autorisent pas ces « distractions » : tiraillées par leurs charges de famille quand elles en ont, elles culpabilisent même si aucun enfant ne les attend à la maison, de ces instants de socialisation qui seraient volés à leur temps de travail. À tout âge le complexe de la bonne élève joue encore : une haute fonctionnaire racontait ainsi récemment, comme preuve de sa naïveté, comment elle s'était interdit, des années durant, tout vernissage ou toute première de théâtre, par crainte de se laisser détourner de sa mission et de passer pour une écervelée dans son poste. Jusqu'au jour où, à quelques semaines d'un changement professionnel, elle s'est décidée à s'« offrir » un écart de ce type et à quitter son bureau un peu moins tard que d'habitude, un peu honteuse mais décidée « pour une unique fois » à ne pas passer à côté d'un événement culturel parisien. Elle décrit très bien sa stupeur quand, arrivant au vernissage tant attendu, elle y croisa toute sa hiérarchie et nombre de ses collègues, qui y discutaient ferme entre deux œuvres d'art de leur travail mais aussi de leurs futurs postes et de leurs espoirs de promotion. Le travail en dehors du travail, entre animaux de la même jungle, avec un alibi culturel en prime.

Car en réalité l'idée même d'une véritable vie personnelle en dehors de son travail relève toujours de l'indicible, voire de l'indécence. J'ai connu des hauts fonctionnaires qui taisaient autour d'eux la mort de leur propre père et ne s'étaient absentés de leur travail que le strict temps nécessaire aux obsèques. À leur poste, ils n'étaient ni fils, ni pères, ni maris. Rivés à leur milieu professionnel comme à une identité unique, ils ne le quittaient qu'à regret et le moins longtemps possible. Pourquoi ? Par peur de quoi ? Un très haut responsable, capable de recul et soucieux lui-même de se ressourcer et d'exister en dehors de son travail, moquait ses collaborateurs en parcourant les couloirs après 20 heures d'un sonore : « Messieurs, vous pouvez rentrer, l'heure du bain est passée. » Il n'avait pas tort et le cadre « débordé » cache parfois un père qui tente d'échapper aux tâches domestiques. Ce qui, naturellement, s'applique moins facilement aux mères, même si j'en connais plusieurs qui avouent « se remettre pendant la semaine de l'épuisement familial du week-end ». Je crois même avoir fait de temps à autre partie de ce groupe, pressée de retrouver au bureau un contrôle sur ce que j'avais à faire à la tête d'une équipe de huit cents personnes un peu moins aléatoire que mes responsabilités de mère d'une nichée de quatre oisillons.

La peur de retrouver des responsabilités familiales parfois écrasantes existe, c'est un fait. Ça se conçoit, même si elles sont d'autant plus écrasantes qu'on est beaucoup absent et que cette absence pèse. Contrairement à ce qu'on croit, les enfants de l'élite ne vont pas mieux que les autres. Favorisés au départ, leur réussite n'est pas toujours à la hauteur de leurs atouts : manque de motivation, solitude, angoisses, les ados de la bourgeoisie se cherchent et cherchent souvent à qui parler. Et quand ils deviennent vraiment difficiles, les pères fuient. Les mères plus rarement, mais cela peut leur arriver aussi. Anne-Marie Slaughter est une mère classique : elle a quitté son poste au *policy planning* du Département d'État parce que son adolescent était en crise. Peu nombreux sont les hommes qui en auraient fait autant. J'ai plutôt vu chez certains monter « l'angoisse du vendredi soir », ce symptôme étrange du cadre qui s'invente des raisons superficielles de rester au bureau juste avant d'affronter la réalité familiale incontournable du week-end : échanges de mails sans fin sur les sujets les plus futiles et les moins urgents, longs coups de fil « pour faire le point » quand rien ne l'impose particulièrement, conversations intimes à la lueur de la lampe au moment où, enfin, on pourrait choisir de faire autre chose… Je sais m'être souvent démenée pour m'extirper de ces échanges amicaux à sens unique où m'appeler ou venir me voir servait de prétexte à tous ceux qui ne voulaient pas rentrer chez eux le vendredi soir. Par curiosité, pour comprendre, je leur ai souvent demandé, à ces tricheurs du vendredi, des nouvelles de leur famille. Et les nouvelles n'étaient pas toujours bonnes : filles anorexiques, garçons en difficulté scolaire, il y avait dans tout cela une souffrance, une déception, une impuissance si pénibles que ces parents déboussolés préféraient l'oublier au travail et s'oublier dans le travail.

D'autres craintes rivent les dirigeants à leur poste, au-delà encore du nécessaire, pourtant très exigeant. La crainte de « l'imposture dévoilée » est la plus forte, la plus profonde et la moins avouée de toutes. Rares sont ceux qui en parlent. Mais certains ont osé la partager avec moi (le vendredi soir, encore), cette angoisse sourde, qu'on « se rende compte », qu'on « s'aperçoive » qu'ils n'étaient pas à la hauteur, pas la bonne personne, pas qualifiés pour les responsabilités qu'on leur avait confiées. Çà « allait se voir » et tout allait s'arrêter. Sauf à être toujours là, à occuper le terrain, toujours disponibles, irréprochables au moins sur ce plan-là. La quantité en guise de qualité. Bien sûr, tous ceux qui confiaient cela, moitié en riant, moitié en tremblant, étaient plutôt qualifiés pour leur poste. Et leur questionnement me paraissait plutôt sain. Toujours se demander si l'on est bien à sa place et si l'on ne pourrait pas mieux faire, cela témoigne d'une humilité bienvenue. Mais tout de même, derrière ces angoisses, ce vertige se cache un drôle de mécanisme : celui qui consiste à toujours monter, toujours plus haut, à toujours solliciter une promotion, une responsabilité supplémentaire, sans toujours y être préparé. De nombreuses études ont démontré qu'un homme candidatait sans ciller à un poste dont il ne détenait qu'une partie des compétences, là où une femme hésitait longtemps à se présenter pour le même poste bien qu'ayant toutes les aptitudes. Une moindre confiance en soi, un moindre appétit pour le risque expliquent ces différences de comportement, qui retardent en partie les carrières féminines. Un relent de plus du syndrome de la bonne élève, jamais sûre qu'elle « pourra mieux faire ». Empiriquement je l'ai vérifié : combien de fois j'ai vu des femmes s'abstenir de candidater, à un poste ou à une promotion, soit qu'elles manquent d'assurance, soit qu'elles craignent une exposition trop forte aux aléas des « grandes carrières », soit qu'elles répugnent à demander, à faire campagne. Parce que se mettre en avant, c'est se vendre. Et se vendre, pour beaucoup de femmes, c'est se prostituer. C'est idiot mais c'est ce qu'elles croient. Ce qu'on leur a fait croire, depuis longtemps. Alors elles ne demandent pas. Elles attendent sagement qu'on vienne les chercher. Comme on attend le prince charmant. Le complexe de Cendrillon.

J'ai en effet occupé les fonctions de DRH du Quai d'Orsay quelques années et établi des statistiques. Pour solliciter une promotion, les cadres du ministère où je servais sollicitaient des lettres de recommandation de leurs supérieurs hiérarchiques présents ou passés. Des dizaines de lettres de louanges s'amoncelaient sur mon bureau pendant la saison des promotions. Presque jamais spontanées. Presque toutes sollicitées. Et c'est là que la statistique intervient : 98 % de ces lettres concernaient des hommes. Il n'y avait pratiquement que des hommes à avoir osé demander un appui, une recommandation. Parfois plusieurs, il y avait des recordmen : dix-sept recommandations pour le même cadre. Il n'avait dû faire que cela pendant des mois, solliciter des appuis. Du côté des femmes, rien ou presque. Mélange d'ignorance du système, de réserve et de fierté. Quand je leur demandais si elles voulaient être promues et si elles étaient prêtes à demander un soutien à leur patron, après tout bien placé pour vanter leurs qualités, les réponses étaient toujours les mêmes : « Pas envie de solliciter. » Si elles travaillaient bien, cela devait bien se voir, leurs résultats parlaient pour elles. Pas envie de demander, de s'abaisser, de se prostituer.

S'agissait-il de fierté mal placée ? J'ai vu, une fois, ce que c'était que l'humiliation. Lorsqu'une femme de talent a voulu une promotion et que son patron, son mentor (le même que le mien) a fait campagne pour elle, à sa place, auprès de tous les syndicats, dont le rôle n'est pas mince dans l'administration. Une fois la promotion obtenue – et amplement méritée – elle croise le dirigeant d'un de ces syndicats. Se dit qu'il faudrait peut-être qu'elle le remercie de son soutien. Hésite, se lance, mal à l'aise : « Je voudrais vous exprimer ma reconnaissance pour avoir appuyé ma candidature. » La réponse a fusé, publique, sonore, graveleuse, menaçante, d'une vulgarité sans limite : « Apprenez, Mademoiselle, que la reconnaissance, ça ne s'exprime pas, ça se prouve ! » Et l'on voudrait que les femmes fassent campagne ?

Mais il y a aussi cette éternelle autocensure, cette humilité si bien apprise qu'elle en est intériorisée : ne pas se porter candidate parce qu'il y en a sûrement de meilleurs, de plus forts. Pas la peine de risquer les coups. Et après tout pourquoi faire ? N'est-on pas bien là où l'on est, à sa place, à une place qui ne dérange pas trop ? Si j'en parle savamment, c'est que j'ai raisonné comme cela, moi aussi. Ne pas trop demander. Ne rien demander du tout, en fait. Prendre ce qu'on vous donne, avec reconnaissance. Ça fonctionne un temps mais pas toute une vie professionnelle. Il faut apprendre à sortir de cette réserve-là et ce n'est pas facile. Lorsqu'un poste important, juste au-dessus du mien, s'est brusquement libéré, j'ai « fait la fille », moi aussi. J'ai d'abord mené campagne pour qu'on ne dégage pas celui qui était au-dessus de moi, parce cela me paraissait à la fois injuste et maladroit. Puis j'ai fait campagne, là encore, pour lui chercher un successeur, puisqu'il partait malgré tout. J'ai approché ceux qui me paraissaient avoir le bon profil, pour en parler avec eux, les entendre, les convaincre. J'ai résisté de toutes mes forces à penser, même un instant, que le bon profil, ce pouvait être moi. Jusqu'à ce qu'on vienne me demander, de la part du Ministre lui-même, un dimanche, de façon très utile et très drôle, « d'arrêter de ne pas être candidate ». Parce que j'avais le bon profil. Pas moins que les autres et même un peu plus. Parce que le Ministre ne voulait pas examiner une liste où je ne serais pas. Il n'avait pas encore fait son choix mais tout de même, il ne voulait pas être forcé à choisir dans une liste où je ne figurerais pas, pour la simple raison que je montrais plus de modestie que les autres. Cette humilité-là devenait pénible. Alors j'ai dit oui : oui au risque d'être choisie comme de ne pas l'être, oui au risque d'exposer une ambition. Ce n'était pas facile et il avait fallu que j'en reçoive l'instruction. Ambitieuse par devoir et par obéissance. Une fille, encore.

Pour la plupart des hommes, on l'a vu, c'est différent : on monte parce que c'est naturel, que c'est le destin et on pense aux risques après. Mais alors on y pense beaucoup : la crainte de l'imposture dévoilée, c'est cela. Cet inconfort extrême de celui qui a arraché un poste et se demande s'il est à la hauteur et surtout si on va le trouver à la hauteur. Alors il en rajoute. Il est tout le temps là. Du matin tôt à tard le soir. Le week-end. On doit pouvoir compter sur lui. Et il ne vit pas.

Les cadres dirigeants sont ainsi : rivés à leur travail de peur de le perdre. Les entreprises, les administrations n'ont rien à demander : la servitude volontaire se porte d'autant mieux qu'il y a compétition : premiers arrivés le matin, derniers partis le soir, premiers à répondre à un mail. Et le résultat est consternant.

La haute administration n'a jamais autant travaillé que ces dernières années. RTT rachetées, comptes-épargne-temps surgonflés. Les hauts fonctionnaires travaillent comme des brutes. Ramenés à leur salaire horaire, ils feraient mieux de donner des petits cours de maths ou de français. Pour quels résultats collectifs ? Tout le monde déplore l'inflation normative, la piètre qualité des nouveaux textes, l'absence de l'État dans les domaines qui préoccupent les Français et sa présence tatillonne là où on se passerait volontiers de lui. Et pour quels résultats individuels ? Combien de dépressions, d'infarctus, d'AVC, de *burn-out* ? Pourquoi n'en parle-t-on jamais, de ces grands commis de l'État qui quittent brusquement un poste et qu'on ne revoit qu'un an plus tard, devenus l'ombre d'eux-mêmes ? Combien de cancers décelés tardivement parce qu'on n'a pas le temps de consulter un médecin ? Rien de tout cela n'est exagéré. En plus d'un quart de siècle dans cet écosystème, j'ai vu les cas se multiplier sans que personne ne s'alarme. J'ai vu aussi des enfants à la dérive. Les conjoints qui s'épuisent et se lassent. Et les cadres accrochés à leur bureau comme à une bouée de sauvetage, jusqu'à une retraite vécue comme un écroulement.

Exceptionnel, exagéré ? Anecdotique ? Pas assez pour qu'on ne s'en alarme. Certainement pas. On imagine sans peine pourquoi ces trajectoires effraient et rebutent les femmes chargées de famille. On découvre de plus en plus que les nouveaux pères s'inquiètent eux aussi, à juste titre : leurs conjoints, dotés de diplômes équivalents aux leurs, n'entendent plus sacrifier leur carrière au profit du mâle alpha du couple. La situation se corse donc sur le plan de l'équilibre familial.

L'hyper-investissement dans le travail entraîne de mon point de vue d'autres dérives. Ce n'est pas – ou pas seulement – qu'un individu ne devient pas moins père ou mère de famille parce qu'il travaille, ni qu'il faut pouvoir concilier vie familiale et carrière. On le répète depuis des années. Mais ela me paraît à la fois incomplet et pervers. Notre réflexion sur la société accuse systématiquement du retard sur la société elle-même : on raisonne encore en termes de « conciliation » comme s'il s'agissait uniquement de résoudre un « problème » et que ce problème était purement féminin. Or le sujet n'est plus seulement celui des femmes mais largement celui de tous : les pères comme les mères, les couples séparés comme ceux qui ne le sont pas. C'est pourquoi réduire la réflexion sur l'organisation du travail au « problème » des mères actives revient insidieusement à pointer du doigt les femmes comme ÉTANT le problème. En faisant obstacle aux carrières féminines, pas besoin de s'adapter, de changer de méthodes, on peut continuer comme avant. Quelques-uns le disent, beaucoup le pensent.

Si la «conciliation» peut parfaitement devenir l'affaire de tous, la revendication n'est aujourd'hui portée que par des femmes, au risque de les rendre vulnérables aux critiques : tant que leur situation minoritaire les empêche de peser sur les décisions relatives à l'organisation du travail, elles dérangent. Pourquoi en effet réformer un système réputé avoir fonctionné jusqu'ici sans contestation au prétexte que de nouvelles entrantes n'y trouveraient pas leur place? Que les anciens participants au système en aient souffert sans rien dire, que les «nouveaux pères» peinent davantage encore à s'en accommoder ou que le système lui-même se soit encore durci pèsent de peu de poids tant que la plupart des hommes restent silencieux et ne contestent pas ouvertement les règles.

Il faut se poser la question : chargés ou non d'une famille, devons-nous aller au-delà de nous-mêmes et sommes-nous plus efficaces, plus utiles, plus pertinents simplement parce que nous serions hyper-présents? Dans une réaction assez drôle et assez percutante aux conseils que prodigue Sheryl Sandberg pour pousser les femmes à oser toujours davantage *Lean In*, une autre Américaine, Rosa Brooks, leur recommande au contraire de prendre du recul (*Recline*) et formule une remarque plutôt juste : on prescrit aux aiguilleurs du ciel comme aux chauffeurs routiers des temps de travail maximum au-delà desquels ils sont tenus de faire une pause. La raison en est simple : la fatigue pourrait leur faire risquer leur vie et celle des autres. Pourquoi n'applique-t-on pas, à due proportion, les mêmes précautions aux cadres dirigeants de l'État comme des entreprises ? Combien de décisions mériteraient un esprit frais, une tête reposée pour être conçues et mises en œuvre ? Combien d'erreurs sont-elles imputables au surmenage ? D'où vient cette fascination pour la crise qui fait croire qu'on est à son meilleur lorsque la tension est maximale et l'effort quasi insupportable ?

Au-delà, que pense-t-on pouvoir apporter à une entreprise, à un projet, à une collectivité à qui on dévoue tout son temps, toute son énergie mais dont on ne sort jamais ? J'ai appris au fil des années à mettre mes collaborateurs dehors le soir venu. Pour qu'ils retournent dans leur famille, bien sûr. Pour les obliger à s'organiser et me forcer à être attentive à leur charge de travail, naturellement. Mais aussi pour qu'ils se ressourcent et puissent m'apporter autre chose, d'autres idées, d'autres façons de voir, nées de leurs lectures, de leurs rencontres, de leur confrontation avec autre chose que l'entre-soi et la pensée toute faite de leur monde professionnel. Qu'ils voient de « vraies gens », qu'ils sortent, qu'ils se changent les idées et reviennent avec des idées neuves, cela ne peut qu'enrichir leur travail. Et si l'on revient à la journée type d'un cadre dirigeant en France à l'heure actuelle, combien d'occasions a-t-il vraiment de sortir de la bulle dans laquelle le maintient son travail, de chambouler sa manière de penser et de prendre du champ pour réfléchir ? L'instant pathétique est atteint lorsque quelqu'un vous assène une généralité sous prétexte que son chauffeur lui aurait dit quelque chose. Mais sans sombrer dans ce niveau de caricature, combien de dirigeants ne font, de toute la semaine et parfois le week-end, que se voir entre eux dans un cercle d'autant plus étroit que subsiste peu, voire pas de temps pour autre chose que le travail ?

J'ai eu, il y a très longtemps, un échange téléphonique édifiant avec la femme d'un de mes premiers patrons. Nous étions un dimanche matin, j'étais de permanence : dans la haute fonction publique, on s'entraîne tôt à pratiquer le bureau le dimanche, c'est une forme d'initiation à laquelle on ne déroge guère. Elle appelait pour parler à son mari et je lui affirmai, un peu vite, qu'il n'était pas là. Sa réponse fut vive et claire : c'était impossible. Son mari ne connaissait que deux rites le dimanche : la messe et son bureau. Comme la messe était terminée, il était obligatoirement au bureau, J'avais mal cherché. Elle avait raison, il était allé se laver les mains. Depuis plus de quinze ans, il passait immuablement tous ses dimanches au bureau.

À nouveau, si cette vision sacerdotale du travail avait conduit à des résultats exceptionnels, il n'y aurait qu'à s'incliner, même si le prix à payer pour les plus hauts responsables paraîtrait particulièrement élevé. Mais rien n'indique que la course au « présentéisme » effréné que l'on pratique depuis quelques décennies nous ait conduits à de plus sages décisions, à de meilleures stratégies ou à un pilotage plus avisé des entreprises ou des collectivités. Il fait peu de doutes que la gestion des entreprises et des hommes soit devenue plus complexe et requière davantage d'engagement que par le passé. Pour autant les outils d'aide à la décision n'ont jamais été aussi nombreux. Et surtout, l'équilibre personnel, quelle que soit sa forme, la capacité à prendre du recul, à comprendre le monde dans lequel on se situe, sont eux aussi plus nécessaires que jamais. Les responsables n'ont pas vocation à devenir des machines folles, sauf à risquer leur santé mais aussi celle de leur entreprise ou de leur collectivité.

Réfléchir aux méthodes de travail suscite une curieuse réticence. On verra toujours des responsables se pencher plus volontiers sur la réforme d'un organigramme et inventer un nouveau big bang que sur la façon dont ils travaillent et dont ils font travailler leurs collaborateurs au jour le jour. Les réflexions, quand elles existent, sont en outre souvent confiées à des consultants extérieurs, destinées à accroître la productivité des équipes en diminuant les effectifs et les coûts. Il n'est pas surprenant dans ces conditions qu'elles engendrent moins d'adhésion que de méfiance. Les organisations syndicales y sont souvent peu favorables et assimilent fréquemment le maintien de l'existant avec le souhaitable et le changement avec l'inquiétude. Pourtant, revisiter la manière dont nous travaillons relève de l'urgence : tout laisse à penser que nous utilisons aujourd'hui des outils du XXIe siècle pour poursuivre des objectifs du XXe siècle avec des méthodes du XIXe siècle. Tout permet de dire que ça ne marche pas. Chacun a donc intérêt au changement.

Chacun et d'abord chacune, car les femmes ne trouveront jamais leur place si on demande toujours plus aux cadres qu'elles aspirent à devenir et toujours plus aux mères qu'elles sont ou qu'elles voudraient être. Rosa Brooks, déjà citée, le remarque très justement et s'en inquiète : au moment où les tâches domestiques se sont allégées à grands coups d'avancées électroménagères diverses (selon l'équation bien connue congélateur + lave-vaisselle = naissance du temps libre pour les femmes) de nouvelles exigences sont nées quant à l'éducation des enfants. Ces trouvailles imposent aux nouveaux parents, mais surtout aux nouvelles mères, une pression sans équivalent dans les générations passées pour qu'elles en deviennent les championnes. L'allaitement quasi imposé et aussi prolongé que possible est de ce point de vue significatif. Nos mères n'ont allaité que si elles le voulaient et beaucoup ne le voulaient pas. Nous ne sommes pourtant ni en mauvaise santé, ni particulièrement traumatisés. Mais dans ma génération et celle qui suit, le prosélytisme en faveur de l'allaitement a pris une ampleur hallucinante. À la maternité, il faut quasiment se battre pour se faire entendre si l'on ne souhaite pas allaiter son enfant (*breast-feed* en anglais, ce qui dit tout le contraire de ce qu'on veut nous faire croire sur la dimension affective et sensuelle de l'exercice : *breast-feed*, c'est anatomique, utilitaire et quasi mécanique). On nous explique très vite que la reprise d'une activité professionnelle ne doit surtout pas nous conduire à sevrer nos enfants. En avant vers le tire-lait, ce symbole bien connu de lien affectif et de sensualité. En avant vers les séances de traite (y a-t-il un autre mot?) en cachette, dans son bureau, dans les sanitaires de son lieu de travail, à la sauvette, en faisant au plus vite. En avant vers les biberons stockés comme on peut dans le réfrigérateur collectif de l'étage, rapportés à la hâte à la maison, confiés à la nourrice (qui ne remplit plus pour sa part au sens littéral la fonction qui lui a donné son nom). Mesdames, arrêtons-nous une minute : croyons-nous que lorsque nos mères travaillaient (et il y en avait tout de même) elles s'imposaient pareilles complications? Pouvons-nous encore décider d'allaiter si et seulement si cela nous chante et ne pas commencer volontairement à nous compliquer la vie lorsque nous pourrions parfaitement nous la simplifier? J'ai le souvenir d'avoir dû supplier qu'on ne m'impose pas d'allaiter mes jumeaux alors que j'étais en réanimation après leur naissance et que j'anticipais de devoir m'occuper d'eux mais aussi de leur frère aîné d'à peine un an de plus. J'entends encore l'insistance des infirmières, leur indifférence à mes arguments (l'épuisement, l'impossibilité de m'organiser pour la suite), leur «oubli» du médicament qui aurait pu m'épargner une montée de lait spectaculaire et les méthodes médiévales auxquelles il fallut recourir pour la stopper… Pourquoi?

La pression ne s'arrête pas là. Judith Warner l'a savamment décrite, cette *Perfect madness*. Le *parenting*, nouvelle discipline olympique de la vie des femmes, consiste à inculquer aux parents, mais surtout aux mères, l'idée insidieuse que l'éducation de leurs enfants ne va pas de soi, qu'il leur faut faire toujours plus, toujours mieux. À qui s'adressent ces conseils avisés ? Aux femmes cultivées, éduquées, qui ont une probabilité élevée d'avoir une vie professionnelle exigeante et à qui on donne immédiatement mauvaise conscience en les surchargeant de tâches nouvelles et toutes plus chronophages pour contribuer à l'éveil et à l'équilibre de leurs enfants. Bébés nageurs, musique dès trois ans, orthophonistes, orthodontistes, orthoptistes, psychothérapeutes, rééducateurs en tous genres qui tous redressent, améliorent, perfectionnent les enfants forcément imparfaits que l'on aura mis au monde, à grands frais puisque la Sécurité sociale les ignore mais aussi au prix d'un temps passé qui rend l'emploi du temps d'un ministre enviable à côté de celui d'une mère. Je suis passée par là à plusieurs reprises et surtout, curieusement, dans les moments de ma carrière où j'étais la plus débordée : orthophoniste pour tester la dyslexie potentielle d'un fils aîné qui ne comprenait simplement rien à la méthode globale et que l'institutrice ne comprenait surtout pas du tout. Orthoptiste pour apprendre à l'un de mes jumeaux à regarder dans ses lunettes plutôt qu'en dessous. Le summum : la graphothérapeute, une fois encore conseillée par une enseignante pour rattraper la mauvaise tenue du stylo du petit dernier : elle n'avait pas réussi à la corriger pendant l'année et elle me la signalait comme un handicap grave quelques jours avant les vacances.

Heureusement, je suis toujours tombée sur des gens honnêtes qui m'ont très vite assurée qu'en quelques heures dénichées ici ou là le week-end je pouvais venir moi-même en aide à mes enfants. Et qui sont convenus que mes enfants allaient parfaitement bien avec tous leurs petits défauts, c'est-à-dire qu'ils progressaient chacun à son rythme. Heureusement, pour mon dernier fils, il grandit en France où je peux solliciter l'aide de sa grand-mère pour ce type de rendez-vous improbables. Heureusement surtout qu'avec une famille nombreuse, je réagis spontanément avec prudence à ces conseils « avisés » dispensés sans retenue par des enseignants qui semblent penser que le meilleur moyen d'être tranquilles consiste à assigner aux mères une liste de tâches par lesquelles elles s'occupent de tout, sauf de ce qui se passe à l'école. Heureusement, en un mot, qu'une famille nombreuse contraint à ne plus croire à la perfection. Le temps manque de toute façon.

Le vrai secret est là : cessons de vouloir être à la fois des employées modèles, des épouses modèles et des mères modèles. Acceptons-nous comme nous sommes et nos enfants comme ils sont. Cessons de croire que nous devons faire notre travail mille fois mieux que ceux qui nous ont précédés et élever nos enfants mille fois plus intelligemment que nos mères ou nos grand-mères avant nous. Cessons de nous piéger nous-mêmes : nos mères et nos grand-mères, même quand elles ne travaillaient pas, en faisaient moins que nous pour nous éveiller, nous éduquer ou nous équilibrer. Et les hommes qui nous ont précédés dans les responsabilités que nous occupons n'ont pas toujours tenu à en remontrer à la terre entière en faisant leur travail. Calmons-nous, prenons du recul et apprenons l'humilité, qui souvent nous manque : personne d'autre que nous ne nous demande d'être parfaites. Nos enfants ont besoin que nous soyons aimantes et épanouies. Travailler dans le monde d'aujourd'hui requiert de le comprendre et de s'y sentir à sa place. Rien ne sert de souffrir et de se sacrifier. Nous n'avons rien à expier.

8.

Faut-il souffrir pour être femme ?

« Vous supportez beaucoup trop. »

Cette phrase, le jour où je l'ai entendue, je n'en suis pas revenue. Prononcée avec une grande bienveillance par un médecin femme, elle m'a fait tomber des nues. Comment ? Moi ? La féministe convaincue, toujours prête à venir au secours d'une sœur en détresse, à dénoncer les injustices, les inconvenances, les négligences, les violences dont une femme ferait l'objet, j'endurerais moi-même plus que de raison ? Impossible. Moi, j'allais bien. J'étais privilégiée, gâtée, éduquée, avertie, pas à plaindre une seconde. Les malheureuses, c'était les autres. Pas moi. Et pourtant.

Et pourtant elle avait raison. Et cela n'a d'intérêt d'en parler que pour un seul motif : certainement pas pour geindre, mais parce qu'en effet j'ai cru la souffrance physique naturelle, inéluctable, une fatalité à laquelle je ne pouvais rien. Femme, j'étais née pour souffrir, comme les autres. La douleur ne méritait donc aucune réaction particulière si ce n'était de serrer les dents. Pour quelqu'un qui se croyait persuadée que les femmes n'ont, pas plus que les hommes, de vocation naturelle au sacrifice ni de faute à expier, jolie contradiction. Qu'il m'a fallu des années pour dépasser.

Je l'ai déjà dit, la souffrance commence tôt chez les petites filles : la danse classique est une école formidable pour ça. Pieds en sang à chaque cours et la fierté qui va avec. Les gymnastes des pays de l'Est ont aussi longtemps montré ce qu'on attendait des fillettes dans ces régimes-là : pour faire l'orgueil de leur patrie, entraînement militaire, régimes draconiens, discipline de fer. Ces « petites communistes qui ne souriaient jamais », comme Lola Lafon a joliment appelé Nadia Comaneci, martyrisaient leur corps, sur ordre, parce qu'on leur avait assigné une mission, celle de l'emporter sur les autres. Et nous, à l'Ouest, nous regardions ça, hébétées d'admiration, incapables d'en faire autant et légèrement honteuses. Ces corps androgynes, sur lesquels la puberté n'avait pas de prise, c'est ce qu'on donnait en modèle à l'Est : le triomphe de la volonté sur le corps des jeunes filles. À l'Ouest, au même moment, c'était le règne des Lolita, comme le dit toujours Lola Lafon : Brooke Shields en *Petite* prostituée de treize ans, Jodie Foster dans *Taxi Driver*. Les adolescentes n'avaient pas le temps d'être pubères qu'on en faisait non pas des femmes mais des objets.

Et nous au milieu ? Pour s'y retrouver, il fallait un certain aplomb. L'adolescence est un moment compliqué mais quand elle se trouve coincée entre deux modèles aussi excessifs que tyranniques, il n'est pas rare que les jeunes filles s'y perdent. Pour beaucoup, c'est ce qui s'est passé. L'anorexie a ainsi été la fille naturelle de ces années folles, de ces décennies pas encore closes où entrer en puberté signifie voir exposé son corps beaucoup trop, beaucoup trop tôt, beaucoup trop vite, à un moment où il est rare que l'on s'aime. Comment avoir quinze ans aujourd'hui, lorsque les magazines sont peuplés de mannequins déjà au top à cet âge et qui, à quelques exceptions près, seront périmées à vingt ans ? Comment aimer un corps qu'on n'a pas encore eu le temps d'apprivoiser qu'il faut déjà l'exhiber, le façonner, l'offrir au regard au moment même où il se transforme ?

Pour ma génération, ce ne fut pas encore trop compliqué : le jean y était unisexe, les pulls extra-larges, le sac à dos US Army et les baskets de rigueur. On pouvait à peu près traverser la tourmente de l'adolescence en se protégeant des regards, même si les modèles qui nous étaient proposés prônaient déjà tout le contraire. Aujourd'hui c'est infiniment plus déroutant : le stretch est partout, les micro-jupes, les leggings, les tops, on souligne tout, on montre tout. Mais on montre quoi au juste ? Quelque chose qui n'existe pas. L'ultraminceur et les poitrines généreuses. La fraîcheur d'un visage de quinze ans et des maquillages de théâtre. Une contradiction permanente, une esthétique inaccessible. Pauvres jeunes filles, qui se rêvent maigres et pulpeuses à la fois. Ironie du sort, le modèle vient de l'Est, à nouveau.

Les tops sont russes et faméliques mais portent des bonnets D.

Et alors ? Alors tout le monde triche. Les magazines, qui photoshoppent des mannequins de seize ans et les font passer pour encore plus minces qu'elles ne le sont déjà. Les adolescentes brésiliennes, américaines, bientôt européennes, les stars de la téléréalité ont déjà montré le chemin, à qui l'on offre pour leurs dix-huit ans une nouvelle poitrine plutôt qu'une nouvelle montre. Les plus de trente ans qui n'ont que l'embarras du choix : Botox, collagène, UV, lipposuccion, anneau à l'estomac, lifting, jusqu'à l'opération de la voûte plantaire pour mieux supporter la cambrure des stilettos. À ce rythme, le retour des pieds bandés n'est plus qu'une question de saison.

Et puisque l'ultraminceur est la norme en dépit du règne des chips, des burgers et de l'hyper-sédentarité, une seule solution : s'affamer. Après trente ans, là encore, il n'y a qu'à choisir : on trouve autant de régimes que de jours de l'année. Tant pis si au moins un coupe-faim s'est révélé mortel. Aussi mortel que certaines prothèses mammaires. C'est formidable, ces scandales sanitaires qui ne touchent que les femmes. C'est aux femmes que l'on prescrit des médicaments miracle pour être toujours plus belles, plus désirables, plus minces, moins acnéiques, pour se fondre dans la norme, pour être « consommables » dans une société tout entière construite sur la consommation. Et c'est aux femmes que l'on fourgue n'importe quoi du moment que cela rapporte : prothèses cancérigènes, coupe-faim mortels, pilules dangereuses, traitements hormonaux et autres vaccins aux effets secondaires mal connus, comment peuvent-ils à ce point inonder le marché sans que, pour une fois, le sacro-saint principe de précaution s'applique ? Qu'il n'y ait que des femmes sur le banc des victimes ne surprend personne. Qu'elles aient, en masse et en confiance, mis leur santé, voire leur vie en péril pour satisfaire aux canons esthétiques de l'époque et qu'on les ait trahies paraît aller de soi. Les risques du métier. Il faut souffrir pour être belle, n'est-ce pas ?

Il est vrai que la valse de la souffrance a commencé avant trente ans, pour celles que l'anorexie a cueillies et torturées dès avant qu'elles ne deviennent vraiment des femmes, justement parce qu'elles paniquaient à l'idée de le devenir. L'anorexie, ce serpent tapi à l'âge où le corps n'est encore qu'un brouillon, où l'avenir est si incertain qu'il paraît menaçant, où l'on ne maîtrise rien de sa vie, où l'on dépend des autres, de ses parents surtout, pour tout, y compris ce que l'on mange. Ne pas manger, seul moyen pour affirmer qu'on existe par soi-même quand tout le reste vous assène le contraire. Ne pas manger quand, depuis l'enfance, c'est l'injonction inverse que l'on entend : « Mange. Finis ton assiette. » Il faut manger pour grandir. Manger de tout pour être bien élevée. Parce que c'est bon pour la santé. Finir son assiette parce que d'autres ont faim. Ne pas se lever de table avant d'avoir terminé. Une cuillère pour Maman. Pour lui faire plaisir. Pour lui ressembler. Alors c'est simple : il n'y a pas mieux pour arrêter de faire plaisir, pour ne pas ressembler à ceux qui vous précèdent et vous dominent que d'arrêter de manger. Ça vient tout seul, sans y penser, sans bruit, sans tout à fait s'en rendre compte. Cette légère nausée qui s'installe à chaque repas, d'abord à la fin, puis de plus en plus tôt, dès le moment de passer à table. Pas faim. Pas envie. Ces assiettes terrifiantes qui s'enchaînent. Ces odeurs de cuisine, fritures, poissons, sauces, vins, fromages… Ces repas longs comme un chemin de croix. Tricher. Se servir à peine. Desservir la première. Jeter. Et surtout régurgiter. À la demande. Sur commande. Commander à son corps. Maîtriser son destin. Légère. Pure. Ivre de légèreté. Une ballerine. Une gymnaste. Le triomphe de la volonté.

Rien de nouveau ? Cela a toujours existé ? Sans doute. Mais à quelle échelle ? Celle d'aujourd'hui, des conseils minceur pour les teenagers, des blogs sur le *thigh gap*, des mannequins faméliques aux grands cernes creux et aux coudes acérés ? Je ne crois pas.

Bien sûr, tout cela, on l'a dit avant moi, on en parle régulièrement. Une semaine sur cinquante-deux. Chaque magazine féminin paye l'écot d'un article par an sur « ce phénomène terriblement inquiétant de l'anorexie des jeunes filles qui, chères lectrices, commence de plus en plus tôt ». Au hasard d'une « campagne de pub choc ». D'un « livre-témoignage dont l'auteur, trop tôt disparue, était au fond une belle personne ». Du « douloureux secret d'une de nos people, chères lectrices »… Et puis plus rien. L'engagement pris par quelques maisons de couture de ne plus faire défiler des squelettes ? Ne me dites pas que vous y avez cru. Venez faire un tour en coulisses. Essayez de vous glisser dans les vêtements des défilés de haute couture. Par chance, je l'ai fait. J'avais moins de vingt ans et moins de quarante-cinq kilos, autant reconnaître que je n'étais pas très au clair avec tout cela moi-même. Et pourtant je ne rentrais dans presque rien. Les modèles que je connaissais, à part une poignée, marchaient aux coupe-faim, parfois à autre chose encore, pour tenir sans manger. Certaines titubaient sur les podiums. Tournaient de l'œil dans les vestiaires. Bien sûr, celles-là n'ont pas fait long feu. Seules les guerrières tiennent le coup plusieurs saisons. Et il reste toujours une poignée d'extraterrestres, celles que l'on revoit encore vingt ans après. Stromae a raison : « Il n'y a que Kate Moss qui est éternelle. » Pour une star qui dure, combien de petites filles vieillies trop vite, de poupées de chiffon vite jetées, vite remplacées ? Tant mieux, la mode adore la nouveauté.

Et les magazines ? Pourquoi trichent-ils à l'unisson ? Pourquoi ne pas mettre fin aux photos retouchées, ne pas montrer les côtes affleurantes des mannequins faméliques, les stars accros au Botox telles que nous les voyons vraiment à la lumière du jour, quand les pommettes saillent et que le visage se fait cireux ? Pourquoi s'acharner une fois de temps en temps sur une Cat Woman particulièrement hideuse quand elle a tant de petites cousines à peine mieux loties, elles qui se sont précipitées dans une vieillesse prématurée en voulant conserver pour toujours les traits de leurs jeunes années ?

Doit-on encore lire les magazines féminins, qui alternent sujets graves et futiles à tel point qu'on trouvera sur la même page le sort des fillettes du Congo et les péripéties d'une ex-Disney girl, quand sur la page en regard une Russe anorexique posera perchée sur des talons de douze centimètres ? Doit-on les laisser imposer une norme où presque tout est factice et presque rien n'est accessible, ni le prix du « it-bag », « tellement trendy », ni la silhouette de la « fashionista » qui le porte sur l'es « red carpets » en évitant les « fashion faux-pas » ?

Pas la peine pourtant de leur jeter la pierre. Tous les hebdos s'y sont mis, les quotidiens aussi. Peoplisation des Unes, mode, shopping et conseils beauté parsèment les titres les plus sérieux. Parce que la presse est en crise et que la seule publicité qu'elle peut encore attirer concerne les femmes, la mode, le luxe et la beauté. Si cette publicité fait vivre les journaux, inutile d'espérer que le rédactionnel la contredise. Et si cette publicité fait vivre la presse, c'est que nous y sommes sensibles, chères lectrices, que cela nous plaît et que cela marche. Ça vend du rêve, ça fait sourire, ça vend tout court.

Bien sûr, on pourra se demander si cela valait la peine que nos grand-mères abandonnent leurs corsets pour en arriver là. Bien sûr, on devrait passer davantage de temps avec les jeunes filles pour les aider à franchir le cap d'une adolescence devenue sérieusement compliquée. On pourra peut-être même pousser la curiosité jusqu'à se demander ce qui, dans cet étalage de corps irréels dès la puberté, peut inciter une jeune Européenne à se tourner vers un islam finalement rassurant pour celles qui ne voudraient pas jouer le jeu d'une sexualisation outrée dès l'adolescence. Le foulard plutôt que l'anorexie ? Et si certaines faisaient ce choix-là, que devrions-nous en penser ? Et savons-nous ce qu'en pensent au juste leurs frères, leurs cousins, de ces mannequins surexposés sur les murs de nos villes ? Savons-nous quelles conclusions ils en tirent, à l'heure d'un Internet omniprésent et de la pornographie en accès libre ? Avons-nous tout à fait conscience de l'image des femmes qui domine dans nos sociétés et est-ce vraiment celle que nous souhaitons donner ? Peut-on prôner la liberté pour toutes nos sœurs en islam et ailleurs, et exhiber les marques les plus flagrantes d'une autre forme d'aliénation ? Et combien de temps devrons-nous passer avec nos jeunes garçons pour qu'eux aussi ils s'y retrouvent ? J'avoue ne pas être certaine que nous ayons trouvé une vraie cohérence entre nos discours et nos comportements.

Souffrir pour être belles. Nous avons délibérément choisi de continuer sur la trace de nos aînées. Aliénées volontaires, pas la peine de nous plaindre puisqu'à chaque génération nous inventons nos diktats et les suivons avec rage. Les hommes n'ont pas grand-chose à voir là dedans, pour être parfaitement honnêtes : ils nous ont connues au fil des siècles maigres ou grasses, garçonnes ou bien en chair et paraissent s'en être toujours accommodés. C'est donc de nous que cela vient. Pas de domination masculine derrière ça, ou si peu.

Mais souffrir pour être femmes et notamment pour être mères ? Dans quelle mesure sommes-nous sorties de l'obscurantisme des premiers âges et des ravages du « Tu enfanteras dans la douleur » ? Bien peu à mon sens et je crois désormais d'expérience qu'en effet, nous « supportons beaucoup trop ».

Certes, porter et mettre au monde des enfants est aujourd'hui infiniment moins périlleux que jadis. Dans nos sociétés, la mortalité maternelle est devenue rarissime et elle décroît jusque dans le monde en développement, même si c'est encore trop lentement. La médecine a de ce point de vue progressé davantage en un demi-siècle qu'en deux millénaires. On ne meurt plus guère en couches, du moins en Occident. On parvient en outre à aider un nombre toujours plus élevé de couples naguère stériles à procréer. Lutte contre l'infertilité, obstétrique, tout a progressé. Ou presque tout. Les esprits sont parfois allés beaucoup moins vite que la science. Nos sociétés en donnent depuis plusieurs mois des exemples saisissants : recul de l'avortement en Espagne, interrogations sur la PMA et la GPA en France. Tout n'a pas été accepté ni compris aussi vite que certains ou certaines le croyaient. Parfois, le retard se niche au sein des cabinets médicaux eux-mêmes. Parce que la santé des femmes reste encore largement une affaire d'hommes et que s'y mêlent parfois d'autres considérations que celles de la seule médecine. Si à ce moment de ce livre, je fais part de ma propre expérience, c'est à regret. J'ai été élevée dans l'idée qu'on ne parlait pas de sa santé, surtout si l'on était une femme. Ces « histoires de bonne femme », ça ne se racontait pas, ça ne se faisait pas et ça n'intéressait personne. Et je ne suis pas loin de continuer à penser de la sorte. Quand je lis ou que j'entends certains récits, je peine à croire qu'ils ne sont pas dictés par une forme d'impudeur. Si je pense devoir témoigner, c'est que ce qui m'est arrivé est advenu à d'autres que moi et que cela aurait pu avoir des conséquences très sérieuses, auxquelles je ne m'attendais pas, auxquelles personne ne devrait s'attendre.

« Madame, vous devez apprendre à vivre avec les douleurs de la grossesse » : C'est cette phrase, une simple phrase, qui a failli me tuer et avec moi les entants que je portais. Prononcée avec dédain par un jeune interne sans expérience dans l'une des maternités les plus réputées de France, cette phrase aurait pu me coûter la vie. Elle disait l'incompréhension et le mépris pour la souffrance dont je rendais compte, qui me clouait de douleur et ne ressemblait à rien de ce que j'avais connu jusque-là. Elle disait plus encore : l'incompréhension et le mépris pour la patiente que j'étais et pour le fait que ma raison, mon expérience et ce que j'avais à dire pouvaient avoir une valeur. Dans l'esprit de cet interne, seul le médecin détenait le savoir et c'était simple : je ne souffrais pas. Ce n'était pas possible. Ou du moins ça n'avait pas d'importance. J'étais probablement douillette. Les « douleurs de la grossesse », ça existait sans doute, c'était normal, je n'avais qu'à faire avec.

Si ce n'est que je n'avais jamais été douillette. Que je pouvais distinctement dire que ce qui m'arrivait ne ressemblait à rien de connu et que c'était insupportable. Si ce n'est que les sages-femmes suppliaient le médecin de programmer mon accouchement parce que « quelque chose d'anormal était en train de se passer » et que je le suppliais moi aussi, sans résultat. Il fallait que j' « apprenne à vivre avec les douleurs de la grossesse ». Mes enfants étaient viables, largement, je me tordais de douleur mais il fallait que j'arrête de le déranger et que j'apprenne la souffrance. Lui-même, la souffrance, qu'en savait-il ? Celle de la grossesse en particulier ? Pas grand-chose, à l'évidence. À ce régime, j'ai failli mourir et perdre mes enfants. Il a fallu le retour de vacances d'une chef de service pour que tout aille très vite : son arrivée, la lecture de mon dossier médical, quelques mots échangés avec les sages-femmes, quelques jurons, une instruction (on l'emmène au bloc, tout de suite)… Il fallut attendre encore deux heures. Dans la chambre voisine de la mienne, une autre future mère n'allait pas mieux que moi, apparemment. Elle aussi peinait à « apprendre à vivre avec les douleurs de sa grossesse ». On l'a accouchée avant moi et elle a perdu les jumeaux qu'elle attendait. On me l'a dit au moment de m'introduire dans le bloc, comme je refusais de donner à l'avance le prénom de mes enfants à naître : « Madame, si vous mourez ou si vous n'êtes plus consciente, il faut qu'on sache comment vous vouliez les appeler. » Idéal. Il est vrai qu'aux États-Unis, le premier papier qu'on vous demande à l'entrée de la maternité est un exemplaire de votre testament. On ne sait jamais, on n'est jamais trop prudent.

L'hôpital a tout fait pour que je ne sache pas ce que j'avais eu. Pas de communication, pas de dialogue, à quoi bon, les patientes ne savent rien et les médecins savent tout. Je l'ai finalement appris dans le dossier d'un de mes fils, en fouillant les tiroirs de la néonatologie où mes enfants sont restés deux semaines : Éclampsie. Une maladie d'un autre siècle, qui n'existe plus que dans le Tiers Monde. Facile à éviter, à reconnaître et à traiter lorsqu'elle est décelée tôt, la toxémie ne se transforme en éclampsie, avec le risque vital qu'elle recèle, qu'en cas de négligence. C'était cela, les douleurs avec lesquelles j'aurais dû « apprendre à vivre ». Une maladie mortelle. Parce que j'étais la patiente et qu'il était le médecin, parce que mon expérience, ma raison et ce que je pouvais dire de ce que je ressentais comptait moins que ce qu'il avait appris dans les livres, parce que souffrir lorsqu'on attend un enfant lui paraissait dans l'ordre des choses, un homme a failli me tuer, mes enfants avec et n'a pas sauvé d'autres enfants à naître.

Je n'ai pas porté plainte et je le regrette. J'étais épuisée, je devais remonter la pente, mes enfants allaient raisonnablement bien et j'ai voulu tourner la page. Je me suis contentée de chasser de ma chambre le grand mandarin de l'hôpital qui a cru devoir venir me voir après coup et s'est senti autorisé à prendre de mes nouvelles en m'appelant « mon petit » et en posant sa main sur mon front. Je n'étais pas son petit, il était un peu tard pour prendre de mes nouvelles, je ne l'avais jamais vu avant, je ne voulais pas le voir après. L'interne, lui, je ne l'ai jamais revu. J'ai appris plus tard que plusieurs patientes arrivées en urgence à cette maternité avaient perdu leur enfant, sans parvenir à démontrer de négligence particulière de la part de l'hôpital. Je m'en veux de ne pas avoir porté plainte moi-même, alors que j'aurais peut-être pu éviter que de nouvelles erreurs soient commises.

J'en parle aujourd'hui parce qu'au-delà de l'anecdote, ce qui s'est passé m'a appris qu'on associait toujours enfantement et souffrance, comme une évidence, comme si la médecine était de peu de poids face aux croyances héritées du passé. Il n'y a pas beaucoup de pays où l'on est parvenu à s'extraire de cette lecture-là, celle d'une souffrance « normale », rituelle, quasi héroïque par laquelle les futures mères devraient passer sans qu'on s'en émeuve. On nous parlera de la péridurale. Il faudra alors m'expliquer pourquoi en Angleterre on la considère toujours comme un luxe et une solution de dernier recours. Il faudra surtout m'expliquer, à moi qui ai failli perdre la vie et perdre mes enfants, pourquoi de jeunes femmes préfèrent aujourd'hui risquer la leur dans des « maisons de naissance » volontairement dénuées de facilités médicales. Qu'aux États-Unis comme en France, on s'impose une souffrance volontaire au motif qu'elle serait « naturelle », que nos aïeules l'auraient supportée avant nous et que ce serait le meilleur (le seul ?) moyen de devenir vraiment mère me laisse sans voix. Personne ne refuse, que je sache, le bénéfice d'une anesthésie pour la plus petite intervention dentaire, reconnaissants que nous sommes de ne plus avoir à supporter les souffrances d'antan. Serait-ce plus noble, plus héroïque, plus digne d'enfanter dans la douleur quand on peut aujourd'hui largement l'éviter ? J'avoue ne pas comprendre, sauf à accepter l'idée que les médecins seraient les plus mal placés pour comprendre ce qui advient aux femmes. De ce point de vue, je ne peux pas totalement dire que je ne comprends pas.

Combien de maladresses en effet, de gaffes, d'incompréhensions une femme doit-elle endurer à chaque étape de sa vie médicale ? Si toutes ne se traduisent pas par un risque vital, combien de paroles et de gestes inutiles, blessants, désagréables, humiliants une femme doit-elle entendre lorsque sa santé est en jeu ? « Avortement de confort », « césarienne de convenance » : Celui ou celle qui s'autorise ce type de formule n'a pas dû passer souvent sur une table d'opération. Toujours au chapitre des choses vues ou entendues : « Voulez-vous vraiment garder cet enfant, à votre âge, vous êtes sûre ? » D'une grande élégance, vraiment et surtout tout à fait à propos dans une consultation d'obstétrique. À l'inverse : « Mais réfléchissez bien, c'est un bonheur d'attendre un enfant » pour une patiente, qui vire à l'impatiente, venue consulter pour une IVG. Gourde dans un cas, gourde dans l'autre, le médecin ne se retient guère de dire tout haut ce qu'il pense. « Parturiente », « Primigeste », « Primipare », « Patho » : entrez dans un hôpital avec un ventre rond et vous ne serez plus une personne mais l'un de ces qualificatifs catégoriels qui vous déshumanisent en quelques secondes. On décidera de presque tout à votre place, sans vous dire grand-chose et dans un phénomène étrange d'infantilisation en vertu duquel, dès lors que vous portez un enfant, vous retomberiez vous-même en enfance et qu'il serait normal de vous considérer comme une cruche. J'ai ainsi connu une maternité française dont le responsable, un des papes de l'obstétrique, avait cru bon de prévoir que les jeunes accouchées partageraient systématiquement à plusieurs chambres, salle de bains et nursery, au moins deux par deux si ce n'est quatre par quatre, pour « s'enrichir de leurs échanges entre jeunes mères ». D'où il est permis de conclure qu'il n'avait jamais dû assurer le soin nocturne d'un nouveau-né, lorsqu'il faut se réveiller trois ou quatre fois par nuit pour apaiser les vagissements, nourrir, changer, bercer un tout-petit, ce qu'on fait pour son enfant avec bonheur malgré la fatigue mais qu'on préfère ne pas entendre des enfants des autres lorsqu'on essaie de grappiller quelques heures de sommeil. L'utopie d'un homme, à qui il aurait été raisonnable de ne rien demander d'autre que d'exercer ses compétences, sans doute éminentes, en obstétrique stricto sensu, était ainsi venue imposer sa vision à des milliers de femmes, condamnées à la privation de sommeil, que le droit international assimile pourtant à la torture, par son envie un peu vaine de s'attendrir sur des groupes de jeunes mères censées s'épanouir dans l'échange. Il savait ce qui était bien pour elles et en avait décidé à leur place. Longtemps mineures juridiques, les femmes restent encore largement mineures sanitaires.

Encore ne s'agit-il que de maternité.

J'ai déjà parlé un peu plus tôt de cette obsession bizarre de l'allaitement maternel que poursuit notre époque et de ce qu'elle implique de renouveau d'une sujétion fortement suggérée, d'une injonction de sujétion devrais-je dire, aux nouvelles mères. Les plus récentes études mettent en doute la réalité des bienfaits supposés de l'allaitement maternel par rapport au biberon sur la durée de croissance d'un enfant ? Peu importe, l'univers est devenu binaire : allaiter c'est bien, ne pas le faire c'est mal. Que certaines femmes n'aient pas ou pas assez de lait ou qu'elles n'aient pas le temps ou pas l'envie d'instaurer ce rapport-là avec leurs enfants, rien n'y fait : médecins, sages-femmes, infirmières, tout le monde se ligue pour plaider l'allaitement, dans un grand élan de « retour à la nature », voire à un éternel féminin fantasmé. Tout le monde s'en mêle, parfois avec tact, parfois jusqu'à l'absurde : qui n'a jamais vu une jeune accouchée au bord de l'épuisement condamnée au tire-lait manuel (« Vous comprenez, les électriques sont tous pris ») pour subvenir aux besoins de son enfant n'a rien vu de l'aliénation des nouvelles mères. Refuser, c'est passer pour une affameuse, une égoïste, une « mauvaise mère ». Accepter à contrecœur, c'est pourtant se précipiter sur la pente du baby blues mais ça, ça ne compte guère, puisque cela ne survient en général qu'après le départ de la maternité. L'idée même qu'une mère puisse choisir ce qui lui paraît le plus souhaitable pour son enfant comme pour elle et que chaque solution possède ses mérites propres, cette idée-là a bien du mal à se faire un chemin. Mineures sanitaires, vous dis-je.

Encore ne s'agit-il que de pays développés et libres. Ce qui peut se passer ailleurs dépasse parfois l'entendement Je pense à toutes celles, si nombreuses, à qui on ne laisse aucun choix, aucun droit sur leur corps. À ces femmes tibétaines en Chine, éthiopiennes en Israël, roms en République tchèque qui ont eu à subir des stérilisations forcées. Forcées et camouflées. Des « campagnes de vaccinations » dont elles sont sorties infertiles à vie. Pourquoi aurait-il fallu leur dire ?

À celles, bien sûr, dont j'ai déjà parlé, qu'on mutile pour leur faire payer, dans leur corps, leur tort d'être des femmes. Fillettes excisées, fibulées, le plus souvent par leurs mères, leurs tantes : torturées et mutilées parce que femmes, par des femmes.

À celles à qui avoir un enfant ou plus est refusé, à celles à l'inverse qui n'ont pas accès à la contraception ou que les MST menacent et parfois rongent. À toutes celles-là, dont le corps est là pour servir à d'autres, dont la santé et la volonté comptent moins que le plaisir et la volonté de ceux qui s'en servent. Celles dont le corps n'est qu'un objet offert à d'autres, une marchandise, payante ou non.

« Mon corps n'est pas une marchandise. » Ce slogan a connu son heure de gloire, pour dénoncer la prostitution ou ce qui s'en approchait. Tant mieux. Mais sommes-nous sûres que nos corps ne sont pas surtout devenus des marchés ? Veillons-nous assez à ce qu'on aborde la santé des femmes avec des préoccupations éthiques suffisantes et non avec des dollars dans les yeux ? Reproduction, jeunesse, minceur, beauté : n'y pense-t-on pas d'abord comme à de formidables opportunités commerciales où la quête de la femme idéale permet tous les profits et autorise parfois tous les risques ? J'ai déjà parlé de ces scandales sanitaires qui concernent pour l'essentiel des produits destinés aux femmes : méthodes amaigrissantes, chirurgie plastique, bronzage, contraception, les abus n'ont pas manqué. Dans chaque cas, c'est la vigilance qui a fait défaut.

Mais au-delà de ces scandales aujourd'hui connus, que dire de l'utilisation d'un poison plus dangereux que le cyanure : la toxine botulique, pour diminuer les rides ? Du recours à la cortisone des femmes africaines pour blanchir leur peau ? Que penser de la banalisation de ces produits, dont la toxicité ne fait pas mystère, au motif qu'il « y a un marché », que « tout le monde le fait » ? Faut-il traiter l'acné juvénile au péril de la santé des jeunes qui la subissent mais qu'on expose parfois un peu vite à des risques plus grands encore ? Faut-il traiter les effets de la ménopause des femmes sans bien mesurer à quoi on les confronte et sans vraiment leur dire ? Et surtout, pourquoi ? Pourquoi cet acharnement à « corriger la nature », cette conviction bien ancrée qu'une femme doit agir sur son corps, le contraindre, parfois le brutaliser et le mettre en péril pour être tout à fait accomplie ? À quoi bon nous étonner des femmes girafes de Birmanie, des pieds bandés des anciennes Chinoises si nous réinventons nous-mêmes de nouvelles souffrances, de nouvelles servitudes ? Car c'est bien nous-mêmes qui nous prêtons à ces pratiques et qui faisons de notre corps un marché. Sommes-nous si peu sûres de nous et si convaincues que, d'une manière ou d'une autre, notre destinée serait de souffrir pour alimenter de par notre propre volonté ce type de marché ?

Est-ce qu'en effet, nous ne supportons pas – beaucoup – trop ?

Au moment où j'écrivais ces lignes, à cinquante mètres de la maison où je me trouvais en vacances, dans une maison voisine, j'ai découvert qu'une femme était battue par son compagnon devant ses enfants. Soudain il fallut s'interposer, parlementer, essayer sans succès de calmer le forcené, appeler la gendarmerie, qui hésitait à se déplacer une fois encore tant elle était déjà venue souvent. Tout à coup, au milieu de l'été, la violence contre les femmes n'était plus une statistique mais une banalité atterrante, *next door*. Pour une casserole brûlée, un dîner qui n'était pas prêt au retour de son compagnon, une femme, en France, risquait sa vie et celle de ses enfants. Sans travail, elle ne pouvait aller nulle part de crainte d'être séparée de ses enfants. Son horizon, son avenir ? Aucun.

Au même moment, partout en France, des femmes et des enfants sillonnaient les rues des villes, forcés à mendier, à chaparder, de peur des coups des hommes. D'elles, je voudrais savoir parler, mais je ne m'en sens pas le droit. Je ne croise que trop peu leur route, je sais trop peu de choses sur elles. Mais j'aimerais qu'on les voie, qu'on pense à elles, qu'on agisse avec elles comme avec des êtres humains dotés de droits, dignes de respect, autant que n'importe qui d'autre. Je voudrais qu'elles n'aient pas à trop supporter.

9.

Crever les plafonds

Depuis quelque temps, il se passe de drôles de choses : on nomme des femmes, on promeut des femmes, on parle des femmes. Discours, textes de loi sur l'égalité, la parité, rencontres, colloques, débats, ça n'arrête plus. Un vent de féminisme souffle sur notre pays. Formidable. Enfin presque.

On a commencé par arrêter de rêver. De croire que l'égalité, la parité viendraient toutes seules. Cinquante ans après le début du combat pour l'égalité et la fin du baby-boom, on s'est donc aperçu qu'on n'avançait guère. Certes, les femmes ont en France le droit de vote, celui d'avoir un compte bancaire, elles sont une majorité à occuper un travail salarié. Mariage, enfants, leurs droits ont progressé. Tout cela a avancé vaillamment jusqu'aux années 1980. Ensuite ? Ensuite pas grand-chose. Ou plus exactement plus rien.

Les femmes travaillent ? Très bien. Par choix ? Pas forcément. La situation économique n'est plus celle des Trente Glorieuses. Aujourd'hui un foyer prend un gros risque lorsqu'un seul des conjoints travaille. S'il perd son emploi, c'est toute la famille qui trinque et s'il a plus de cinquante ans, ses chances d'en retrouver un s'amenuisent. Supposons qu'il travaille, faire vivre toute une famille sur un seul salaire n'est pas donné à tous, loin de là. Dans ce contexte, auquel s'ajoutent la fréquence et la rapidité des divorces, les femmes ne travaillent pas par caprice mais par nécessité. La génération précédente ne le comprend pas toujours mais si nous aspirons à un pouvoir d'achat comparable à celui qu'elle a connu, il faut impérativement que les femmes travaillent. C'est pourquoi les jeunes femmes qui renoncent à une vie professionnelle après leurs études m'inquiètent. Ce n'est pas un jugement de valeur, je ne vois rien de dégradant à choisir d'élever ses enfants et prendre soin de sa famille. Mais je ne suis pas sûre qu'elles mesurent pleinement ce qui les attend : le chômage, la séparation n'arrivent pas qu'aux autres. On ne le répétera jamais assez : l'indépendance financière, la capacité à subvenir à ses besoins constituent la première des libertés. Qu'on n'adhère pas à la vision en partie idéologique de l'épanouissement par le travail peut parfaitement s'entendre. Mais qu'on croie vivre à l'abri du risque de précarité en choisissant d'être un adulte inactif, cela me paraît mériter d'y réfléchir à deux fois et d'être débattu.

Et puis on travaille aussi par plaisir. Mais cela, on le dit finalement assez peu. C'est tout de même étrange et certainement pesant de devoir taire le bonheur que l'on ressent à accomplir certaines tâches de sa vie professionnelle, parce qu'on est une femme.

On n'ose pas toujours dire, ni partout, qu'on se plaît à ce que l'on fait, qu'il y a nombre de lundis matin guillerets, lorsqu'on a déposé son enfant à l'école et qu'on s'apprête à s'envoler pour une mission dans un pays étranger, avec des interlocuteurs inconnus, qu'on le fait parce qu'on aime ça. J'ai pourtant adoré mon métier ou plutôt tous les métiers que la vie m'a offerts et je ne m'y suis pas ennuyée une seconde. Vingt-six ans de diplomatie à sillonner les cinq continents ont été vingt-six ans de pur bonheur. Deux ans à diriger l'une des plus belles écoles de France et à essayer de la faire évoluer constituent une responsabilité aussi gratifiante qu'inattendue. J'ignore encore de quoi demain sera fait mais le service de l'État, l'intérêt général comme boussole sont en soi un moteur, une fierté et une chance que je n'ai jamais cessé de mesurer.

Pour un homme, c'est banal de le dire. Pour une femme c'est beaucoup plus difficile car on passe très vite pour une mauvaise épouse, une mauvaise mère. Alors on ne dit rien. Et d'autant moins qu'on a tout de même un pincement au cœur lorsqu'on s'allonge dans sa chambre d'hôtel, à l'autre bout du monde et qu'on entend la petite voix de son enfant au bout du fil. Il y a des moments de doute, à se demander ce qu'on fait là, loin des siens. Il y a aussi les moments d'angoisse : lorsque depuis Chicago j'ai appris que des cambrioleurs étaient entrés chez nous et que mon fils me l'avait caché « pour que *je* ne me fasse pas de souci ». Ou quand, depuis Tokyo, j'ai vu sur Internet l'école de mon dernier où un déséquilibré venait de se donner la mort devant une classe de CP. La sienne.

Le sentiment de culpabilité, d'impuissance, de rage ressenti à ce moment-là est immense.

Mais il n'y a pas que ces moments-là. Il y a tous ceux où l'on a fait quelque chose qu'on aime vraiment, où l'on a découvert d'autres gens, compris de nouvelles idées, été utile, fait la différence, réussi un projet, aidé à résoudre une crise. Tous ces moments formidables où l'on a su, même pour quelques minutes, qu'on était parfaitement à sa place. Ces instants de plaisir, de joie, de fierté, ces moments gratifiants que l'on a reçus comme des cadeaux du destin. Et on n'en parle pas.

Personne n'en parle vraiment, d'ailleurs. Le récit autour du travail est souvent soit cynique, soit sacrificiel. On vous parle de vocation, d'engagement, de courage. C'est moitié religieux, moitié militaire, cent pour cent masculin et guère attirant. On dit moins le plaisir, la fierté, la liberté, l'audace, l'accomplissement. En particulier les femmes en parlent moins que les hommes. Pour elles, surtout si elles ont une famille, le travail est un plaisir honteux. On ne peut pas dire qu'on aime ça, qu'on préfère être active que de rester à la maison. Que si l'on avait le choix, vraiment le choix, on n'est pas tout à fait sûres qu'on voudrait être des femmes au foyer. On ne le dit pas pour ne blesser personne. Mais on a tort car, pendant ce temps-là, on ne dit rien aux petites filles, rien aux adolescentes. Pas de modèles féminins, ou alors des modèles honteux. Toutes sont sincères mais que c'est difficile d'avoir le bon discours ! Celles qui disent avoir tout sacrifié à leur travail – et qui généralement l'ont fait – font office de repoussoir. Celles qui expliquent qu'elles en bavent pour concilier toutes leurs vies en une disent aussi la vérité, mais une vérité qui fait peur et qui omet un point clé : si elles trouvent encore de l'énergie à jongler avec toutes leurs contraintes, c'est qu'elles y trouvent aussi du plaisir. Souvent qu'elles en sont heureuses. Et c'est une phrase qu'on n'entend pas assez.

On ne dit pas non plus la force du lien avec son conjoint, avec ses enfants, lorsque le fait d'être ensemble, tous réunis ne va pas absolument de soi, qu'il est un peu rare et de fait un peu plus valorisé. Oui, le sentiment de culpabilité existe, lorsqu'on n'est pas avec les siens. Mais pourquoi ne pas dire le regard brillant d'un enfant qui vous ouvre la porte et vous raconte ses exploits, ses aventures, tout ce qu'il a accompli pendant que vous n'étiez pas là ? Pourquoi ne pas décrire l'adolescent heureux de vous voir, impatient d'échanger avec vous justement parce que vous n'êtes pas là tout le temps, parce que la routine, la terrible routine qui use parfois les sentiments les plus forts s'est moins installée dans votre vie de famille que dans d'autres ? Je le mesure pleinement, ce luxe d'être la mère qu'on est heureux de voir revenir et pas toujours, ou pas seulement, celle dont on appréhende la présence permanente, aimante mais parfois étouffante. Oui, mes enfants me manquent et je leur manque lorsque nous ne sommes pas ensemble pour une durée un peu longue. Mais n'est-ce pas le plus sûr moyen de ressentir le lien qui nous lie, le prix de notre attachement les uns aux autres ? J'ai pris l'habitude de dire à mes enfants qu'en n'étant pas toujours à la maison, à leurs côtés, je leur épargnais des années de psychanalyse dans l'avenir, à décortiquer les milliers de phrases maladroites qu'une mère dit à ses enfants. Au-delà de la boutade, je suis sûre d'une chose : se voir avec plaisir plutôt que par devoir, ce fondement de toute relation affective durable et agréable, c'est, aussi, ce qu'une vie professionnelle très remplie a réussi à nous offrir, à ma famille et à moi. Pourquoi ne pas le dire ?

Au moins, en France, la très grande majorité des femmes entre vingt-cinq et cinquante ans travaille. Par nécessité ou par choix, elles ont franchi le pas. Pourtant l'égalité n'a guère progressé, contre toute attente et contre toute logique. Plafond de verre, plancher collant, parois étanches : l'édifice professionnel qu'on nous propose a été conçu par un drôle d'architecte et paraît bien mal entretenu. Aussi nombreuses que les hommes à réussir le bac, une licence ou un master, elles sont tout de même trois fois moins qu'eux à se prévaloir d'un grade de docteur dans les disciplines scientifiques et minoritaires à la sortie des grandes écoles. Surtout, tous diplômes et tous secteurs d'activités confondus elles gagnent moins que les hommes. À travail égal, salaire égal ont clamé les syndicats pendant des décennies. Apparemment cela ne vaut pas entre hommes et femmes.

Les différences de salaire restent, absolument sidérantes. En moyenne, en France, les femmes touchent 80 % du salaire des hommes. Le chiffre saute aux yeux, mais pas à ceux de tout le monde. Première réponse facile : normal, les femmes travaillent plus fréquemment que les hommes à temps partiel. C'est vrai, mais ce temps partiel est plus souvent subi que voulu. Subi lorsque l'employeur ne propose rien d'autre, subi lorsque le partage des tâches familiales se résume à les faire assumer intégralement par la femme, qui s'astreint alors au temps partiel pour concilier ses deux journées, celle qui est rémunérée et celle qui ne l'est pas. Celle qui prépare une retraite et celle qui ne la prépare pas. Normal, vraiment ? Deuxième réponse, tout aussi facile : les femmes occupent des emplois moins qualifiés que les hommes, elles sont donc moins payées. Normal ? Moins qualifiés ou moins recherchés ? Infirmière, aide-soignante, sage-femme, c'est donc facile, cela ne demande pas de qualification, ce n'est pas fatigant ? Allons donc. Il vaut à l'évidence mieux être contrôleur à la SNCF. Tiens, dans un cas il y a surtout des hommes, dans l'autre surtout des femmes.

L'inégalité salariale ne serait donc qu'affaire de temps de travail et de qualification. Une fatalité en somme. Pourtant cela va encore au-delà. Plus la qualification et le statut social s'élèvent, plus les écarts de rémunération se creusent. Le salaire minimum des 10 % des femmes les mieux rémunérées équivaut à 77 % du salaire minimum des 10 % des hommes les mieux rémunérés. Si l'on prend en compte les 1 % les mieux rémunérés, c'est encore pire : les femmes touchent au mieux un salaire équivalent à 64 % de celui des hommes. À un niveau où le temps partiel est plus rare et la qualification plus élevée.

Nouvelle fausse certitude : seul le secteur privé serait touché. Les inégalités salariales y seraient plus habituelles dans l'ensemble et les femmes y seraient cantonnées dans certaines fonctions (RH, communication) moins lucratives que d'autres. Si ce n'est qu'une journaliste gagne souvent moins que son confrère, de même que dans beaucoup d'autres professions où l'on propose moins à une femme pour faire exactement la même chose qu'un homme. Parce qu'elle est une femme et parce qu'elle accepte.

Si ce n'est aussi que le secteur public est infiniment moins exemplaire qu'il ne l'imagine et qu'il ne le devrait. Dans une fonction publique régie par un statut plutôt rigide, on ne s'attend pas à trouver d'écarts salariaux entre hommes et femmes. Raté : 18 % d'écart. Le temps partiel, encore ? Pas seulement. Le syndrome de la Belle au Bois dormant, plutôt.

Un salaire se compose souvent d'une part fixe et de primes. Et c'est là que ça se complique. Les primes dépendent des fonctions exercées et de la performance réalisée. C'est ainsi que les écarts se creusent. Parce qu'elles occupent plus souvent des fonctions d'adjointes que de cadres dirigeantes, les femmes n'ont pas les mêmes primes. Au moment des changements d'organigramme, elles ne sont pas toujours attentives au titre qui leur est conféré, plus souvent attachées à la réalité du travail qu'elles accomplissent qu'à la façon dont on le décrit. Pourtant une différence de titre entraîne automatiquement un écart de rémunération. Plus encore, la répartition des primes se fait souvent dans la douleur, le principe étant qu'il « n'y en a pas pour tout le monde ». Louable principe, soucieux d'économie et de récompenser les plus méritants plutôt que de servir chacun sans considération de ses performances propres. La réalité est un peu différente. Les chefs d'équipes sont rares à savoir comment faire et beaucoup redoutent d'affronter les mécontents. La solution de facilité est ainsi souvent celle qui l'emporte : récompenser ceux qui le demandent, d'autant plus généreusement qu'ils le demandent avec insistance et « oublier » les autres.

Les autres ? Autant dire les femmes. C'est simple et c'est pratique, elles ne demandent pas, ou rarement et surtout à voix basse. Syndrome de la Belle au Bois dormant que l'on retrouve pour les promotions. Là encore, une promotion, cela tombe rarement du ciel. Ça se mérite, si possible, mais ça se conquiert aussi. Autant dire que cela se demande. Le patron d'Accenture France en témoignait récemment : à chaque saison des promotions, il voit surgir, tôt le matin, vers 7 heures, à l'heure où il arrive d'ordinaire à son travail, des collaborateurs soudain aussi matinaux que lui, qui lui offrent un café et abordent sans trop de peine leur souhait d'être promus. Parmi eux, pas de femmes.

J'ai relevé la même chose lorsque j'étais DRH et j'ai cherché à comprendre en appelant les femmes qui me semblaient en situation de solliciter un avancement : « Vous n'avez rien demandé ? Vous ne souhaitez pas être promue ? » La réponse était toujours la même : oh si, bien sûr, elles l'attendaient, cette promotion, cette reconnaissance, elles l'attendaient même depuis longtemps. Mais elle allait sûrement venir. Leur travail parlait pour elles. On savait ce qu'elles valaient.

Il n'y avait qu'à regarder. Cela viendrait tout seul. C'est cela le syndrome de la Belle au Bois dormant : attendre que le Prince Charmant vienne changer votre vie. Attendre et ne rien faire pour la changer soi-même. Trop de contes de fées dans l'enfance peut nuire à la santé professionnelle. Lorsque je suggérais à des femmes cadres de solliciter une recommandation et de faire campagne pour leur promotion, là encore, la réponse était souvent la même : demander, solliciter, faire campagne, se vendre ? Impossible, impensable, indigne. Faire campagne, cela ne se faisait pas. Se vendre, c'était se prostituer. Elles ne pouvaient pas faire ça,

Mes sœurs, mes chères sœurs, il y a dans votre raisonnement quelque chose qui cloche. Vous voulez atteindre l'égalité au travail, accéder à une belle carrière mais attendez qu'on vous l'octroie et refusez d'aller la conquérir. Parce que « ça ne se fait pas ». Pourtant les hommes n'hésitent pas, ils s'en portent plutôt bien et vous vous en êtes sans doute aperçues. Voudriez-vous dire alors que cela ne se fait pas « pour une femme » de demander, de se mettre en avant ? Pourquoi entrer dans ces considérations, qui vous ramènent à votre condition de femmes – et à ses désavantages ? Pourquoi ne pas jouer le jeu selon les règles et voir ce que cela donne ? C'est vous et personne d'autre qui véhiculez cette idée qu'une femme ne pourrait pas, ne devrait pas faire valoir ses atouts professionnels, comme si cela revenait à étaler ses charmes. C'est vous et personne d'autre qui entretenez cette confusion, qui refusez d'être d'abord des cadres avant d'être des femmes et qui mélangez les unes et les autres au moment de sortir de l'ombre. Que craignez-vous ? Ceux qui chercheront à tirer profit de vos demandes pour faire de vous leurs débitrices ? Ceux qui croiront pouvoir pousser leur avantage en vous faisant comprendre qu'on n'a rien sans rien ? Pensez-vous vraiment qu'ils soient si nombreux et que vous ayez forcément à les subir ou à les craindre ? Il en reste, c'est vrai, mais le meilleur moyen de les empêcher de nuire, ce n'est pas de les fuir. Qu'ils essaient de vous mettre en difficulté, il y a aujourd'hui tout ce qu'il faut dans l'arsenal juridique des entreprises et des administrations pour les remettre à leur place une fois pour toutes.

Il faut surtout ne rien laisser passer. Ne rien céder. Se savoir digne de respect et se faire respecter. Tous les récits le prouvent : les femmes qui ont à subir des attitudes ambiguës ou franchement intolérables ne l'ont jamais cherché (non, messieurs, elles n'aguichent pas, elles ne provoquent pas, non, vraiment) mais souvent, trop souvent, elles ont commencé par laisser faire, un peu, parce que ce n'était pas si grave, par résignation, pour ne pas faire d'histoire. Parfois par peur, peur de perdre un emploi précaire et là c'est tout autre chose. Qu'au moins toutes celles qui le peuvent, toutes celles que la loi protège de façon extrêmement claire, usent de leur droit et même de leur devoir de ne rien laisser passer. Pour elles et pour toutes les autres, justement pour celles qui ne peuvent pas aussi bien se défendre, pour faire en sorte que certaines paroles, certains actes ne soient plus considérés comme banals.

Une remarque déplacée ? On répond. Une attitude ambiguë ? On met le holà, tout de suite. Avec humour si l'on peut, mais l'on ne peut pas toujours. L'à-propos, la repartie, ça n'est pas donné à tout le monde et tout ne prête pas à rire. Je suis souvent frappée de ce conseil que les femmes donnent à d'autres femmes : « Si vous faites l'objet de remarques déplacées, répondez avec humour. » Vraiment ? J'adore l'humour et le pratique volontiers, même si j'en use davantage en privé que dans les rapports professionnels, où il peut parfois être mal compris. Lorsqu'on est soi-même dirigeant, l'humour peut surprendre, décontenancer, parfois blesser. Il est rarement innocent. Et lorsqu'on est en position de subordination, l'humour n'est pas davantage simple à manier : que dire, jusqu'où aller, comment être sûr d'être compris ? Doit-on rire de tout ? Avec n'importe qui ? Quel est l'objectif ? Faire rire, dédramatiser, ridiculiser un propos, une situation, celui qui en est à l'origine ? Je trouve le conseil bien difficile à mettre en œuvre. Bien sûr, un bon mot peut vous venir en aide, mettre les rieurs de votre côté. Mais lorsque vous venez d'encaisser une remarque déplacée, est-ce vraiment le moment où votre sens de l'humour est à son meilleur ? Le souvenir que j'en ai est tout autre.

Autant le dire : le sexisme ordinaire, je l'ai beaucoup moins affronté dans mon milieu professionnel que d'autres n'ont à le subir ailleurs. Il a pourtant surgi à plusieurs reprises, là où je l'attendais le moins. C'est ainsi que je l'ai pris en pleine face dans un bureau de la présidence de notre République. Je ne dirai ni qui, ni quand. Savoir de quelle présidence il s'agit est hors de propos. Mais ce que j'ai entendu ce soir-là mérite qu'on s'y arrête. Il est 20 heures. Nous sommes une demi-douzaine à préparer une réunion de haut niveau qui va se tenir dans quelques minutes. Je suis venue exposer un dossier que je crois important et dont je vois que la présidence le connaît mal. Il s'agit de l'avenir d'une entreprise, dans laquelle l'État a déjà investi et qui aurait besoin d'un coup de pouce supplémentaire. Elle travaille à l'international, contribue significativement à l'influence de la France, la soutenir est dans l'intérêt de notre pays, la laisser seule la condamne à terme. Voilà ce que j'explique aux quelques conseillers qui m'écoutent. Je parle du patron de l'entreprise, de ses qualités et de ses défauts, du fait qu'il passera sans doute la main un jour mais qu'à ce stade il est le seul à porter son projet. Un conseiller me coupe, l'œil brillant, renversé sur sa chaise, le sourire déjà large, sûr de son effet : « Mais qu'est-ce qu'il t'a fait pour que tu le défendes comme ça, tu couches avec, c'est ça ? » Et là, il faudrait sans doute répondre avec humour ? Pour détendre l'atmosphère, mettre les rieurs de son côté ? Le souvenir que j'en garde, c'est d'abord la stupéfaction, les dix, vingt secondes pendant lesquelles on se demande où l'on se trouve et si l'on a bien entendu. Puis l'envie, vite écartée, de répliquer au même niveau, en dessous de la ceinture, car à ce niveau-là il y aurait sans doute de quoi dire et peut-être même de quoi faire rire. Mais non, ce qui a dominé, ce fut très simplement l'envie de retrouver son calme (encore faut-il le pouvoir), de répondre ce qu'on pense vraiment, que ce type de commentaire est indigne, complètement déplacé, qu'on ne comprend même pas qu'il puisse avoir sa place dans une réunion de ce type, que c'est la dernière fois qu'on y participera si cela doit se dérouler ainsi et qu'on en fera une large, une très large publicité. Personne n'a ri, ni avant ni après. Personne n'a dû me trouver très sympathique, c'est un fait. Mais personne n'a recommencé. L'humour, le rire, on le sait depuis Boris Vian servent de politesse au désespoir. Et je n'ai pas envie de désespérer, de penser qu'on ne pourrait pas se débarrasser de ces remarques graveleuses. Alors tant pis pour le côté « rabat-joie » mais je ne suis pas certaine qu'il faille toujours plaisanter de n'importe quoi avec n'importe qui.

Raconter ce type d'anecdote peut en décourager plus d'une qui préférera ne pas risquer encore, et à si haut niveau, de pareils relents de muflerie. Dans mon esprit, c'est tout le contraire. En parler, c'est d'abord briser l'omerta. Éviter le piège dans lequel j'ai vu s'enfermer tant de femmes dirigeantes avant moi et aujourd'hui encore : celui qui consiste à prétendre qu'il n'y a aucun problème, qu'avant, peut-être, ou ailleurs, ça a pu être difficile pour d'autres femmes qu'elles mais que pour elles, non, vraiment, elles ne voient pas. Ce sont les idiotes utiles. Elles vous diront que tout va bien. Ce n'est pas vrai mais soit elles ne voient rien, soit elles ne veulent pas voir. Elles ont franchi des obstacles incroyables pour arriver là où elles sont et s'y maintenir mais à les entendre, ce ne fut qu'un long lit de roses. J'ai recueilli ainsi quelques affirmations étranges : « Jamais le fait d'être une femme ne m'a gênée dans ma carrière », dit publiquement une femme politique dans un milieu pourtant ouvertement connu pour ne faire aucun cadeau aux femmes, qu'elles soient candidates ou élues. Il suffit pour s'en convaincre de voir l'excellent film de Camille Froidevaux-Mettrie, *Dans la jungle*, et la violence politique à l'égard des femmes qu'il relate. Que sa réalisatrice ait dû recourir au format du docu-fiction pour traiter de ce sujet n'est pas l'aspect le moins intéressant. C'est en effet sur la base de très nombreux témoignages recueillis auprès des femmes politiques que Camille Froidevaux-Mettrie a eu l'idée de ce film. Mais c'est lorsqu'elle s'est rendu compte qu'aucune des femmes qu'elle avait interrogées n'acceptait de se livrer face caméra ni d'être nommément citée qu'elle a mesuré l'ampleur du sexisme ordinaire au Parlement et ailleurs et le poids de l'omerta qui pèse sur les élues. Pas une qui aurait osé dénoncer les difficultés, les brimades, les obstacles auxquels elle avait été personnellement confrontée. Même si toutes souhaitaient qu'ils soient abordés au grand jour, il faillait que ce soit de manière anonyme. C'est donc en brouillant les pistes, en synthétisant les propos des unes et des autres et en faisant interpréter ces récits par des comédiennes que Camille Froidevaux-Mettrie a pu porter la parole de celles qui, en façade, préfèrent dire que tout va bien.

Idiotes utiles, à l'image de cette ancienne dirigeante, attachée à l'image d'une carrière « facile », elle à qui les premiers faux pas ont coûté son poste moins de deux ans après y avoir été nommée et aujourd'hui encore hostile à tout effort en faveur d'une plus grande mixité. Ou de cette cadre très supérieure, grisée par son succès et son ascension rapide, répétant à l'envi qu'elle n'était « pas féministe ». Jusqu'au jour où, évincée sans ménagement, elle s'est retournée pour chercher des soutiens et n'a pas trouvé grand monde. Ou encore de cette autre, fière de son parcours mais au fond dévorée par l'inquiétude : tout, elle doit tout à un grand patron qui a choisi de la distinguer, de la promouvoir et de lui donner sa chance. Seul hic : s'il part, elle ne sait absolument pas ce qu'elle deviendra. Elle n'a aucune garantie, aucune assurance. Elle sait même, ou elle soupçonne, que dans le monde hyper-masculin dans lequel elle a avancé, on l'attend au tournant : sans son mentor, elle n'est plus rien.

De ces situations, de ces difficultés, de ces solitudes, il faut parler. Éviter à tout prix d'être la femme de service, celle qu'on nomme pour l'affichage, pour se donner bonne conscience et une bonne image, l'alibi, le pot de fleurs qui ne dit mot. Pour commencer, il faut s'exprimer, dire ce qui va et ce qui ne va pas, surtout si ça ne se fait pas, si c'est « mal élevé », si cela semble marquer un manque de reconnaissance.

Les femmes ne sont pas là pour se taire, pas là pour remplir une statistique, encore moins un quota. Même lorsqu'il en existe. Même ceux qui sont légion, ceux qui croient qu'il suffit désormais d'être une femme pour faire carrière. Nous le savons. Nous ne risquons pas de l'oublier tant ils le répètent. Cela nous incite à relever sans cesse le défi de la compétence, à nous investir autant que les hommes, souvent davantage, par souci de prouver notre légitimité à tous les sceptiques Aucune d'entre nous n'a accepté une proposition, n'a pris un poste en pensant qu'on le lui proposait uniquement parce qu'elle était une femme. Beaucoup ont hésité avant de dire oui, ont douté, ont pesé le pour et le contre de ce qui s'offrait à elles, sans doute bien davantage que des hommes ne l'auraient fait. Mais toutes celles qui ont sauté le pas l'ont fait parce qu'elles pensaient en être capables et sans doute plus encore : parce qu'elles ont pensé pouvoir faire une différence dans les nouvelles responsabilités qu'elles étaient prêtes à assumer.

Dès lors, vous qui avez franchi le plafond de verre, n'hésitez pas à vous exprimer. Surtout si personne ne vous y encourage et on vous y encouragera rarement. Après tout, si vous avez été distinguées, ce n'est pas pour rester des images muettes. On vous a normalement livrées avec le son, servez-vous-en. Dites ce que vous vivez, ce qui va, ce qui va moins bien. Sans souci excessif que cela plaise ou dérange. Il y a peu de chances que ça plaise énormément : « Communication tapageuse » ; « S'adresse souvent aux médias » ; « Qu'on ne me dise plus que les femmes ne savent pas faire parler d'elles », c'est ainsi que quelques vieux caciques se plaisent à commenter les femmes qui s'expriment. Les mêmes vieux caciques ne se sont pourtant jamais montrés surpris qu'un homme communique, tout juste un peu admiratifs, un peu envieux aussi mais rien de plus. Mais une femme, franchement… Au moins, vous ne pourrez pas dire qu'on ne vous aura pas prévenues.

Car les hommes qui « montent », ceux que l'on distingue, que l'on promeut, rares sont ceux qui repoussent les micros qu'on leur tend. Pour eux, qu'on leur propose de s'exprimer est la norme, ils ont des choses à dire. Ils ont raison. Raison de croire que la communication est aujourd'hui quelque chose de banal, qu'on s'exprime comme on respire, que cela fait « partie du job » et que ça ne se discute pas. Raison de penser que chacune de leurs prises de parole sera imparfaite et qu'il faut avant tout se lancer, s'habituer, s'entraîner, qu'en matière de communication et de média, un clou chasse l'autre.

On entendait si peu les femmes dans les médias qu'il a fallu que le CSA se fâche. Il a fallu que des groupes de pression se forment, à l'image de Vox Femina, pour proposer aux médias des expertes qu'ils peinaient visiblement à voir. Des progrès ont été enregistrés. Quelques effets pervers aussi. Je dois ainsi refuser régulièrement des interviews à des médias qui m'ont sagement listée dans leur base de données parmi les « expertes ». Si je dis non, c'est qu'on me sollicite à tout bout de champ, à toutes les sauces. Et surtout lorsque des hommes ont refusé de s'exprimer, ce qui reste rare. Lorsque le sujet est tellement glissant qu'il n'y a plus un homme pour décrocher son téléphone, plus un expert pour partir en studio. Les aveux de Jérôme Cahuzac, l'affaire Closer, l'abstention aux municipales : on ne se bouscule pas pour répondre aux médias ? Demandez à une femme ! Pour une fois les hommes ont mieux à faire. Pourtant, d'ordinaire, les hommes sont experts d'à peu près tout et parlent volontiers sur n'importe quoi. Cela s'explique : aucun homme nouvellement nommé ne doute qu'on a fait appel à lui parce qu'il était la bonne personne. Aucun ne doute d'avoir les compétences pour le job, quelque chose à apporter, quelque chose à dire. Et tous s'expriment si on le leur propose, avec plus ou moins de talent, plus ou moins de justesse. Ce sont eux qui ont raison. Alors, bien sûr, jamais ils ne devront répondre à la question de savoir s'ils ont été nommés parce qu'ils sont des hommes. Quelle idée ! Et pourtant, les champions de la discrimination positive, ce sont eux, qui récoltent encore la part du lion même lorsqu'une promotion aurait pu échoir à une femme. Eux qui comptent 80 % des dirigeants à peu près partout et qui, encore aujourd'hui, sont parfois choisis en dépit de l'existence de candidates compétentes. Vis-à-vis de nous, la question revient tout le temps : « Pensez-vous que c'est parce que vous êtes une femme que vous avez été nommée ? » Alors que, le plus souvent, la question la plus juste devrait encore être : « Comment se fait-il qu'être une femme n'ait pas constitué un handicap à votre nomination ? »

C'est vrai, aujourd'hui, des garde-fous, des quotas existent, ici ou là, qui visent, progressivement, prudemment à rééquilibrer les choses. Dans la fonction publique, l'objectif est de parvenir à une quasi-parité (pas tout à fait tout de même, le chiffre est de 40 % et seulement pour les nouvelles nominations, certainement pas pour le stock des emplois de dirigeants) d'ici à 2018. Progressif, prudent, raisonnable. Et pourtant, c'est le même mot d'ordre, le même frisson d'effroi partout : « C'est l'invasion ! » « Les femmes prennent la place des hommes ! » « Désormais il faut être une femme pour réussir ! » Et le plus joli : « Il faut être attentif au malaise des hommes ! »

Pardon ? Mais ces femmes que l'on va essayer de nommer ne sont pas sorties de nulle part. L'accès aux emplois de direction dépend de compétences et de conditions d'expérience qu'elles auront à remplir comme les hommes. Elles proviennent d'un vivier qu'elles ont investi par leurs mérites propres. Il ne s'agit donc pas pour elles de prendre la place de quiconque mais de prendre leur place. Et c'est cela, « l'invasion », le « malaise des hommes » ?

Pourtant on n'entend que cela : les hommes ont le blues. Génération sacrifiée. Que l'on fasse davantage de place aux femmes, qu'on les laisse prendre leur place et c'est en termes d'invasion, de menace qu'on réagit. Et qu'on s'organise.

C'est assez subtil et assez inquiétant en même temps : depuis plusieurs années, on nomme plus de femmes mais la tension monte. On les guette au tournant. On les expose, on les malmène et on regarde. On ne serait pas fâché de montrer qu'on a eu tort de les promouvoir. Ah, si l'on pouvait revenir au bon vieux temps ! Alors, il se passe des choses étranges. L'évaluation à 360 degrés connaît en France ses premiers balbutiements. Lents, timides, effarouchés, mais elle démarre. Elle consiste à chercher à mesurer la performance d'un dirigeant en interrogeant ses supérieurs s'il en a, ses pairs, ses principaux interlocuteurs mais aussi ses collaborateurs. On tente ainsi de prendre en considération les qualités managériales de ceux à qui l'on donne des responsabilités élevées. Cela permet à la fois d'identifier les plus hauts potentiels, d'encourager ceux qui sont sur la bonne voie, d'alerter ceux qui font fausse route, bref de dialoguer avec tous. Et dialoguer avec un dirigeant, c'est d'abord le sortir de sa solitude, d'un isolement d'où rien de bon ne sort, la plupart du temps. Encore faut-il s'appuyer sur des critères objectifs et en faire une lecture équitable. Encore faut-il un zeste de bonne foi. De ce point de vue, il reste quelques progrès à faire. J'en ai été témoin au Quai d'Orsay, une institution qui a pourtant voulu avant les autres tester ce nouvel outil. Réunion au sommet : le « collège des évaluateurs » présente au conseil de direction le bilan annuel de la campagne d'évaluation à 360 degrés. Il a choisi cette année-là de classer les ambassadeurs en trois catégories : les très bons, les moyens, les très mauvais. Les moyens constituent un marais largement majoritaire : ils ne crèvent pas le plafond mais ne font pas de drames. Les très bons sont une trentaine, plus nombreux que les très mauvais. C'est une bonne nouvelle, même si l'on peut se demander quelle place tient la consanguinité dans l'appréciation un peu généreuse portée sur certains. Les très mauvais sont une quinzaine, ce sont les gueux, les pouilleux, les déchus, ceux qui, si une inspection confirme ce que l'évaluation a dénoté, ne reverront pas un nouveau poste d'ambassadeur de sitôt. *A priori* c'est heureux : on repère et on sanctionne les caractériels notoires dans un métier où, jusqu'à récemment, ils pouvaient exercer avec d'autant plus d'impunité qu'ils résidaient loin de la métropole.

Pourtant, la réunion commence étrangement, très étrangement. L'évaluateur en chef a l'air gêné. C'est un diplomate en retraite, il a régné pendant quarante ans sur d'éminentes fonctions au ministère. Et le voici embarrassé. Son message tient en une phrase, prononcée avec une componction contrite : « Je suis au regret de vous faire savoir que les ambassadrices ont commis cette année une véritable contre-performance. » C'est en effet ennuyeux. D'autant plus qu'il s'agit de l'une des premières années où le nombre des femmes ambassadeurs a augmenté. Elles seraient donc d'effroyables managers. Les mines consternées se répandent autour de la table. Voyons cela plus en détail.

Et là, stupéfaction : M X, classé trentième, donc parmi les tout meilleurs, mais de justesse : « Assume son poste avec talent et autorité. Sait faire preuve de caractère. » Plus loin, beaucoup plus loin, vers la 170e place, en toute fin de peloton, parmi les réprouvés, Mme Y : « Peine dans son poste, en dépit de son talent. Autoritaire et caractérielle. » Les mêmes mots, ou presque. Des situations qu'en tant que DRH je connais bien, l'une et l'autre, et qui sont à peu de chose près similaires : gros engagement professionnel, fort sens de l'État mais mépris des collaborateurs, relationnel exécrable et risques psycho-sociaux à la clé, dans les deux cas. Mais l'homme a du caractère, la femme est caractérielle. L'homme a de l'autorité, la femme est autoritaire. Dans un cas il est parmi les meilleurs, dans l'autre elle risque de voir sa carrière s'arrêter. Tout simplement.

Qu'a-t-on retenu de l'exercice ? Que les femmes ne dirigeaient pas mieux que les hommes ? Cela, j'aurais aimé qu'on le pense avant. Ni mieux ni plus mal, pas de « qualités spécifiquement féminines » qui cacheraient, à n'en pas douter, des « défauts bien féminins ». Non, malheureusement, on n'a pas cherché à faire dans la subtilité. À se demander par exemple s'il n'y avait pas plus de mauvais ambassadeurs dans les tout petits postes, tout simplement parce que personne ne voulait y aller, qu'on n'y nommait pas toujours les meilleurs. Encore moins les meilleures, puisqu'on y trouvait pas mal de femmes. Elles acceptaient d'aller là où personne ne voulait aller, elles dont on n'avait pas su quoi faire ailleurs. En apparence, c'était « gagnant-gagnant ». On avait trouvé quelqu'un à mettre dans un endroit impossible, en plus c'était une femme, on « faisait du chiffre » en tendant vers la parité sans concurrencer personne, en tout cas personne de sérieux. Et pour ces femmes c'était inespéré. Elles n'auraient jamais été nommées dans un pays plus « normal ». Évidemment, si elles étaient mauvaises managers, l'isolement, l'éloignement, les petits effectifs, de qualité variable, qui leur ont été confiés, ont fait le reste : elles ont fait n'importe quoi et ça s'est vu. Souvent, leurs prédécesseurs hommes dans les mêmes postes ne valaient guère mieux mais ont déclenché moins de commentaires. Eux, on était habitués, c'était le folklore. Ça faisait partie de la tradition. Quelques dingos de-ci-de-là dont on narrait les exploits en fin de dîner entre diplomates. Mais les femmes, elles, ne faisaient pas partie de la tradition, du folklore. Pas d'attendrissement les concernant.

À la première difficulté, les surnoms fusaient : « Folcoche », « la Thénardier ». Elles ne l'avaient pas volé. Mais pour elles, pas de deuxième chance. « Caractérielles, autoritaires », en bas de classement quand leurs semblables masculins restaient en haut malgré tout.

On a surtout retenu qu'il « y avait beaucoup de femmes parmi les mauvais ambassadeurs ». On a cru pouvoir le penser, le dire, s'en gausser et on ne s'en est pas privé. On n'a pas été loin d'en faire une règle, une fatalité contrite : voyez, on a nommé des femmes, on y était contraint, mais franchement, ça n'a rien donné de bon. Malgré la volonté politique affichée en faveur de la parité. Sous le manteau. En prenant date. À cas où. Comme si la parité n'était qu'une mode, une lubie qui passerait, comme d'autres. On reviendrait alors au bon vieux temps, celui de l'entre-soi, celui dont la nostalgie s'exprime de plus en plus, en douce, mais tout de même. Celui où l'on pouvait plaisanter sans crainte d'être repris, sans devoir faire attention. Celui où l'on distribuait les postes à ceux qui vous ressemblaient le plus, qui pensaient comme vous, vivaient comme vous, avaient autant intérêt que vous à ne rien changer au système, à ne rien contester, à ne rien réformer non plus.

D'ores et déjà, une forme de résistance s'est organisée, malgré la volonté politique affichée, juste en dessous du radar. Une idée circule, celle que les femmes « prendraient tous les postes » et que les hommes « seraient sacrifiés ». On l'entend, partout, de plus en plus, jusque dans les bastions les plus masculins. Il suffit d'une seule nomination féminine pour que le tocsin retentisse : « l'invasion a commencé ». « Il va bientôt falloir se faire opérer pour être promu ». « Non, on ne m'a rien proposé, normal, je ne suis pas une femme ». Le récit se déploie, fantasmé, répétitif, sans rapport avec la réalité statistique. Il dit surtout que, pour ceux qui le propagent, les femmes ne sont pas à leur place en haut de l'échelle. Elles prennent la place naturelle des hommes. Alors pas question de leur faciliter la tâche. En apparence les portes leur sont ouvertes, elles sont invitées au festin, mais c'est un drôle de repas auquel on les convie : c'est le déjeuner du renard et de la cigogne. La cigogne est invitée, mais rien n'est fait pour qu'elle s'y sente à l'aise. Comme dans la fable de La Fontaine, le brouet clair lui est bien servi dans une assiette : les conditions de travail n'ont jamais été aussi dures, aussi fermées pour ceux et celles qui atteignent des responsabilités supérieures : hyper-disponibilité, hyper-présentéisme, les dernières décennies ont poussé à fond sur le travail des cadres comme jamais auparavant. Dans l'idéal, nous sommes tous devenus des Japonais, pensant en priorité à notre travail avant toute chose, hyper-investis, prêts à « tout donner ». La vie personnelle ? Secondaire. Les tâches domestiques et familiales ? Pour les femmes. Étrangement, tout converge pour semer le parcours d'obstacles : la politique familiale devient moins généreuse au moment où les femmes qui travaillent en auraient le plus besoin ? Qu'importe. C'est le premier chapitre d'économies auquel on pense. Auquel les hommes pensent. Les emplois familiaux de moins en moins aidés ? « Cela va devenir de moins en moins avantageux pour une femme de travailler », vous susurre-t-on. Le niveau scolaire baisse ? C'est le moment où l'on se met à faire valser les rythmes scolaires. L'espérance de vie des seniors s'accroît sans qu'il s'agisse nécessairement d'une espérance de vie en bonne santé ? Sur qui repose le soin apporté aux parents âgés ? Sur les femmes.

Plus que jamais, la réflexion sur les méthodes et les temps de travail doit revenir au centre du débat. Parce que c'est la nouvelle frontière, après les quotas. Les quotas ont été et restent un corset utile, sans lequel aucun progrès ne serait enregistré, sans lequel aucun progrès n'avait d'ailleurs été enregistré depuis plusieurs dizaines d'années. Mais cela ne suffira pas. Tant que les hauts potentiels seront repérés dans les grandes organisations à l'âge où les femmes attendent et élèvent leurs enfants, elles rateront la marche. Cette obsession qui consiste à miser sur les trentenaires contre toutes les autres tranches d'âge n'a pourtant plus guère de sens, à un moment où nous savons que les études et les carrières s'allongent. Un trentenaire, aujourd'hui, c'est quelqu'un qui n'a qu'une poignée d'années d'expérience professionnelle et à qui on s'empresse de faire confiance pour lui donner des responsabilités élevées, à un moment où il a à peine eu le temps d'acquérir quelques réflexes. Et ensuite ? Que va-t-on faire de lui pendant les trente années suivantes de sa vie professionnelle ? Il sera monté très vite, très haut, aura couru le risque d'essuyer des échecs spectaculaires qu'un peu plus de expérience lui aurait épargnés, puis il va plafonner, s'ennuyer, partir ailleurs ou encombrer les organigrammes. En termes de retour sur investissement de la part de l'employeur qui aura misé sur lui, c'est assez moyen. Et tout cela se sera passé sur une tranche d'âge pendant laquelle il aura eu des enfants, qu'il aura à peine vus grandir. Il s'en plaindra, trop tard.

Qu'on transpose le même modèle sur une femme et on voit d'entrée de jeu que peu nombreuses sont celles qui pourront s'y plier. Il y a celles qui refuseront d'emblée, celles qui caleront en cours de parcours (on parle d'évaporation pour qualifier le phénomène, c'est sûrement un homme qui a choisi le terme, d'évaporation à évaporées, il n'y a qu'un pas), celles qui diront non une première fois en espérant qu'on leur reproposera quelque chose plus tard et qui s'étonneront d'avoir disparu des radars à quelques années d'intervalle. Pourtant les carrières sont longues et mériteraient qu'on distingue les « hauts potentiels » dans d'autres tranches d'âge. J'ai pu, à plusieurs reprises, donner leur chance à des femmes de plus de cinquante ans qui, après avoir élevé leurs enfants, se sentaient prêtes à un nouvel investissement professionnel. Je n'ai jamais eu à le regretter : elles se donnaient à fond, avec intelligence, maturité, justesse et… dans une très grande bonne humeur.

Revoir les carrières est urgent, pour tous. Revoir le temps de travail l'est tout autant, pour les hommes comme pour les femmes. Dotés d'outils du

XXIe siècle, nous travaillons comme au XIXe : réunions interminables, circuits de décision aussi longs qu'opaques, mauvaise répartition des responsabilités, délégations insuffisantes, verticalité du pouvoir, cloisonnement de l'information, compétitions internes aux organisations, les pertes de temps et d'énergie sont légion. Elles minent l'efficacité et exigent, en compensation, de surinvestir son travail par des horaires de déments. Chacun, chacune d'entre nous s'interroge, souvent : qu'est-je fait de vraiment utile et efficace dans ma journée? La réponse est parfois d'autant plus pathétique que la journée a été longue et pesante. Le véritable *lean management* ne devrait pas viser seulement les agents d'exécution mais bien davantage les cadres. Traquer les enjeux de pouvoir stupides, ceux qui font que dix personnes participeront à une réunion qui aurait pu n'en mobiliser que quatre, voire être remplacée par un partage électronique de documents. Ceux qui font qu'une décision doit être noyée dans un entrelacs de cosignataires, qui diluent leur responsabilité individuelle, se marquent les uns les autres et font perdre à tous un temps précieux. Ceux qui font qu'un décideur génère un entourage qui, loin de fluidifier la circulation de l'information, l'attribution des tâches et la détermination des responsabilités, alourdit les processus, brouille les cartes, fait barrage, tampon, écran de fumée…

En quoi cela a-t-il à voir avec le travail des femmes? En rien, du moins en apparence. Tout le monde aurait intérêt à des structures, privées ou publiques, qui fonctionnent avec davantage d'efficacité. Mais un constat s'impose, c'est que rien n'a bougé depuis des décennies et pas davantage depuis que le numérique a pénétré nos bureaux, où il s'est simplement juxtaposé, surajouté à nos méthodes de travail anciennes plutôt qu'il ne les a bouleversées en profondeur. On travaille de plus en plus, pas forcément de mieux en mieux. Chacun le sait, le ressent mais rien ne se passe : les organisations syndicales qui, en France, représentent de moins en moins de monde ne s'intéressent pas souvent aux cadres et ne manifestent guère d'appétence pour les méthodes de travail. On invoque des évolutions « inévitables » vers un management moins vertical, vers des horaires plus flexibles, moins de présence, plus de performance, parce que le numérique agirait comme une baguette magique et changerait nos habitudes sans même qu'on s'en aperçoive, ou parce que les millenials, la génération Y aurait déjà imposé ses codes. Mais la réalité est souvent bien différente : dans combien d'organisations le travail a-t-il autant muté qu'on le prétend ? Quel est l'impact de la crise et de la peur du chômage sur l'évolution des rapports professionnels et des conditions de travail ? L'impression qui domine, c'est que l'envie de changement est bien là mais que le quotidien ne s'en imprègne guère. La nouvelle économie n'est de ce point de vue pas toujours plus vertueuse que l'ancienne. On y a vu, avec une certaine stupéfaction, Marissa Mayer, la présidente de Yahoo, imposer à ses salariés de mettre fin au télétravail et de retourner au bureau, « pour plus d'efficacité ».

Pourtant, on ne peut que se demander ce qui nous attache à une manière de travailler qui frappe non seulement par son archaïsme mais aussi, largement, par son inefficacité. Si tous les efforts, les sacrifices consentis depuis des décennies par des générations de cadres avaient conduit à des succès mirobolants, il faudrait s'incliner : l'engagement professionnel, la réussite d'une entreprise ou d'une organisation seraient à ce prix, celui, élevé, d'un empiètement massif sur la vie personnelle et souvent sur l'hygiène de vie tout court. La réalité est toutefois bien différente : déclin économique, casse sociale, essoufflement de l'innovation, lourdeur bureaucratique, inflation normative : l'état de notre pays incite d'abord à la modestie, ensuite au questionnement. La période est propice, même si les termes du débat me paraissent souvent réduits au jeu éternel et bien français du « À qui la faute ». Selon les chapelles politiques et les intérêts corporatistes, la réponse varie : la faute à l'Europe, à l'Euro, à la mondialisation, aux immigrés, à l'État, à la finance, aux trente-cinq heures, aux patrons, à l'école, à l'ENA…

Presque toujours la faute aux autres. Balayer devant sa porte n'est pas un sport français. C'est souvent, voire toujours aux autres de se réformer, de se transformer, de porter l'effort qu'il faudrait faire pour « redresser le pays ». Mais qu'est-ce qu'ils attendent ? se demande chaque Français, éternel spectateur d'une réalité qu'il observe comme on regarde un match de foot, en commentant l'action à la place des joueurs, du sélectionneur, de l'arbitre mais en restant assis sur son canapé. Chez nous, « À qui la faute ? » tient lieu de « Qu'est-ce qu'on fait ? ». Et surtout qu'est-ce qu'on fait tous, ensemble, pour changer les mentalités, surmonter les blocages, déverrouiller, débrider les énergies ? Et si on se demandait comment nous travaillons, si c'est efficace, utile, pertinent ? Si on réunissait tous les talents ?

Justement, cela tombe bien, les femmes arrivent. Attention : non, elles ne sont pas meilleures que les hommes, non, elles ne nous auraient pas épargné la crise de 2008 (on a tout de même pu lire ce genre d'âneries) sous prétexte qu'elles n'auraient pas pris les risques stupides que les hommes, non, il n'y a pas de qualités essentiellement féminines dont manquerait notre monde de brutes. Il y a aussi des brutes chez les femmes. Et des femmes qui prennent des risques stupides. Même s'il y en a un peu moins, beaucoup moins même, à lire les statistiques de la délinquance ou des accidents de la route. Mais là n'est pas la question.

Les femmes arrivent et, au lieu d'être un problème, elles sont peut-être la solution. Si on arrêtait de parler du problème des femmes, des contraintes des femmes et qu'on pensait à leur talent et aux opportunités de changement qu'elles offrent ? Plus diplômées que les hommes dans de nombreux domaines, elles apportent leur matière grise et leur capacité éprouvée à apprendre. Nouvelles aux postes les plus élevés, elles ont encore un œil neuf. Pour favoriser l'innovation, cela compte. Ce n'est pas de l'essentialisme de le dire mais le simple constat d'une réalité statistique et de ses conséquences. Et elles ont intérêt au changement. Soit parce qu'elles assument des responsabilités familiales qui les rendent à la fois demandeuses d'une autre organisation mais aussi capables de la proposer. Là encore, pas de jugement de valeur : elles ne sont pas « naturellement » plus douées pour planifier leur journée et pour le multitâches que les hommes. Elles y sont confrontées plus souvent et donc mieux entraînées, puisque le planning des enfants, le soin des parents, la vie de la maisonnée et leurs tâches professionnelles reposent en même temps sur leurs épaules. Elles sont plus ou moins douées pour ça, mais elles ont en tout cas de la pratique. Et elles aimeraient toutes perdre moins de temps à chacun des moments de la journée : en transports, en réunions, en arbitrages, à la boulangerie, chez le dentiste, à la cafétéria... Consultez-les pour fluidifier les processus, normalement, elles y ont pensé avant vous.

Mais avec ou sans charges familiales, elles ont toutes la même soif de changement, la même capacité à l'anticiper, la même envie de le voir advenir. Pour une raison simple : parce qu'elles sont encore en minorité. Elles n'ont de goût pour l'évolution et la réforme qu'autant que la situation actuelle fait d'elles des moins loties, des moins nombreuses, des moins incluses. Des cigognes au repas des renards. Le jour où elles seraient majoritaires, ce serait sans doute autre chose. C'est peut-être déjà le cas là où elles sont déjà plus nombreuses. Enseignement, magistrature : dans ces milieux devenus très féminisés, il n'est pas certain que l'envie d'une grande transformation domine, pas davantage que dans les

« bastions masculins ». Mais ailleurs, quand souffle un vent de diversité, c'est aussi un parfum de changement qu'il apporte.

L'objectif est bien la mixité, pas la domination. Pas non plus quelques femmes alibis brandies ici ou là. Pour m'efforcer chaque jour de ne pas être de celles-là, je sais de quoi je parle et ce qu'il faut éviter.

Ce qui fera, un jour, une vraie différence, ce n'est pas la présence au-dessus du plafond de verre de quelques pionnières qui ne lâchent rien et qui essuient les plâtres, c'est que ce plafond de verre explose et qu'il y ait, partout et à tous les niveaux, une mixité suffisante pour que les attitudes changent en profondeur. Ce qu'il faut, c'est atteindre une masse critique, un nombre de femmes suffisamment élevé pour que les comportements changent en attendant que les mentalités évoluent.

Ce qu'on constate, c'est que ça ne viendra pas tout seul. Que les textes de loi sont utiles mais insuffisants. Que les quotas sont indispensables car on ne voit que ce qu'on mesure et on n'atteint que les objectifs qu'on se fixe.

Mais ça ne suffit pas. Parce que certains hommes pensent en termes de pouvoir et croient qu'ils vont le perdre. Parce qu'ils voient le rapport entre les hommes, comme celui entre les hommes et les femmes, au travers d'une guerre de positions. Celles qu'ils tiennent, celles qu'on veut leur prendre. Ils pensent un monde clos et statique en forme de parts de gâteaux qu'on décroche et qu'on se partage entre soi. Ils ont déjà perdu parce qu'ils n'ont pas vu que le monde est devenu à la fois ouvert et mouvant. Nous ignorons aujourd'hui ce que seront les métiers de demain et comment on les exercera. Personne ne prendra la place de personne puisque dès maintenant les cartes se rebattent. Les plus grandes fortunes du globe sont détenues par des hommes – et quelques femmes – dont le métier n'existait pas il y a cinquante ans. Les jeunes diplômés réfléchissent aujourd'hui à des choix impensables hier : choisir son premier job ou le créer ? Dans ce nouveau monde, ce qu'il faut, c'est du talent. Les femmes n'en manquent pas.

Mais il reste l'ancien monde. Celui qui a été fait par des hommes, pour des hommes ? Pas tout à fait. Par des hommes d'autrefois pour des hommes d'autrefois. Les hommes d'aujourd'hui ne s'y sentent pas forcément à leur place. La fameuse « génération Y » le dit, l'exprime et c'est une bonne nouvelle. Ce sont les meilleurs alliés des femmes puisqu'eux aussi veulent le changement. Préparons-nous : les baby-boomers finiront par laisser la place. Il y aura besoin de nouveaux talents, plus jeunes et plus feminins, pour combler les vides. A condition de s'organiser.

« Le détachement féminin rouge ». C'est par cette aimable référence chorégraphique aux moments les plus contestables de la Révolution culturelle que certains hommes du Quai d'Orsay nous avaient surnommées. Nous ? Des femmes, entrées ensemble ou à quelques années d'intervalle dans le métier de diplomate. Ce que nous avions de particulier ?

Nous étions solidaires. Nous travaillions volontiers ensemble, sans hiérarchie, sans nous arrêter aux barrières technocratiques habituelles : pas du même grade, pas du même service ? et alors ? Quelle importance ? S'il y avait quelque chose à faire ensemble, nous le faisions. Si nous pouvions échanger des informations, des conseils, des avis, des anecdotes, nous le faisions. Sans rivalité, dans la bonne humeur. Parce que nous étions des femmes, des minoritaires et que cela nous avait paru naturel. C'est cela qui avait étonné et un peu inquiété aussi.

Nous avons continué. D'autres sont venues. Un jour, cela s'est structuré. C'est devenu un réseau féminin, une association, qui a déposé ses statuts, regroupé des adhérentes, levé des cotisations, pris des initiatives, porté des positions et des revendications. « Femmes et diplomatie », c'était plus sobre. J'ai présidé l'association, pendant un an. J'en ai connu d'autres depuis, elles fleurissent, partout. Beaucoup d'entre elles apportent quelque chose de nouveau parce qu'elles dépassent les questions de parité. Au ministère de l'Intérieur, bastion masculin s'il en est, les Femmes de l'Intérieur tracent un chemin qu'aucune autre association n'avait emprunté avant elles : dialoguent ensemble des préfètes, des officiers de gendarmerie, des commissaires de police, des inspectrices d'administration… Les cultures professionnelles se croisent, se rencontrent, échangent. Les hommes constatent, surpris. Vaguement inquiets. Ce n'est pas – pas seulement – un « groupe de bonnes femmes ». Elles parlent de leurs métiers, elles réfléchissent, elles ne se contentent pas de revendiquer, elles proposent.

Les réseaux féminins, ce doit être cela. Des laboratoires d'idées, ouverts sur le monde, sur la société, sur les attentes et les besoins des femmes mais pas seulement d'elles. Ouverts aux hommes, en quelque sorte. Les ghettos pour femmes, les clubs « interdits aux hommes », ça ne mène pas très loin, ça ne pense pas très loin non plus. Se réunir entre femmes pour lister tout ce qui ne va pas et attendre que cela aille mieux, c'est encore « un truc de filles ». C'est agréable, parce qu'il n'y a pas la même façon de s'observer, la même tension que dans d'autres cercles, mais il ne faut pas en abuser. Se répéter entre femmes à quel point la vie serait formidable si tout ce qui nous contrarie, nous bloque, nous bride avait disparu, ça ne contribue que faiblement à faire changer les choses. Ça donne des idées, du courage, du cœur à l'ouvrage et en cela, ce n'est sans doute pas mal. Lorsque cela permet de créer des réseaux de solidarité, c'est déjà mieux. Ça n'est pas toujours le cas. Beaucoup, trop de femmes se persuadent que le mot « réseau » est un gros mot. À leurs oreilles, cela sonne « réseau occulte », « réseau mafieux », « réseau souterrain ».

Pourtant, la vie est faite de réseaux, d'échanges. Le travail repose sur l'expertise de chacun mais s'il n'y avait que cela on n'irait pas très loin. L'expertise sans partage et sans échange ne mène nulle part. Les réseaux, c'est cela. Ce n'est pas de la perte de temps, du temps volé à son travail que d'échanger avec d'autres. C'est enrichir sa pensée, importer de nouvelles idées, exporter les siennes, celles de l'institution que l'on sert, entretenir du lien. L'un de mes anciens patrons répétait sans arrêt : « On est tout de même plus intelligents à plusieurs que tout seul. » Ça énervait un peu tout le monde parce que ces échanges, il les concevait surtout sous la forme où il parlait et nous écoutions. Mais c'était un ancien patron. Il ne tient qu'à nous de faire mieux.

« Perdre du temps dans les réseaux », certaines femmes le pensent encore. Cela rappelle ceux qui refusaient d'ouvrir l'accès à Internet aux postes de travail en entreprise : les employés allaient « perdre du temps ». Le sous-entendu était simple : ils allaient surfer sur des stupidités, rien de productif pour l'entreprise. Qu'Internet soit un lieu de savoir et d'échanges, et pas seulement un lieu de divertissement s'est imposé peu à peu. Puis Internet a développé les réseaux sociaux. La méfiance est revenue : on ne pouvait que perdre son temps sur les réseaux. Aujourd'hui on raisonne différemment. Tout se passe comme si le rapport des femmes avec les réseaux avait suivi les mêmes méandres et connu les mêmes réticences. Réseauter serait du temps doublement volé : au travail « sérieux » d'une part, à la vie de famille de l'autre. Les choses changent et les réseaux féminins ont connu en quelques années un formidable développement. Le temps introuvable à leur consacrer a finalement été trouvé. Restent deux préventions un peu vaines : on n'y accueille pas d'hommes et on n'y parle pas directement de vie professionnelle. Les femmes découvrent les clubs anglais avec deux siècles de retard. Aujourd'hui, ce qui manque pourtant, ce sont des espaces de mixité où repenser le travail mais aussi l'école, la santé, la famille pour que chacun y trouve sa place.

Aujourd'hui le débat politique tourne en rond, déclenche défiance, désillusion et tentation des extrêmes. Pourtant l'on n'a jamais autant souhaité et eu besoin de débat, d'échanges face à une société qui se transforme et sur laquelle chacun voudrait avoir prise. C'est le moment de réinventer des lieux de débat et que les femmes y prennent leur part. C'est une formidable opportunité que toutes nos institutions, État, entreprise, Europe, syndicats, collectivités territoriales, assemblées représentatives aient à ce point vieilli qu'on ne puisse plus longtemps éviter de les repenser et de les refonder.

Dans ce grand appel d'air les femmes ont vocation à ne prendre la place de personne, mais à faire entendre leur voix et à trouver leur place. Enfin.